不在一起不行嗎

Men's Talk about Time

張維中

原點

目 次

CONTENT

—第一部—
光芒
005
17歲
一個禁止男女交往的高中校園，但沒禁止男男交往。
兩個情竇初開的男孩，深陷在曖昧的溫床。

—第二部—
等待
273
42歲
一座同婚合法的島嶼，兩個被青春綁架的熟男。
時光顛倒彼此，當他願意與愛同居，他卻變成恐婚的弱雞。

—第一部—

光芒

0

我的學校，山霞高中，簡稱霞中。這是一間位於台北郊區，郊區裡偏遠山腳，山腳下平常沒有路人會經過校門口的一所私立升學高中。

一九九四年，我是這間學校的一名高三生。來這裡念書的，幾乎都是像我一樣，三年前沒考上台北市內排名前十名公立高中的學生。三年後，大家希望可以跟那些公立高中學生一拚高下，考到一所理想大學，所以選擇了這間號稱是私立高中升學率前三名的學校。

霞中被外界暱稱為魔鬼高中。以軍事化的嚴格管理聞名，強制所有學生從高一到高三都得住校。即使你家就在學校對面，也必須住校。

學校平日禁止學生任意進出校園，只有週六中午才能回家。週六上午的課結束後，校車會開進校園廣場，把學生一班一班載回台北市區放生。像是農曆七月半鬼門開似的，重返人間的我們，有兩天一夜的時間可以吸取自由的空氣，然後隔天週日晚上七點以前，就必須在指定的地點集合，再讓校車把我們給載回校園。

白天在教室裡上課，上課以外的早晨跟夜晚，也都得待在教室裡自習。早中晚三餐，有學生餐廳供餐，但不是自由進出，必須集體在固定的時間到餐廳，聽候教官的指令開動和解散。

學生宿舍依照性別和年級分開。每間寢室塞了十二個上下鋪的床位，寢室內光是放床就滿了，所以書桌只能排在走廊上。一年級每間寢室的第一張下鋪的床，由二年級的學長進駐，稱為室長，是這間寢室的風紀股長。這些室長是大魔頭舍監的分身，但偶爾也有例外的。比如蔡思明一年級時遇見的室長就是個帥哥。雖然有點兇，但，帥是化解一切恩怨的解藥。人只要帥，一切的臭臉行為就可以被詮釋成酷。

二、三年級的舍監負責管理學生的生活，比如查置物櫃裡有沒有違禁品、早上誰在賴床、評點被子有沒有摺好，以及晚上熄燈後誰在講話不睡覺的瑣事。

校內徹底執行教官、舍監和學長制的階級監視管教，一不小心就會被記警告。三個警告湊一個小過，三個小過湊一個大過，三個大過集滿以後就會被退學。我大概是祖上積德，成績這麼爛，頭腦也差，居然還順利念到了高三下學期，一直覺得該去申請金氏世界紀錄才對。

最後一項，也是這個學校最嚴格的規定。那就是為了升學著想，這間學校嚴格禁止男女交往。不僅男女分班，還禁止男生跟女生在社團活動以外有任何聯繫。別說肢體接觸了，連走在路上跟異性交談都不行。萬一被高年級學長或教官看到的話，就會被立即舉發呈報記過。簡直比抓匪諜還要嚴厲。

所幸這一切與我無關。

因為學校明文規定禁止異性交往，但可沒說限制同性交往。

所以這個學校雖然令人討厭，但因為這一點，我就獲得了救贖。

畢竟到哪裡去找這樣的生活呢？跟那麼多青春無敵的男生們朝夕相處，吃喝拉撒洗澡睡全被綁椿，就算大學沒考好，取經沒取到，人生已達極樂世界。

套一句蔡思明曾經跟我說過的話：「這裡就是我們的，大同樂園！」

是的，這裡是男孩們的大「同」樂園。

歡迎光臨，我們的大同樂園。

1

一片死寂。

整個學生餐廳裡一片死寂。

上百名學生在餐桌前正襟危坐。每個人都被要求挺直腰桿，不能說話，也不可以發出任何聲響，好像連自在呼吸都變得罪惡至極。

教官的腳步聲，在空氣中隱隱震動著，帶有一股火山爆發前的氣息。

突然，他的聲音劃破寂靜。

「我警告你們，開動以後不准狼吞虎嚥。」
教官扯開嗓門講這句話時，刻意走到我們這幾桌的中間。
「十分鐘！開動後十分鐘，聽到第二次的哨聲才能離開餐廳。離開餐廳時給我用走的！聽好了，待會兒誰又給我用衝的出去，我一定會追去球場替每個人加菜，送上一人一支警告。」
語畢，還瞪了我們這桌學生一眼。
看來我們三年七班真的是惡名昭彰。
每天晚上六點用餐後，到七點半的夜自習之前，是我們的自由時間。我們這一班愛打籃球的人特別多，這段自由時間，就是那些籃球迷的珍貴時光。
之前愛打籃球的同學們常為了搶籃框，大家都不吃晚飯，等到教官一宣布開動後，就立刻衝去籃球場。因為這樣的人愈來愈多，上學期末，教官終於出手，祭出新規定。
從此以後，晚餐在教官吹哨宣布開動後，便要求所有人都必須待在位子上十分鐘，不准交談，專心吃飯，等到教官吹出第二次哨聲時，才能離開。
這目的原本是要大家好好吃飯，但其實只是把戰局延後了十分鐘而已。
想打球的人還是會去打。十分鐘後要去打球的人，怎麼可能會吃飯呢？結果，他們只是做做動作假吃。大家反而多出更充裕的時間，可以把飯菜給偷偷塞進便當裡，拜託不打球的同學，像是我，幫忙帶回宿舍，等到打完球以後再吃。

但是今天不同。今天，我也要衝。

此時，坐在隔壁桌的「賽亞人」對我挑了挑眉，目光投向教官。

我推了推眼鏡，嘴角微揚，趁著教官轉身背對之際，對賽亞人比了一個OK的手勢。

賽亞人隔壁的徐彥與我對望，也點頭示意，表示沒問題。

我轉頭看了看坐我隔壁的蔡思明，他眨了眨眼，代表了解。

接著，像是眼神的接力賽，一個餐桌坐了八個學生，幾排桌子加起來共幾十個同學，就在短短幾秒鐘內，靠著彼此之間的默契，只用表情，就迅速確認好所有的準備。

很好。看來大家都已經各就各位。

十分鐘後，一切的行動，就必須按照沙盤演練。

「嗶——」

終於，教官用力吹起哨子，仰天大喊：「開動！」

全校學生同時拿起碗筷開始用餐，整齊劃一的動作，讓人覺得這裡哪是年華正好、青春無設限的高中校園呢？我們根本是活在一個嚴密監控的集中營。

「專心吃飯！要講話，十分鐘後才可以！」

已走遠的教官又補充說道。

我翻了個白眼，深深地吐出一口氣，才不理他。

「真的管太多。不過是吃個飯，需要這麼多規矩嗎？為什麼不能發出聲音，為什麼不可以講話。人之所以為人，跟其他動物不同，就是因為我們可以使用各式各樣詞彙跟語言講話。這麼神聖的一件能力，卻要禁止我們，這是違反天理的事。你們不覺得嗎？」

我一邊吃，一邊連珠炮似地低聲抱怨。

一旁的蔡思明聽了忍不住失笑，小聲地說：

「你現在的表情，跟剛才天壤之別。剛剛像是我爸便祕時的一張臉，現在就像順利排便以後，一臉舒暢。」

「你明知我話多，憋話比憋尿還痛苦。啊，好懷念高二時的那個教官！現在這個新官上任三把火，就愛下馬威。老實說上學期他剛來時，我還以為他是打掃廁所的新校工。你說說看，哪有教官駝背駝成這個樣子的？福利社的黑仔都比他威武。」

黑仔是我們學校福利社的土狗。

「欸，何晉合，我還是覺得我跟你們一起衝就可以了吧？」

蔡思明忽然話題一轉問我。

「不行啦。昨天不是說好了嗎？我們要兵分兩路才行。」

「好啦。」

「我真擔心塞亞人今天又失敗，上次在餐廳門口就被教官逮到，壞了全局。」

「他昨天跟我說做好萬全準備了。而且今天兵分兩路，分散注意力，應該沒問題。」

同桌的另一個同學說。

就在這時候，我才忽然想起，其實我們這一桌，有一個人，他其實完全不知道我們正在說什麼。他與我對坐，一直默默低著頭吃飯，一副很孤單的樣子。

他的名字叫做劉駿光。

我需要跟他解釋一下，好讓他有參與感嗎？算了。新加入的成員是他，不是我。應該是他要主動跟大家打好關係才對，我幹嘛那麼熱心？

繼續觀察著他，我覺得他並不是孤單，而是孤傲。

像他這種人，一定是被寵壞的，認為自己高人一等。晚讀一年，明明大我們一歲，卻跟我們同屆，肯定覺得我們說什麼做什麼都很無聊，沒打算要理解我們在幹嘛吧。

而且我只要一想到他在學校被認為的好形象，跟我在校外看見的他，簡直是判若兩人的時候，就覺得這個人可能是個表裡不一的雙面人。

「何晉合、何晉合！」

「什麼？」

我突然回神，才發現蔡思明在跟我說話。

「叫你兩次才回應耶。案情不單純。」

「什麼啦？」

「這麼愛說話的你，剛剛居然有兩分鐘沒說話。你也太明顯了吧，一直在偷瞄我們的『校草』喔？你這麼快就被他煞到囉？」

他一臉鬼靈精怪地笑起來。他從來沒在掩飾自己喜歡男生的事，講話也因此口無遮攔，不怕別人聽到。

「煞你個頭啦！」我用手肘頂了一下他。

「劉駿光你等一下跟何晉合一起衝喔。你這麼帥，應該跑步也很快吧？」蔡思明說。

「喂，幹嘛叫他啦，跟他沒關係。人帥跑步就快，什麼鬼邏輯。」我說。

「怎麼會沒關係呢？既然轉到我們這一班，就該入境隨俗啊。」

意外變成我們話題的劉駿光，突然間看向我。

「你們，要做什麼？」

他問我。目光盯著我不放。

為什麼會有男生的眼睫毛這麼長呢？我竟忽地分心了。

一秒回神過來以後，發現我應該開口說些什麼才對，卻居然語塞，尷尬得猛推鏡框。

他還在看著我，等我回答，我卻不明就裡地把目光給撇開。

好險，這時討人厭的教官拯救了我。

「嗶——」

第二次哨聲響起，周圍的同學互看彼此，點頭示意。

事不宜遲，行動立刻開始！我們一群人一齊起身，快步將碗筷拿去回收台，接著用一種競走的速度朝餐廳門口迅速移動，但因為太心急，最終還是忍不住跑了起來。

「喂！你們！沒聽到教官剛剛的警告？」

教官想要攔住我們，卻把我們逼得更急，每個人跑得更快，一溜煙地往餐廳大門衝去。

「三年七班的混蛋！叫你們不准一吃飽就衝去球場，敢把教官的話當耳邊風？」

回頭看見教官漲紅著臉，跑得上氣不接下氣，再次確定黑仔都比他行。

我邊跑邊笑，眼淚都快蹦出來。

「好了，何晉合，你們加油！五秒鐘後分道揚鑣！」

一跑出餐廳大門，蔡思明說。

「嗯。教官就交給你了。我們不會讓大家失望的。」

語重心長的口吻，簡直像是要革命起義。

教官緊追在後，所有人跑的方向，都假裝要衝向籃球場，可是，就在關鍵的剎那，我們和蔡思明轉向了不同的方向。

天很黑，傻傻的教官完全如我們所料，跑起來自己都分身乏術，還要一心一意顧著衝向籃球場逮人，結果就是被蔡思明的背影給誤導，往籃球場衝去，根本沒發現大部分的人都轉往宿舍的方向了。如果沒有蔡思明引開教官的話，教官就會跟到宿舍阻礙我們的行動。

我回頭看見漸遠漸小的教官，他甚至自以為聰明地抄捷徑。他一定想先衝抵終點來個甕中捉鱉，可惜等一下就會發現，籃球場上除了蔡思明一個人以外，根本不會有其他人。

因為今天大家根本不是要衝去打籃球的啊。

我們今天為的是一件更重要的事。

那就是連載〈Young Guns〉漫畫的週刊《熱門少年TOP》發刊日！

終於，衝到宿舍門口時，我發現那個劉駿光，居然氣喘吁吁地在我身旁。

「你怎麼會在這裡？你為什麼要跟著衝啊？」我吃驚地問他。

「那個誰，我忘了名字，不是要我……跟你……一起衝？然後我問你……你……沒說話，不是就是……默認了，那個誰，我忘了名字，要我跟你衝……的意思嗎？」

他喘到話都說不出來。

這個人超奇怪，平常沉默寡言的，結果在這種時候，話倒是很多。

「你先不要講話了，我怕你在我面前暴斃，我會很麻煩。喂，我真的不知道你這麼弱。聽說你身高一百八十三公分，身材好到像是練過的，不說的話，人家還以為你是什麼運動校隊的呢，原來只不過是個遜咖。到底剛剛是誰說人帥也跑得快的！真是。」

「就是……那個誰啊，原來你也忘了……他的名字？」

「不是這個意思啦！」

我一天是要翻幾次白眼啊。

爬上宿舍大門的樓梯時，落在我身後的他，突然傳來一陣的聲響。

我緊張地回頭，眼看他踩空階梯，重心不穩差點要摔倒。我下意識伸出手去拉住他，一把抓住他的手。

「你小心一點！」

他穩住以後，抬頭望向我，尷尬地點點頭。

看著他，突然又被他的眼睛給分心了。

眼睫毛長也就算了，為什麼有男生的眼神可以如此深邃，彷彿是一個宇宙黑洞似的，會把他眼前的一切都給慢慢地吞噬進去？

在這個瞬間，彷彿有另外一個我，脫離了自己的身體。另一個我，浮在飄著粉紅色泡泡的半空中，低頭看著這個我，笑著說：「喂喂喂，現在是什麼情況呀？身高一六九的瘦弱小不點，拯救了一個身高一百八十三的小猛男，這立場逆轉的畫面，像話嗎？」

「很痛。不行了，這樣好痛。」

喔買尬，痛了。

劉駿光的聲音，把我拉回了現實，半空中的我忽地竄回身體裡面。

他皺起眉來，我又忍不住翻了個白眼。

「痛什麼，又沒摔倒。」

「不是。是你的手，握得我好痛。」

剎時，我才看見自己還緊緊地握著他的手。我趕緊鬆開，感覺心跳和呼吸壓抑不住地加速起來。深呼吸、深呼吸。一定是剛才跑步衝得太過頭了，冷靜、冷靜。我告訴自己。

「你真的很虛！」

我先發制人。在這種時候先出擊怪別人，就能擺脫自己的窘困。

「對不起。」

結果他明明沒錯，卻還順著說對不起，反倒令我愧疚起來。

進了宿舍，我們繼續快步爬上二樓，走向寢室。

「你剛剛幹嘛對不起？」我邊走邊問。

他聳聳肩，沉默著，不置可否。

「你現在不喘了，話又少了。你這個人好奇怪。」

他搖搖頭。

我不知道他搖頭是代表什麼意思。

拐進走廊時，邊走邊褪下制服襯衫，這時候才注意到我的右手掌變得好濕。猛然想起，原來是剛才握住劉駿光的手的關係。

我攤開掌心，看見他的汗混合著我的汗，好奇怪的，在掌紋上竟像兩條交匯的河，還帶著暖暖的溫度。

2

聚在宿舍裡的人已經分成兩組。

一組人圍著寢室內，正蹲在地上的賽亞人；另一組人圍著寢室外，走廊上的一張空桌子，等待我入座。

賽亞人的本名叫做陳亞仁，因為他老把台語的大便「棒賽啦！」掛在嘴邊成口頭禪，再加上頭髮又粗又硬，每天早上睡起來就是一頭怒髮衝冠的樣子，像極了《七龍珠》裡的賽亞人髮型，故受封此名。他本人也備感榮幸，絲毫不覺得此「賽」非彼賽，還說有朝一日要努力進階，讓我們喚他「超級賽亞人」。

賽亞人讓我明白，人要不是絕頂聰明可以迎刃而解所有困擾，要不就乾脆像他當個頭腦簡單四肢發達的異性戀男生比較好，那麼這輩子就會幸福了吧。

滿身大汗的賽亞人努力在原地做交互蹲跳，臉脹紅得不得了。

「喂，你不要運動過度。因為流汗過多，等等體溫反而會下降的。」我提醒。

「靠杯，你不早說！」他立刻停下來。

「先量一下體溫吧！」

徐彥把一支水銀溫度計遞給賽亞人。

「才36.8度。我明明身體很熱啊。真是有夠棒賽的！」賽亞人說。

「沒問題啦。這樣只是要你看起來很疲憊，臉會紅熱而已。真正要假裝高燒，還得需要在溫度計上動些手腳才行。來，我們先在這裡試試看！」

徐彥把溫度計拿回來，掏出一個小保溫壺，打開，把溫度計放進去幾秒鐘又抽出來。水壺裡的水，已經調整到恰好的溫度，不超過40度。溫度計放在空氣中一會兒，就會降到37至38度之間。接著，他一隻手抓牢溫度計，另一隻手用大拇指迅速搓動，一方面是擦乾水分，另一方面是確保溫度不會掉太多。

徐彥看了一下溫度計，笑起來，高舉到我們眼前。

「Perfect！38.2度。上醫院的完美溫度。」

「哇！」

全員興奮地拍起手。

「可是，護士阿姨有這麼好騙嗎？」賽亞人懷疑地問我。

「別天的護士我不敢說，但週刊上市的今天，恰好值班的護士阿姨是香香阿姨。是香香阿姨的話，就沒問題。」

香香阿姨是保健室裡的其中一個護士，上了年紀，打針技術很糟，聽力好像也不太好，但是人很好，我們都很愛她。因為要裝病的話，幾乎都能騙過她。

「反正我等一下聽從徐彥的指示就對了吧？」

「廢話，當然要聽他的啊。你不要自作聰明，跟上次一樣又壞了全局，害我們那週沒看到最新連載。今天是你自己主動說再給你一次機會雪恥的喲。要是你今天失敗，明天保健室不是香香阿姨值班，就不可能了。你將會變成全民公敵，包准你棒賽都棒不出來。」

賽亞人癟著嘴說：「知道啦。但不會以後都要這樣才能看到漫畫吧？也太辛苦。」

「大概還得持續一個多月吧。」我說。

「還要一個多月？我們只剩四個月就要畢業了耶。而且從今年一月開始，我們就用這種假裝看病的方法，到今天是第三次，接下來還這樣的話，保健室難道不會懷疑嗎？」

「四次裡面，你就失敗了一次。」徐彥說。

賽亞人無言以對。

我說：「是香香阿姨就沒問題了。」

徐彥聽了補充道：「香香阿姨還很擔心我們班上的人都體弱多病，說要跟學校反應加強餐廳裡的營養菜色呢。」

「果然是香香阿姨。想到等一下我要去欺騙她，都有罪惡感了。」賽亞人說。

我聳聳肩，說：「實在沒辦法，之前每個星期買漫畫，都是靠福利社打工的強哥幫我們買來的。但強哥兩個月前高雄的老家有事，我們才只好出此下策。現在只能期望強哥能盡快回來。不然，我們全班所有人都得輪流生病了。」

關於裝病計畫是這樣的，徐彥會帶「拖著病體」疲憊到不行的賽亞人去保健室。香香阿姨拿溫度計給賽亞人量體溫時，依照慣例她會去泡個老人茶或翻幾頁《民生報》或《大成報》。那個角度，剛好看不到病床這裡。這時候徐彥就會偷偷把保溫水壺拿出來給溫度計加熱，然後再用手搓熱，達到所謂的完美溫度。同時，徐彥會把準備好的手帕用熱水浸濕，敷在賽亞人額頭上，緊盯著香香阿姨，在她轉過身之前，立刻抽掉。

我們學校保健室的規定是，發燒37度，由護士開退燒藥吃。38度時先吃退燒藥，再觀察一小時，但若燒到38.2度以上，就可立刻由護士開證明，請假到校外就醫。

只要到了校外，隨便找間診所拿個看診紀錄回報就行，有沒有生病已不是重點。因為重點是離開這個位於半山腰上，鳥不生蛋狗不拉屎的偏僻校園，就能到鎮上的書店買到我們要看的週刊漫畫，以及街上各種想吃的東西。

另一組人馬，還在等著我入座。看賽亞人和徐彥準備得差不多，我也趕緊坐下來拿起紙筆。同學們圍著我，已迫不及待開口。

「漫畫週刊，」我邊寫邊說：「還有鹽酥雞是一定要的。其他的要什麼？快說吧！」

「蔥油餅！還有雞排！」

「還要滷味啦！水煎包有的話也想吃。」

「我想要麥當勞薯條。」

「白痴啊！那裡沒有麥當勞，只有小騎士德州炸雞。」

「是不是那條街有蚵仔麵線？記得上次有人買過。想吃。」

「不用這樣吧？總覺得有點奇怪。」

我其實突然有點害怕，不知道劉駿光是存著什麼心態。

「何晉合，快點吧，解決了就好。我們得去保健室了！」徐彥催促。

「新同學，那就謝啦！買回來，漫畫你第一個看！」

賽亞人沒理我，就把紙鈔一把抓進口袋，拉著徐彥，兩個人往保健室跑去了。

我起身，狐疑地看著劉駿光，他面對我，沒任何表情，轉身從走廊回寢室。

爬回我在上舖的床，通常在這時候我都習慣把眼鏡拿下來，好讓眼睛休息一下再去洗澡。但今天的我卻沒把眼鏡給摘下來。

我一邊準備著要去浴室洗澡的換洗衣物，一邊從上面偷偷瞄著從昨天起，開始睡在我下舖的劉駿光。

其實從以前，就有人說他長得有點像日本明星加勢大周，過去沒多加注意，現在靜靜地仔細看，確實有點神似。

他站在床前，也在準備著盥洗用品和衣物。他自顧自地把襯衫、內衣和外褲都脫了，只剩下一件內褲。

昨天返校時，已經是晚上九點多，大家都在家裡洗好澡了才回來，今天是我第一次看見劉駿光褪去衣衫的身體。

一百八十三公分的身材，原來，腿是那麼長啊。原來，肚臍在身體上的位置，跟我們這些矮冬瓜的比例，是這麼不一樣。才大我一歲而已，身高比我高十四公分，胸膛卻就可以發育得這麼厚實了。而且，為什麼明明是個跑步白痴，對運動看起來好像很不在行，但卻有一身好身材呢？還是老話一句，他真的，好奇怪。

寢室的日光燈灑在他小麥色的肌膚上，亮晃晃的，像一整片光芒沐浴下的曠野。

我的目光在他身上游移著，忍不住滑向他臀部的方向。

那麼看不到的地方呢？

呃，我在想什麼？突然心一驚，嚇得用力甩頭，讓自己清醒冷靜。

「你在幹嘛？」

劉駿光抬頭與我四目相對。

「啊，沒事、沒事。脖子忽然有點緊。」

我說謊。立即把眼鏡給摘掉，繼續假裝轉脖子舒壓。

他半信半疑，不語，然後拿起臉盆、衣服和盥洗用品，準備離開寢室去洗澡。才走了兩步而已，他又停下來，抬頭看我。

「不舒服的話，我可以幫你按摩一下。」他說。

「啊，不用，不用啦，沒事。真的沒事。」

我幹嘛害臊起來呢？但是，真的現在請不要再碰到我的身體了。我擔心粉紅泡泡會把這整棟宿舍的人都給淹死。

劉駿光面無表情地轉身，因為他平常就是這個樣子，我也搞不清楚，他有沒有因為我拒絕他的好意而生氣。

吐了一口長長的氣，我倒在床上，盯著天花板發呆。

明明今天是開學第二天而已，卻覺得這一天過得好漫長，簡直比剛剛結束的這個寒假還要長。

3

「昨天晚上真的吃太多了！飽到今天早上早餐都吃不下。」

在隔壁淋浴間的蔡思明大聲地說。

「誰教你那麼貪吃。然後我沒想到，賽亞人跟徐彥居然就把那五百塊全都拿去買小吃，也不剩一點錢回來。」我拉高音量回話。

宿舍裡的浴室有隔間，但是沒有門，照理說隔壁講的話應該都能清楚聽見，不過嘩啦嘩啦的水聲，混雜著男生們的喧鬧，還有許多人喜歡邊洗澡邊唱歌，所有的聲音全迴盪在這個空間裡，即使只是在隔壁，不用力說話也聽不見。

「所以不能怪我貪吃啊，怪他們買太多了。」

「這樣對劉駿光很不好意思。」

一轉身，竟看見蔡思明拉長了脖子，伸過頭來在門邊看著我。

「你嚇死人啊。」

我睜大眼睛，用手遮住腰下重要部位。

「你說，你為什麼覺得對劉駿光不好意思？你心疼他了？」

蔡思明不懷好意地質問。

「哪有。就是人家是好心幫忙出錢，又說不用還，多少應該找點錢給他吧？」

「那是他自己願意出的。說到出錢，昨天他那一招，我事後想起來，真的覺得很帥氣。從你身後『碰』的一聲把錢放到桌上，最後來一句：『就當這錢是撿到的吧！』天啊，多瀟灑的口吻，像港劇裡會出現的場景。而且他的胸膛幾乎是貼著你的背，你那時候應該小鹿亂撞吧？」

「撞你個頭啦。你神經啊！我根本覺得他很莫名其妙。只是因為轉班進來，想用這種方式討好大家吧？」

「很貼心啊。帥又貼心，世界會因此和平的吧！」

「說到底劉駿光為什麼會從三年一班轉到我們班上來啊？還是在畢業前的最後一個學期，從念了兩年半的理組轉到文組，那代表聯考要考的科目也不同了，基本上根本是不可能的事。大家都是高一升高二時分班，就算有異議也該在那時候提出。否則過了那段期間，學生不可能自己申請轉班。難道，是被學校強迫轉班的嗎？」

「不會吧，他算是全校的模範學生，功課好，中規中矩的，也沒聽說犯什麼錯呀。前天開學晚上返校，看見他出現在我們寢室裡，真的是嚇一跳。這麼帥的人，跟我們這群土包子在同一間寢室，合法嗎？」蔡思明說。

語畢，蔡思明又縮回自己的淋浴間，繼續沖澡。

我先洗好了，在蔡思明的淋浴間外等他。他洗澡總是很慢。

「劉駿光不一定如你想像中的那麼好。」我忽然說。

「你又知道？」

「我一直沒說過，我每個星期天早上去殷非凡英文補習班，他也在同一班上。所以我知道他在校外的樣子。」

「你們一起補習，你居然從來沒跟我說過？」

「我們一班有三百個人好嗎？一起補習有什麼了不起的。況且他沒轉來我們班上以前，就覺得這個人跟我沒啥關係啊。」

「校外的他怎麼樣？不穿制服更帥吧？」

「不穿制服的他，像是被人附身似的，上課就一直坐在教室角落裡睡啊，好幾次把老師惹毛。殷非凡那麼嚴格，他還敢這樣，跟在學校裡尊師重道的他，不是形象很兩極嗎？

然後上完課，走在路上的樣子也無精打采的，跟校園裡的神采奕奕，差很多。」

「我看你是認錯人了吧？」

「怎麼？土包子就連人都認不得了嗎？」

「土包子不用認人，土包子期待被帥哥吃掉。」

「你到底有多愛他？」

「哈！我開玩笑啦。他是很帥，但不是我的菜。我的最愛還是金城武！」

「你的最愛不是徐彥嗎？」

「你不覺得徐彥就有點像金城武嗎？」

「哪裡像啊？只有眉毛一樣粗吧？」

「那就不簡單啊。你的眉毛就不粗吧！」

「我粗在別的地方。」我面露邪惡的臉。

「少蓋了！誰不知道你是小腿粗。」

「照你這麼說，你跟教官也很像啊。頭髮分邊一樣，五官還都在同樣位置呢！」

「去你的！說到這，你昨天真該看看教官的樣子。好不容易連滾帶爬地到了球場，以為可以逮到大家在打籃球，結果只有我一個人。」

「結果教官什麼反應？」

「傻眼啊。他問我怎麼只有我一個人？為什麼要急著衝到球場？其他人呢？我望著天空，深情地說，我急著來賞月啊！人生那麼短，好景要把握。其他人不懂，看來教官跟我一樣懂。接著，就唱了一段杜德偉的〈一起看月亮〉給他聽，把他氣到翻臉走人。」

我笑到肚子都疼。

蔡思明終於洗好了。他拿浴巾擦頭，說到杜德偉的歌，一邊穿著衣服，就一邊哼唱，到了副歌時，我也跟著附和起來。

我跟蔡思明時常約著一起去浴室洗澡。我們在洗澡時愛聊男生，但更多時候，我們愛在洗澡時唱歌，好像一整天的苦悶，只有在這時候能夠藉著大聲喊唱來宣洩。

蔡思明的歌聲很好，平常講話聲音聽不出來有什麼特別，但一開口唱歌就引人入勝。高二時，他參加校內的歌唱比賽，拿過一次季軍。跟我分享這消息的時候，他激動到哭出來。事後他還自己錄了DEMO帶寄給唱片公司，可惜始終石沉大海。

他是想當歌手出唱片的。常跟我說，他很焦慮，因為看著林志穎、孫耀威和金城武這些差不多年紀的人都一一出道了，他再沒有唱片公司找他，就老了。

不久前還對我說：「何晉合，你不是希望有一天能當上廣播DJ嗎？我的願望就是，有一天，能讓你放上一首我唱的歌。」

我記得他說這句話的那一天，我們在福利社吃饅頭夾蛋。趴在地上看著我們的黑仔，見證了他對我們未來的期許。

外面下起大雨，我想起林志穎的那首〈十七歲的雨季〉。

『十七歲那年的雨季，我們有共同的期許。』

多年以後，我們到底會變成什麼樣的大人呢？

老實說我不敢想像。畢竟我連眼前最棘手的大學聯考，可能都無法順利過關。

蔡思明唱女生的歌比唱男生的好，可能因為他聲音輕柔的關係。我覺得他唱蘇慧倫的歌最合適，我喜歡聽他唱〈我在你心裡有沒有重量〉和去年那首新歌〈我一個人住〉。不過，他自己倒是愛唱周慧敏，從〈盡在不言中〉到〈心事重重〉都唱得感人肺腑。

只是，每次他一唱完我都想笑。因為那些歌如此悲情，可是我跟他兩個人卻是一天到晚胡言亂語，那麼愛搞笑的人，一點都不搭。

每次我這麼說時，蔡思明就會打我，跺腳反駁地說：「怎麼不搭？我們喜歡男生，只能盡在不言中，搞得心事重重的，很搭呀！」

「你最好是有盡在不言中啦。」我說。

說也奇怪，這社會明明對同性戀沒有多包容，但我跟蔡思明好像對自己是同志這件事完全沒什麼認同上的掙扎、徬徨與包袱。

尤其進了霞中以後，意外地發現這學校不知道為什麼居然聚集有這麼多男女同志，簡直是個世外桃源，更不覺得自己是什麼怪胎了。

「你擔心你考不上大學嗎？」

我記得蔡思明曾經這麼問我。

那時剛上完魏美華的地理課，看著老師走出教室，我忽然有個念頭。

「擔心啊。不過我有時更擔心地理老師。」我說。

「為什麼？」

「因為要不就是我們去統一中國，要不就是這本『超寫實』的地理課本永遠不改，否則，有一天魏美華腦中植入的地圖絕技，全都會變成無用武之地。」

「也是。現在很多省分的名稱、省會、鐵路名稱都改了。要我們聯考念的地理課本，其實根本是歷史。」

每天晚上夜自習，學校規定班導要在教室旁的導師室值班陪讀。狹窄的導師室有一個小窗戶跟教室互通，老師可以從窗子監視教室內的狀況。魏美華也不例外。很少有女老師會連續幾年都擔任班導師的，魏美華卻連續三年都是我們班導。我想大概跟她未婚有關。否則不可能跟我們學生一樣每天都住校，還有空陪讀夜自習。

昨天夜自習的時候，班長把無名氏進貢給劉駿光的零食，在下課休息時拿到導師室跟班導師共享。班導師吃到給劉駿光的零食，並了解事情的緣由以後，在夜自習結束前五分鐘，走進教室對全班同學說，要我們好好跟劉駿光學習「好東西與好朋友分享」的精神。

「可是我沒有什麼值得學習的。」被點名上台的劉駿光說。

除了上次跑回宿舍時，喘到快斷氣卻話變多以外，他說話永遠簡短。

「還這麼謙虛。這部分大家也要好好學習。駿光成績好，原本是理組，數理特別強，轉到我們班上來，同學有什麼課業上的問題，好好請教他。駿光，可以嗎？願意幫忙大家嗎？」班導師說。

「老師交代的，我會努力。」

我聽到劉駿光這麼畢恭畢敬的回覆，翻了個大白眼。

他沒被鬼附身，我都要精神分裂了。

他根本不是這樣的人啊！我一想到他在校外的模樣，就覺得有點荒謬。

他在殷非凡英文課上總是睡到像失去意識，被殷非凡點名上台回答問題時，雖然都能寫出正確答案，但老師忍不住念他幾句時，他就板著一張比木魚還硬的臉，態度很差，完全不是他在班導師面前那個樣子。

第二天，晚上夜自習時，班導師突然說有重大事情要宣布。

「昨天劉駿光的事，讓老師覺得，剩下的幾個月是聯考的最後衝刺關鍵點，我們應該把班上的座位重新分配，讓各科成績都很穩定的同學，跟成績表現差的同學湊在一起坐。這樣成績不好的同學，功課上有什麼問題，就可以立刻問隔壁的同學。成績好的同學也請像昨天駿光說的一樣，發揮樂於幫助別人的精神！」

於是，全班的桌椅原本是一張張分開的，從隔天星期六早上開始都得兩張兩張併著坐。

我怎麼也沒想到，班導師居然把我給分配跟劉駿光一起坐。

「為什麼？」

我下意識地脫口，大聲質問。說完以後才覺得，我的反應似乎過大了。

班導師從講台下來，走到我的位子前面。

「怎麼了嗎？你們不是同間寢室也是上下鋪嗎？相互照料不是很好嗎？而且何晉合，你數學那麼差，老師特地找數學好的同學來幫你，你的反應會傷老師的心喔。駿光從理組轉來，對國文史地有不熟的部分，你也可以幫忙他啊。你不是國文、歷史跟地理都滿強的嗎？還是你有什麼理由不想跟駿光坐？人家駿光要教你數學，都很大方地同意呢。對吧？」

被班導師當著全班這麼一說，搞得我好像得了便宜還賣乖。情急之下，我竟想把這顆球丟給劉駿光。

「說不定，」我推了推眼鏡，胡謅地說：「說不定……說不定是劉駿光根本不願意啊。他只是沉默，又沒說他願意跟我坐。」

班導師轉身看劉駿光。

「是這樣嗎？劉駿光是你不願意跟何晉合一起坐？」

本來坐著的劉駿光站了起來，木訥地注視著我們兩、三秒。

「我尊重何晉合的意願。」他說。

哇噻，劉駿光真的不是簡單的角色。居然又把球丟還給我。這言下之意是他沒說他真的願意，反正決定權給我，壞人要我當就對了。這小子，身體那麼大塊頭，心眼卻這麼小。虧我上次在宿舍門口還拉了他一把，才沒讓他摔得狗吃屎。哼。

我本以為班導師會轉而再問我的決定，但沒想到，她繼續追問劉駿光。

「尊重彼此是基本的，但你沒有回答到老師的問題。」

劉駿光眼珠子游移了一下，有些猶豫的神情。

全班都在等他的回覆。

「我願意。」

他邊說邊看向我，眼神非常堅定，像暗夜裡射出的一道光束。

啊，不要，不要這樣的眼神對著我，拜託。

我呼吸急促起來，覺得似乎看到在那道光束中，又漸漸地飄起神祕的粉紅泡泡來。

「很好，那何晉合，你也願意嗎？」班導師反過來問我。

這下子，我能怎麼回答呢？

「嗯，我，我願意。」

我吞吞吐吐地開口。也只能這麼回答了。可是，怎麼會把場面搞得好像結婚誓約呢？

大概在一百個粉紅泡泡包圍起我的當下，講完這句話，我的臉脹紅起來。

「現在宣布，新郎親吻新娘！喔不對，新郎親吻新郎！」

好死不死，愛搞怪的賽亞人爆出這句話。

「哇嗚！在一起！在一起！在一起！」

全班同學跟著瞎鬧起鬨，蔡思明笑到整個人趴在桌上起不來。

我看見劉駿光的臉上閃出一抹稍縱即逝的笑，接著搖搖頭，好像覺得我們很幼稚。

夜自習結束，回到宿舍以後，我們沒針對明天要換座位的事再有任何交談，雖然劉駿光就睡在我下鋪。

事實上，開學後這兩個星期，我跟他幾乎沒有太多交談。只有在寢室遇見時，看見彼此會點頭示意。有時是他，有時是我，在彼此還沒睡著以前，若自知翻身太大力，搖晃到床鋪時，會小聲地跟對方禮貌性地說一句「不好意思！」僅此而已。

不過，其實劉駿光對全班、全寢室的人，都是這樣的態度。所以，我想並不是特別針對我保持距離。反倒是我，對於他這個人為何在校內校外判若兩人，又到底是如何看待我們、還有對我抱著什麼想法？我愈來愈好奇。

5

星期六上午第四節是班會課，班導師利用這節課，讓全班同學完成更換座位。除了我和劉駿光以外，其他同學的座位安排也都是經過導師規劃的。蔡思明很嘔，因為他多想跟徐彥坐在一起，結果卻是跟賽亞人。

座位換好以後，班長上台主持班會。我和劉駿光都沒有講話。大概過了兩分鐘，我實在有點難以忍受。其實我沒有非得跟劉駿光講話不可，只是自己身體已經無法負荷這種沉默，所以必須找個話題開口，才不會憋死。

我這個人最大的問題就是如果有一個人明明就坐在旁邊，但兩個人卻始終不說話的話，就會開始如熱鍋上的螞蟻，覺得自己有必要擔任起開啟話題的那一方。

就在我還在想該講什麼的時候，竟然發現自己的嘴巴已經在動了。

「在寢室裡睡上下舖的同一張床，從今天起，連教室裡的桌椅也左右緊靠在一起。難怪有人說，所謂的緣分就是巧合的累積吧。」

咦，我為什麼要說這些？我覺得自己的嘴，好像不被大腦所控制。

我轉頭看著劉駿光。他發現我在看他，也轉過頭來。

他顯得有點訝異，說：「沒想到你會說是緣分。昨天晚上，你對老師的反應很激烈，切。我不說了。嗯，我是說，我努力不開口說話了。

講台上，班長繼續進行著班會，各個股長上台報告，討論班務，但我一點也沒聽進去他們在說什麼。

「緣分不一定是巧合。」

突然間，劉駿光竟主動開口。

「蛤？什麼？」我愣了一下。

「你剛剛說的『緣分就是巧合的累積』。可是有時候，所謂緣分這種東西，也是需要刻意製造機會才會出現吧？」

我沒料到他還在這話題上打轉。他很在意那句話嗎？劉駿光似乎挺容易把人家的話給當真。想起上次在餐廳，蔡思明叫他跟我跑，他還真的就乖乖聽話了。

「你認真了。那只是我隨便想到的一句話而已。」

我推了推眼鏡，故作一派輕鬆，但又忍不住偷瞄他的反應。

「總之，如果你不想坐一起，我可以跟老師私下溝通。你放心，這一次我會說是我的問題，不會說是你不願意。」劉駿光說。

「不用啦。我昨天只是好奇『為什麼』而已，然後說話大聲了點，沒有其他意思。」

「是嗎？那就好。」

那就好？為什麼那就好？劉駿光覺得，我們坐一起比較好嗎？

下課鐘聲揚起，打斷了我內心小劇場的換幕。

終於結束了將近一個星期的集中營生活，可以準備搭校車回家了。

每個星期六，所謂的「回家」並不是真的立刻回家。校車開到城中以後，下午我得先趕去台北車站南陽街的陳思豪數學補習班上課，結束後才能回家。然後第二天早上又得趕去上殷非凡英文課，中午下課後回家，吃完晚飯又得趕去搭校車返校。雖然回家也是補習加補習，但可以暫時離開一整個星期都無法離開的封閉校園，心底還是感到自由歡欣的。

第二天週日早上，照例去殷非凡英文班。但是，這天，第一節課都快過完了，我一直沒看到劉駿光的身影。

他向來只是在課堂上睡，但從未缺席。有點不尋常。直到中場下課休息時，他才在第二節上課前姍姍來遲。

我看見他走進教室時，嚇了一跳。今天的他比平常在補習班看到的樣子更加疲憊，頭髮亂七八糟的，很恍神，整個人可以說是到了一種落魄的程度。

一班三百名學生的教室裡，他向來喜歡坐在教室最後面的右邊角落，我則習慣坐在最後面的左邊角落。上課時，我一直轉過頭偷瞄他，他今天倒是很反常地沒睡，只是把整顆頭擱在桌上，一直發呆。

殷非凡跟其他補習班的補教名師很不同。其他補習班的老師只顧著上課賺錢，才懶得管學生有沒有聽課或睡覺，但殷非凡是恩威並濟，一方面時常溫情喊話，講授人生道理，是便宜的麵店、便當店等，還有我常來買錄音帶的唱片行，因為店家實在太多，要是沒看到他走進哪間店的話，基本上就是很難找到了。

正當我決定放棄時，一轉身，驚詫地看見劉駿光擋在我的面前。

我嚇了一大跳，說不出話來。

「你幹嘛一直跟蹤我？」

原來劉駿光一直知道我在跟著他。

我推了推眼鏡，吞吞吐吐地說：「我，我哪有跟蹤你。我只是剛好，對，剛好也要來光華商場買東西，就看見你也在這裡。」

「有這麼剛好？剛好闖進電梯，剛好在店的對面觀察我，又剛好走進這條巷子？」

我硬掰：「我哪知道？我還想說我要去的地方，怎麼你也都在呢。誰要跟蹤你啊？你想太多了吧？我要回家了，再見。你，你不要再跟著我喔！」

惡人先告狀，這招我還滿擅長。

我掉頭就走，不一會兒，突然感覺背後冷不防地被用力拍了一大下。這一拍，像是把我的魂都給拍散了。

一本筆記本在我腳邊落下。

劉駿光瘋了嗎？我沒想到他是這麼暴力的人，竟然不爽了，就用筆記本來丟我？

我憤憤地急欲回頭，但卻聽到劉駿光大喊著：

「你不要動！」

「為什麼？」我不解，氣得轉過頭瞪他。

「就叫你不要動了！」他加大音量。

「不准我動，還敢拿筆記本來丟我，你現在是怎樣？在光天化日之下，想跟我扮裝警察抓小偷S&M調情嗎？你就對我這麼忍不住嗎？」

「我叫你不要動！是因為，有蜈蚣掉在你背上！」

「蜈蚣？你說……蜈蚣！啊——」

我錯愕地尖叫起來，雙腿忽地發軟，整個人感覺到一陣虛脫。

天生怕看見蟲，被蟲碰到身體更是要我的命。我本以為蟑螂已是極限，那是因為還沒碰到更恐怖的東西。這輩子從沒想到，會有蜈蚣掉在我的身上！我急躁得一直在原地打轉，跳上跳下，到最後整個人都快要扭曲起來。

「你不要再動，我怕蜈蚣會被你弄進衣服裡面，爬到你身體上就糟糕了！」

「怎麼辦啦？快點！幫我弄掉！怎麼辦！我該脫衣服嗎？」

我感覺自己快要缺氧。

「不要動！我看到了！」

只見劉駿光一隻手壓住我肩膀，阻止我像乩童上身，另一隻手則迅速地從他的書包裡又抽出一本筆記本，倏地從我背後用力掠過。接著看見他拋出的筆記本被擲向遠方，陽光下，一頁頁在空中翻飛起來，啪啦啪啦的，最後，重重地落在地上。

「你不要再發抖了。蜈蚣弄掉了！」

劉駿光指著那掉在地上的筆記本。

我還沒回過神來，講不出話。這時才發現自己的身體不受控制地一直在發抖。

「沒事了！」

「真的嗎？已經弄掉了嗎？衣服不用脫了？好，不要抖……我不發抖。」

雖然嘴上對自己喊話，但是我的身體卻依舊在顫抖。

「何晉合，冷靜一下！已經沒事了！」

劉駿光皺起眉頭，認真地注視著我。他的雙手放在我肩膀上，穩穩地按壓住我，希望我不要再顫抖，但還是沒用。

我很努力要平靜下來，可是，身體卻不聽我的話。怎麼回事？而且現在，背脊和額頭一直在冒冷汗。一隻蜈蚣就把我嚇成這個樣子，而且還是在劉駿光的面前，還差點要把衣服給脫光了。這實在是太丟臉。要是讓蔡思明知道，他肯定要嘲笑我是花容失色了。

「聽我說，已經沒事，不必緊張了。」劉駿光重複。

「好，我知道。對，沒事了，我不用緊張了。」

可是，我的身子仍不由自主地顫慄。

轉瞬間，劉駿光居然用力把我拐進他厚實的胸膛，整個人緊緊抱住了我。

嘈雜的台北街頭，在這一瞬間，像是被按下暫停鍵，萬籟俱寂。天上遊走的雲、搖曳的行道樹、來往的路人和穿梭的摩托車，剎那間，全凝結不動了。

會動的，只剩下劉駿光，和在他懷中的我。

說也奇怪，我的身體終於平靜了下來。

但，誰能告訴我，現在這一幕是哪來的劇本？怎麼會走到這一步？在劉駿光溫暖的懷抱中，我啞然失語，只見另一個自己又浮在半空中，吃驚地看著這一幕。

漸漸的，周邊的萬物像是解開了魔咒，又緩緩開始移動，恢復成原本的樣子。

「很好，終於不發抖了。」

劉駿光依然緊抱著我。

身高差距了十四公分，我窩在他溫熱的胸膛，默默地點頭。

是的，身體不抖了，但呼吸和心跳卻漸漸急促起來，而且感覺視線也開始模糊。彷彿有什麼東西擋在眼前干擾，讓我甚至忍不住想要伸手揮開。

「這次也太多粉紅泡泡了吧。」

劉駿光放開了我，往後退了一步，好奇地問：「什麼泡泡？」

啊！我竟把潛台詞給說出口了！

「沒有。沒事。」

我尷尬地推著眼鏡，深呼吸了一口氣。

然而，就在深呼吸的剎那，我突然感覺一陣酸楚。

從未被一個男生如此霸氣地抱住，難道是剛才那一抱留下的感覺？

人們都說青春愛意萌生的決定性瞬間，像是帶著先甜後酸的滋味，原來是這樣的啊。

我終於有了第一次體驗。

像是聽見中廣「知音時間」裡的羅小雲在現場，用她機關槍式的說話速度，吊人胃口的緊張口吻在我耳邊，高舉著開賽旗似地叫喊：

「緊張緊張緊張！到底鹿死誰手？是不是真的就要發生了，還是應該再猶豫觀望一番呢？在揭曉本週前兩名榜單以前，現在讓我們先來回顧一下這首張信哲在《心事》專輯裡繼〈愛如潮水〉後的另一首好歌〈我真的願意〉，緊接著在這首歌之後，重溫一下張清芳在去年12月發行的《左右張清芳》裡的主打歌〈舉棋不定〉，最後再來一首今年年初發行的陳淑樺〈愛的進行式〉。呀哎呀，明明說我真的願意了，但又懷疑是不是應該要進入愛的進行式呢？真教人舉棋不定啊。到底是哪一種發展呢？對方是什麼意思呢？你的明信片，這一次也不能決定這一切！三首歌曲之後，我們回來現場！」

結果都不是。歌曲戛然而止。

所謂的酸楚，其實更接近於一陣痠痛，再一次，從肩膀跟頸部之間狠狠襲來。

我想，我是拉傷了肌肉。

6

「豈止是花容失色？你那根本是原形畢露！」

蔡思明聽到我下午發生的事以後，難以置信我竟如此失態。

我們在返校的校車上，又將回到一個星期與世隔絕的高壓校園環境。車子離開市區後，窗外一片漆黑，校車上塞滿不甘願的冤魂，氣氛凝重，每個人臉色都好難看，像被宣判投不了胎似的絕望。

「所以後來呢？他抱完你以後，沒有更進一步做什麼？」蔡思明問。

「怎麼可能有什麼更進一步的？他抱我並不是對我有什麼意思好嗎？只是使勁要我停下來，不要再發抖而已。」

車上很安靜，我們必須壓低音量說話，像在幹什麼壞事。

「他對你有沒有意思，我是不知道，畢竟不是我被他抱，感受不到。但是，你開始對他有意思，這是我可以確定的。」

我瞪了他一眼，沉默下來，竟有種被看穿心事的心虛。

「話那麼多的你，不說話就代表有鬼了。」蔡思明笑起來，又繼續問：「所以你之後沒有問他，為什麼今天看起來那麼憔悴？」

「沒有。發生這些事，我哪還顧得了問他的狀況。之後的記憶變得好模糊，因為整個人變得茫茫的。而且肩頸和背部有點扭到，身體也不太舒服，就趕緊跟他掰掰，自己一個人跑掉了。」

「沒有現場目睹真是太可惜了。」

「花容失色又原形畢露，有什麼好看的。」

「誰要看你啊，我要看劉駿光猛地把你摟進懷裡的畫面。我決定了，這一件事，值得為他加一個燈。」

我失笑：「你是說那本《我的奮鬥之男兒本色》嗎？」

「對呀！我隨身攜帶呢，隨時都可記錄。」

蔡思明語畢，就從書包裡抽出那本封面寫著《我的奮鬥之男兒本色》的筆記本。這是我題字的，因為蔡思明說我的手寫字比較氣派。

他翻開筆記本，找到寫著「劉駿光」的那一頁，拿出地理老師魏美華要我們用的紅藍鉛筆，在他名字下面原本的兩個燈，再畫上一個燈。

我把筆記本從他手上抽過來看。

劉駿光，三個燈，下面寫著這一行字：

「霞中校草，身高一百八十三公分，貌似體格健壯，外表陽光，但沉默寡言，性格內向。民國八十三年二月從三年一班轉到三年七班，提升本班外表水準」

我往前翻閱，看到蔡思明記錄徐彥的部分，覺得不可思議。

「什麼呀，你也太偏心了吧。劉駿光只寫了一行字，然後徐彥你卻花了兩頁篇幅！還給他五個燈！五度五關登上衛冕者寶座嗎？」

「那當然，人家是金城武水準耶。」

「不得不說你想像力太豐富。」

我翻閱著，繼續說：「哇，幾個星期沒看、沒寫，你默默記錄了那麼多人。連高一學弟都沒逃出你的魔掌。先放我這裡吧，借我好好看一下！」

校車抵達學校，駛進校園，在禮堂前的廣場上緩緩地停下來。

「你拿去啊，好好跟上進度吧你！你順便補充一下吧，最近你都沒寫。如果你有觀察到校內誰很帥，但我沒記錄到的。特別是高一學弟，這一屆素質很優。」蔡思明說。

下了校車，我跟蔡思明說要去一趟教室拿東西，於是他便自己先回宿舍。

我把筆記本塞進書包，走往教室。

《我的奮鬥之男兒本色》的典故，來自於每個星期我們追看的《Young Guns》漫畫。林政德漫畫筆下的男主角袁建平是個很帥的高一男生，因為驚歎校園裡美女成群，於是創作了一本專門登記校園美女的筆記書，名稱就叫做《我的奮鬥》，希望可以認識甚至交往到他所記錄下來的這些美女。

我跟蔡思明老是愛偷偷評論學校裡的帥哥，有一天，我開玩笑地跟他說，我們應該要創作一本屬於我們自己的《我的奮鬥》才對，沒想到隔天，蔡思明付諸行動，真的拿出一本筆記本說要開始記錄《我的奮鬥》男生版。

「可是也叫《我的奮鬥》好像沒有我們的風格。」

那一天，蔡思明為了想出一個更切題的書名，陷入苦惱。

「那得先想想，我們的風格是什麼呢？」我問。

「就是滿腦子對男生充滿性幻想，事實上卻毫無經驗的兩個處男啊。」

「確實。明明沒經驗還那麼色，可見真的是『男兒本色』啊。」

說完以後，蔡思明與我對視，兩個人眼睛發亮。

「我剛剛好像說了什麼很了不起的話？」我說。

蔡思明認真點頭。

就這樣，那本筆記本就定名為《我的奮鬥之男兒本色》。

這是我們兩個人的共同筆記。雖然八成內容，都是蔡思明執筆的。劉駿光的名字最初也是蔡思明記上去的，早在這本筆記本開始記錄之初就有了。

當我們拿著紅藍鉛筆評點帥哥時，覺得我們對於男生的記憶力，跟魏美華記憶大江南北的功力不相上下。畢竟帥哥才是我們心中的好山好水。

走進教室，恰好遇見搭乘早一班校車返校的劉駿光，正要從教室離開返回宿舍。

如今出現在校園裡的他，一如既往，頭髮雖短卻整理得很有型，眼神恢復光彩，再度是一個乾乾淨淨的好青年模樣。這讓我甚至懷疑，今天在補習班看見那一個落魄的他，以及中午發生的事情，不過是一場幻覺。

我和劉駿光四目相對，他好像想要說什麼，但最後話又吞了回去。眼看他要離開了，我只好主動開口。

「我的肩頸，靠近背部那裡，好像真的扭傷了。」

「現在很不舒服嗎？」他停住腳步，順著我的話問。

「貼了撒隆巴斯。不要特別去扭動身子的話，好像還好。」我說。

「嗯。如果還是會痛的話，記得去保健室。」

雖然也是關心，但多少感覺只是禮貌性的對話而已。

「好的。」

「那，我先回宿舍了。」他說。

劉駿光過度制式化的應對進退，讓我覺得他的態度冷淡。不過，他向來如此。只能說今天中午他突然來那一招，簡直像化身成超人或蜘蛛人似的，勇猛地替我弄掉蜈蚣，用力擁抱住我，讓我安定下來的那個他，現在看來，自始至終只是一個意外吧。

換做任何一個人，就算是討人厭的教官發抖，抖個不停，我看他也會義不容辭抱上去。

想到這個畫面，就覺得不舒服。

可是，如果是換成另外一個人，感覺會好一點嗎？我的腦海開始把劉駿光擁抱的人，臉孔輪流換成蔡思明、徐彥和賽亞人，最後甚至是魏美華和保健室護士香香阿姨，但都沒有比較好。直到換成福利社的土狗黑仔，我才覺得OK。

說到底，我是不想看見他去緊緊抱住另一個人吧？除非是可愛的黑仔，我就允許。

晚上就寢後，我的苦難正式來臨。

拉傷的肩頸背部，站著的時候還好，可一旦躺下來壓著時，就擋不住一陣陣的抽痛。躺在床上，好幾個小時都輾轉難眠。睡下鋪的劉駿光，肯定被我翻來覆去搞得也很難好睡。

半夜兩點半，淺眠的我起來上廁所，下了床鋪，發現劉駿光並不在床上。

7

上完廁所，我才看見他在走廊的盡頭，拿著國文課本走來晃去的。

「你還在看書？一直沒睡？」我走過去問他。

「睡到一點鐘起來的。」他簡短回答。

「你不會每天半夜都爬起來看書吧？」

「沒有每天，最近吧。」

他回答完以後，又低頭背起書來。我想了想，決定單刀直入問他白天的狀況。

「今天在補習班的時候，我本來想問你一個問題的，可以現在問嗎？」

「不要。」

我有點驚訝他毫不思考地拒絕。

「你知道我要問你什麼？」

「嗯。反正當時你沒問，就代表你覺得我會有顧忌，所以現在也別問吧。」

「你，真的很奇怪。」

我無奈地笑起來，換個話題，問：「那，國文背得怎麼樣？」

「我從理組轉到文組，國文和史地這些文科，很多內容以前都沒有背到，必須在短時間內補回來才行。畢竟就快要聯考了。」

「你為什麼會忽然轉班？而且還是從理組轉到文組。從來沒有人這樣的。一般人這樣是要怎麼準備聯考呢？」

劉駿光不語，半晌，聳聳肩回覆：「反正就是這樣了。過程複雜。」

再次拒絕回答，明顯不想解釋。又陷入我所害怕的沉默，我只好趕緊再開啟其他話題。

「半夜爬起來看書，根本腦袋模模糊糊的，怎麼可能效率會好？尤其是背書。」

劉駿光聽了，露出一臉無奈，說：「好像真的是這樣。我本來就不擅長背古文和死記史地那些東西，想說要花更多時間來補強，結果這樣做，的確沒有特別進步。」

「對吧，像我早就認清事實了。高一高二時，我還會偷偷爬起床到廁所算數學，結果發現白天醒著的時候，數學對我來說是鬼打牆，半夜神智不清，數學又變成鬼畫符。總之，數學就是鬼，無論如何，我就是被小鬼纏身，成績一路爛。所以升上高三，宿舍開放夜讀了，我卻已經放棄。反正大學也大概考不上了，還不如好好睡個覺比較實在。我都不知道現在，還有很多人會半夜起床看書嗎？」

「快聯考了，還滿多的。最近看到的狀況是十點半就寢以後，從十一點到一點之間最多人吧。我們寢室就有三分之二的人，都會起來看書。」

「真假？還有這麼多人！我真的是置死生於度外，整個豁達了！」我自嘲。

高一高二時，舍監禁止我們半夜起床看書，走廊和寢室都不會開燈，所以大家只好偷偷摸摸地躲在唯一有開燈的地方念書，那就是廁所。偶爾舍監會起床抓人，大家還得通風報信躲舍監。高三時，舍監允許我們就寢時間後可以起床看書。不過寢室在熄燈後到早上為止仍不能再開燈，況且空間狹窄，所以桌椅都放在有開燈的走廊上。桌椅不夠所有的人用，沒占到位子的就得站著看書。

我看了看走廊，桌椅都是空的，只剩下別間寢室的兩個人，坐在書桌前看書。

「你怎麼不坐著看？空位那麼多。」我問。

「坐著就會想睡了。」他說。

「想睡就睡啊！」我說得一副事不關己。

劉駿光對我搖了搖手上的課本。

「背不完啊！雖然你剛剛說得對，半夜背書效率很低。可是，效率低，總還是多少會死背進一點東西吧？如果不利用半夜時間，也沒其他時間背了。」

「說真的，你說你的國文史地成績沒有很好，但其實也是中等了，只是沒像你的數學和英文那麼優異而已。你的整體成績已經很好，不必那麼拚了。」

「也不能這麼說吧。萬一數學或英文表現失常，還可以靠這些死背的科目補回來。只是，怎麼死背，也是一直記錯。」

我想了想，說：「其實，不盡然是死背。國文史地雖然大部分是『背多分』，但有時候背這些東西要靠一點技巧，就會比較容易記起來。」

「是嗎？」原本邊看書邊跟我說話的劉駿光，放下課本看著我。

「對啊。比方戰國七雄哪七國？東羅馬帝國、西羅馬帝國分別在什麼時候滅亡的？你記牢了沒？」

「戰國七雄是韓趙吳魏周秦楚？東羅馬滅亡西元467，西羅馬是1437，是嗎？」

我吃驚地說：「我真的覺得你還是去睡覺吧。都錯了。」

劉駿光一臉尷尬，不知所措的樣子。

「很簡單啊。戰國七雄是燒柴起火煮香腸，用台語念變成『生灶起火煮煙強』，所以發音就像是『韓趙齊魏楚燕秦』呀！然後羅馬帝國滅亡年代你可以記成『獅吃鹿，一次午餐』就行了。」

「獅吃鹿，一次午餐？」

「476、1453啊。西羅馬和東羅馬帝國滅亡分別就是這兩年。」

劉駿光原本看起來疲憊，瞬間清醒，微微笑著。

我看見他這個樣子，因為我而忽地領悟且有了希望的模樣，心底竊喜起來。

「真有趣。要是早點認識你就好了！」他說。

他看著我，我不小心又陷進他力度飽滿的眼神中，想著他話裡有其他的暗示嗎？

「那作文呢？我作文也超爛的。你好像是全班作文最強的？教我一下吧！」

他追問，整個人像在大海中忽然抓到浮木似的，有一股我在他身上從未見過的親近感；一種，他原來「也需要人」幫忙的親近感。那個人不是別人，正是他眼前的我。

「蔡思明的作文比我好啦。」我謙稱，但，突然覺得自己說錯話，怕他因此會找蔡思明，故趕緊補充：「還好我也懂得一些作文的技巧，可以告訴你啊！」

「什麼技巧？」劉駿光說完以後，忽然「啊！」了一聲，看了看手錶，說：「下次吧，太晚了，好像該去睡覺了。」

被他「預約」了下一次的感覺，有些愉悅。

我跟在劉駿光的後面走回寢室，一會兒，他回頭說：

「其實，數學也是需要一點技巧的，才會知道怎麼記公式跟套什麼公式。」

「這我也知道，但就是不會。反正沒救了。」我癟起嘴。

「改天換我告訴你吧！算是交換禮物。」

「教數學？好爛的禮物！」我笑起來，故意說。

我準備明天要在《我的奮鬥之男兒本色》上記下一句：「劉駿光不知道，他本身就是最好的禮物。」

「喂！很珍貴耶！我從來沒跟別人分享的。」

劉駿光語畢，順勢拍了一下我的肩膀，結果，恰好打到我拉傷的背脊，害我痛得叫出聲來，把他也把我自己都給嚇了一跳。

「啊！對不起，我忘記了！怎麼樣？你扭傷的地方。」他很緊張。

「其實我剛剛一直沒辦法好好睡覺。一躺下來，壓到就疼。」我說。

「真的很抱歉！」

我搖搖頭說：「沒關係啦。明天白天，再去保健室找護士阿姨拿藥搽。」

「你等我一下！」

劉駿光要我站在原地等他，然後他走進寢室，不久又走回來。

「我們去廁所。」他說。

「廁所？」我驚詫。

「走吧！總不能在這裡吧。去廁所比較方便。我太粗心了，讓我贖罪一下。」

「蛤？」

不會吧？劉駿光該不會想用回饋我什麼的方式來贖罪吧？他總是在最後關頭會祭出令人錯愕的一招。但是，他現在想要做的事，未免也太誇張。

最終還是半推半就地跟他走進了廁所。此時，走廊上和廁所已無他人，深沉的夜半，醒著的只剩下我們兩個人。可是，我現在真的是醒著嗎？

「脫掉吧。」劉駿光說，迫切的口吻。

「可是，這樣好嗎？」

「不脫掉我怎麼弄。會沾到吧！」

呃，說得也太露骨了一點。他怎麼都不害臊呢？果然是比我大一歲，十八歲的成年男生哪，嘖嘖嘖。我歪著頭，無法回答。畢竟我長這麼大，也沒跟別人弄過啊。是要脫到什麼程度呢？我抬頭看天花板，看見另一個我，不知何時早已經飄浮在半空中，一邊對我冷笑，一邊拿著吹泡泡的用具，準備開始對我吹起粉紅泡泡，一副看好戲的姿態。

霎時，我覺得這一切進展似乎不對勁。我們已經可以到這個程度了嗎？不是吧。想到一整天，從殷非凡英文班到此時此刻的劉駿光，性格一日數變，就覺得實在太謎樣。

這不會是他布下的仙人跳吧？

「快點！會讓你舒服一點兒的！」劉駿光催促。

天人交戰。但，歷史總在背水一戰的瞬間，創下改變世界的可能性不是嗎？老師都這麼教的。紅藍鉛筆就要把他跟我圈劃在同一個國度了。好吧，我知道了。只是接下來要上演的，我一定無法誠實記錄在筆記本裡就是了。

我深呼吸一口氣，閉起眼睛，鼓起勇氣終於脫了。

「何晉合，你幹嘛脫褲子？」劉駿光一臉狐疑。

「嗯？」

「你不是肩頸背脊扭傷嗎？我要替你按摩，希望讓你舒緩一下，你應該脫上衣吧？」

我好想死。窘迫得雙頰發紅，趕緊把脫了一半的褲子穿好（幸好只有脫外褲，而不是情急地連內褲一起脫掉），然後默默地把上衣給脫掉。

我到底要在劉駿光面前出多少糗？我脫褲子，到底他會怎麼想呢？

「上衣脫了，這樣才不會沾到按摩油。」他說。

結果，劉駿光似乎只有在念書很精明，其他時候都還挺鈍感的？還是他都看在眼裡，只是故意裝作沒事？他沒有針對剛才的狀況，表現出任何好笑或不可思議的反應。

這時候，我才注意到他的手上握著一罐小瓶子。

「這是什麼？」我趕緊轉移話題問。

「精油按摩油。我幫你按摩一下吧，會舒服一些。」他說。

我想起來兩個多星期前，他剛住進這間寢室的第二晚，也曾說過要替我按摩。

語畢，他滴出幾滴按摩油在手掌上，兩手來回搓了搓，接著就把熱熱的掌心覆蓋在我的肩頸背脊，然後開始推拿起來。

「我想起今天剛好有帶這罐來。這裡面配方的精油有茶花籽油、葡萄籽油、迷迭香、黑胡椒和薑，帶一點止痛效果，可以減輕肌肉的疼痛。平常我會用在坐姿不良引起的肩頸痠背痛，可能無法完全針對你的拉傷，但我想也可以有舒緩效果，至少你可以好睡一點。我一邊按摩，你一邊慢慢深呼吸，以自己舒服的頻率進行就好。」

他一邊按摩一邊說。平時寡言的他，其實是慢熱的性格，果然必要時話就會多。

我看不見他的眼神，但是可以想像有著溫暖的光。

我沒想到劉駿光會按摩，還懂精油。他說了一堆精油名稱，我搞不懂，但聽來就很專業。身上原本不舒服的地方，被他的雙手按過以後，明明也是推壓，卻一點都不疼，反而感到紓解。劉駿光忽然又變成了另一個我不認識的他。他到底有多少令人陌生的面向？

「有沒有感覺好一點？」他問。

我點頭，然後問：「你為什麼會精油按摩？」

「我的母親是精油按摩的芳療師。」他回答。

「原來如此。」

「但是她並不希望我學。我是自己偷學的，所以可能不完全正確。」

「你按得這麼好，她應該感到驕傲的。為什麼不希望你學？」我好奇。

劉駿光沉默下來，沒有回答，顯然他不想多談。好幾分鐘，他都沒有說話。我覺得不安，感覺自己問了不該問的話。

過了一會兒，劉駿光開口：「你在緊張什麼？身體變得有點緊繃。」

「我沒有緊張什麼。」

「你有。心裡想什麼，身體都會反映出來。芳療師會感覺到的。雖然，我不是真正的芳療師。像一開始那樣就好，放輕鬆，不要忘記深呼吸，吐氣吐長一點。」他說。

「知道了。」

所以，在此之前，他每次觸碰到我身體時，是否其實也都感覺到了我的情緒？

半晌，他停下來，說：「好了，按摩完以後喝杯水吧。希望可以幫助你比較好睡。」

「謝謝你，真的很舒服。如果躺著不好睡，我可以在床上坐著睡。」我起身對他說。

「坐著是要怎麼睡？」

「跟你說，我可以喔。擠在公車上可以睡，朝會站著也能睡。聯考如果考這一項，我應該可以保送進大學吧！」我拍拍自己的胸脯。

「瞧你驕傲的。太晚了，去睡吧！明天再推拿一次，會更有效果。」

劉駿光忽然伸手摸了摸我的頭。

砰！粉紅泡泡大噴發。這次爆發的威力不可小覷，我趕緊告訴自己立刻冷靜下來，否則會引起大屯火山群爆發的連帶效應。

我看著劉駿光轉身走進寢室，一時之間還獃在原地，停留在方才的場景裡。他剛才居然那麼自然地摸著我的頭說話，這真的太犯規了啦。

一個男生摸另外一個男生的頭，是我認為最性感的動作。比起摸臉、摸手或摸任何一個地方，心理上都更有一種「你乖，你可愛，你是我豢養的小動物！」那樣嘴上不說，潛意識卻這麼認為的狀態。

鼠牛虎兔龍蛇馬羊猴雞狗豬，我在劉駿光眼中，會是哪一種動物？

下音樂。耳邊響起藍心湄的〈一見鍾情〉，腦海中卻浮現這首歌MV裡藍心湄手中捧著的那隻青蛙。呃，戴著眼鏡的我，其實只是一隻四眼田雞。誰想要豢養一隻土到不行的四眼田雞呢？

回到寢室，爬上床的時候，偷偷瞄了一下已經躲進被窩睡覺的劉駿光。

我決定明天要在《我的奮鬥之男兒本色》上再多記錄一項劉駿光摸頭說話的魔力。我自然而然地躺在床上，還想著可以在筆記本上寫些什麼，根本忘記了肌肉拉傷的痠痛，不知道什麼時候，就這樣沉入了夢鄉。

8

一聽到晚自習的下課鐘響起，我和蔡思明、賽亞人和徐彥就立刻衝往福利社。

這幾乎是我們每天晚上的固定行程，為的是買吃的。福利社不是什麼便利商店，只是一間非常普通的小商店，賣的東西種類少得可憐，但至少還有熱食。味道普普通通的，當然完全不能跟鎮上的鹽酥雞那些救援物資相比，可沒魚蝦也好，在我們不可能天天找人裝病出去買外食回來的平常日子裡，有這些已很感恩。

我和蔡思明總愛買饅頭夾蛋，賽亞人愛吃醬油口味的炒油麵，徐彥則常買茶葉蛋。我們也常會買泡麵帶回宿舍，萬一晚上肚子餓了就可以吃，以備不時之需。

學校的晚自習課從七點半到十點為止，只分成兩堂課，每堂課的時間比白天的來得長，不過，中間下課的時間有二十分鐘，也比白天的十分鐘長。

這二十分鐘，沒有任何人想待在教室裡。除了去福利社買吃的以外，不知道從何時開始，到操場上散步變成了大家愛做的事。

我們四個人常常在福利社買完東西後，就會一起去操場。賽亞人和徐彥不愛走路，兩個人會在旁邊坐著吃東西。而我跟蔡思明則會邊吃著饅頭夾蛋邊繞操場。大概是因為地勢的關係吧，操場上盈滿著從半山腰上拂來的風，總是感到沁涼。

這天晚上，我們依照慣例，在晚自習下課時衝去福利社買吃的，然後又到操場上。跑來跑去的時候，我才意識到，背部拉傷的狀況過了兩天，似乎已完全康復。幾乎忘記兩天前曾經疼痛的事，康復得比我想像中來得快。

我和蔡思明走在操場的跑道上。

蔡思明好奇地問：「看不出來你復原力這麼強？還是你搽了什麼神奇的藥嗎？」

我沒有告訴蔡思明，前天晚上在宿舍裡，劉駿光替我精油按摩的事。

「算是藥嗎？」我推了推眼鏡，搔著頭說：「應該不能說是藥吧。不過，確實是有一點神奇。才兩次，就痊癒了。」

「到底是什麼東西？印度神油喔？你好像隱瞞了什麼祕密。」

「不是隱瞞，只是我也還沒搞清楚，現在是怎麼樣的狀況，所以不知該怎麼說。」

我這才告訴他，前天半夜，劉駿光替我按摩的事。而且在那之後，昨天他又主動替我按摩了一次，總共兩次。當然，我沒說我把褲子脫下來的蠢事。

「哇！你們兩個居然在夜深人靜時，做了這些不可告人的事！」蔡思明反應誇張。

「哪有什麼不可告人的。別想歪了。」我說。

「還幫你按摩？他怎麼對你這麼好？」

「只是一時熱血吧？他在學校不都這樣嗎？多半跟人保持距離，但緊要關頭忽然又會義不容辭熱心起來。但就是因為這樣，才讓我覺得他在校外判若兩人很奇怪啊。」

「哪有？他不是在校外也見義勇為，幫你把蜈蚣給弄掉？」

我悶悶地說：「也是。但是整個人的形象不同，這點還是令我想不透。總而言之，就算是他對我好，我仍然覺得他就是一個很難猜透的人。」

「你是要透什麼啦？你是要跟透明膠帶做朋友喔你？又不是要當他的經紀人，那麼在乎他形象有沒有統一幹嘛？對你好就好啦！搞不定根本是他對你有意思？」

「怎麼可能。我那麼普通，他那麼帥！」

蔡思明睜大眼睛：「何晉合，你承認他真的很帥了吧！」

像是被抓到什麼小辮子似的，我吐了吐舌頭，噤聲不語。

「不過，」蔡思明說：「容我提醒你，大家都謠傳，去年進來的高一生裡，有一個女生跟他走得很近。好像是校刊社的吧？在社團活動那堂課時，聽說劉駿光偶爾就會溜去校刊社的社辦，跟那個學妹見面。」

「我也有聽說。所以那個學妹是他的女朋友？」

「不知道。沒人證實過。」

「怎麼不直接問他？」我納悶。

「你覺得他那麼客客氣氣的，跟人保持距離，就算有人問他他不想回答的問題，他會正面回覆嗎？」蔡思明停了一會兒，又說：「不過，你問的話，可能就不一定喔。畢竟你們都有肌膚之親了，你問，他可能會回答吧。」

「肌膚之親個鬼啦。他不會回答的。」

我跟蔡思明說，他不愛談私事。那天晚上，我想問他為何在補習班那麼憔悴的樣子，問題都還沒問出口呢，他就斷然地說「不要」了。對於母親的事，他也三緘其口。

「如果是我遇到這種人，我反而覺得我什麼問題都可以問出口。」蔡思明說。

「為何？人家都不願你問，不想回答了。」

「反正他不願回答的，或不希望你問的問題，就會很直截了當地說不要問、不想說。比起嘴上說不介意，其實心底卻留下芥蒂，事後還覺得你那麼愛管閒事，又鬧彆扭的小家子氣來說，劉駿光那種個性反而乾脆俐落吧！所以，什麼都可以問。他不回答，你沒損失。他回答了，算你賺到。」

「蔡思明，我第一次覺得你冰雪聰明。」

「真的嗎、真的嗎？快把我記到筆記本裡，打上兩顆星吧！」

「抱歉喔，《我的奮鬥之男兒本色》記載的前提得是帥哥。」

「哈！很好。證明你秉持公正的評選理念。」

沒有數我們繞了幾圈操場，但看看手錶，已快上課。我們走向操場邊坐著的賽亞人和徐彥那兒。遠遠看著徐彥，我開口問蔡思明一個問題。

「你那麼喜歡徐彥，卻總是放棄跟他一起坐在那兒吃東西聊天的大好機會，願意跟我來繞操場，這件事情我一直覺得像是天方夜譚。為什麼？」

「我感覺他跟我在一起時話少，跟賽亞人在一起時就話多，聊得比較盡興。晚自習夠悶了，下課時都會希望可以跟聊得來的人暢快打屁，比較爽吧。所以讓他跟賽亞人聊天，像是我們兩個這樣，不是很好嗎？」

「哇靠，蔡思明，你今天是怎麼回事？忽然跟我拉開距離了耶。講出那麼多好有學問的話來。你不要這樣，這麼快脫離我們的笨蛋國啊！我會很寂寞的。」

「你會有劉駿光——足以照耀寂寞心房的那道光。」

我推了推眼鏡，突然有所領悟似地說：「我一點也不敢奢望。但是，經過你剛剛那麼一說，你覺得我應該要大膽問他，他會喜歡男生嗎？」

「直接跳過是不是喜歡學妹，如此命中紅心？萬一他說有可能呢？」

「那就代表我有可能呀。就算僅有千萬分之一，也是有可能。」

「那萬一他說不可能呢？」

「那也代表我有可能呀。」

「我不是山谷，你跟我講話，不必像回音一樣重複。兩個答案不都一樣？」

「這不是我們的使命嗎？不然為何要把他們記載到《我的奮鬥之男兒本色》上呢？我們要奮鬥什麼？不就是要奮鬥到底，想辦法把直男都掰彎嗎？所以還是有可能的。」

「勇氣可嘉，值得鼓勵啦。可惜，我包准你這個問題，在他面前，跟他四目交會的時候，你呢，絕對問不出口。你話是很多，其實孬得很，真正想說的，都會被自己給消音，然後在腦袋瓜裡胡思亂想。」

我噗嗤一笑：「答應我，你這麼懂我，真的不要有一天愛上我。我不想失去你這個閨中密友。」

這天晚上，我忽然覺得我跟蔡思明不是彼此的菜，真是一件老天賞賜的恩惠。我們不會相愛，也就不會分手。這世界上的帥哥如滔滔不絕的江水，後浪推前浪地凶猛湧出，我們將會有永遠討論不盡的話題，可以當一輩子談心的好朋友。

自從換了班上座位，跟劉駿光坐在一起以來，班導師原本的用意是希望我們相輔相成，幫助彼此的課業，結果，我發現我比以前更不容易專心上課。

劉駿光的一舉一動，我忍不住會去注意，而我也變得挺神經質，有時怕動作太大碰到他，有時怕自己憋不住一直說話，干擾到他。

我們的國文老師是個老先生，可能是因為太老了，上課管不動秩序，索性就不管了，因此這堂課，總是班上最吵的一堂課。

老先生自個兒練就了一番蘇軾筆下「八風吹不動，端坐紫金蓮」的工夫，我們怎麼吵，他也不為所動。非得等到教官在教室外面探頭監視我們時，大家才會安靜下來。

「何晋合，你跟後面的講話太大聲囉！」

有幾次，身旁的劉駿光會毫不客氣地提醒我。

「何晋合，你別一直跟我說話，我國文成績不好，得聽老師上課呀。」

偶爾他也會這麼跟我說，絕不拐彎抹角。

因為他老早就當著我的面說過我話很多，所以現在他如此直接，完全不意外。

但是，我想我的話，肯定比我自己想像中還要來得多。所以，這天的國文課，上完了第一堂課後，下課時，他再次開口。

「何晉合，你真的太多話。」

我搔搔頭，故意鬧他，唱起一段歌來：「我是不是該安靜的走開，還是該勇敢留下來？」還故意模仿郭富城的香港國語腔。

結果，他好嚴肅，不理睬我，繼續說下去。

「不如這樣吧，你如果下一堂國文課都不講話，你想要什麼，我就答應。」

我沒料到，他從向來的「勸誡」變成了「勸誘」。他想必是忍無可忍了，但又不好意思對我惡言相向（為了維持他在校內的形象？），才出此下策吧。

「哇賽，你這話居然敢這樣隨便開口？是不怕我會許下讓你嚇到傻的願望？還是打定主意我就是辦不到不說話啊？」我反問。

「算了，不要拉倒。」

「好啦！但是你很奇怪。其實國文課幾乎全班都在講話，就算我一個人不說話，也不可能教室就因此靜下來。我安靜，別人都在講話，有什麼用呢？」

原本面無表情的劉駿光，瞬間又使出一股無辜的狗狗眼神。

半晌，他開口：「問題是，你是你。別人怎麼樣無所謂，因為，你是你。」

彷彿舞台場景瞬間轉換，繪畫著夕陽的背板降下來，一群假烏鴉飛到我的頭上，遮住光，我的臉，頓時覆蓋在陰影之下。

烏鴉嘎嘎嘎的，盤繞不去，叫聲聽起來像是在說人話，對著我嘎嘎地喊叫。

「嘎嘎，你是你；因為，你是你。嘎嘎，You are You！嘎嘎嘎。」

我還「美而美」咧！美而美，我還知道立刻反應：「喂，老闆！我要來個火腿蛋。大冰奶半糖少冰。」然而，這「你是你」葫蘆裡是賣什麼玩意兒？還有，為什麼是別人怎麼樣無所謂呢？反過來說，就是「我」怎麼樣，他比較有所謂囉？

從蔡思明到劉駿光，這幾天，每個人都變成了哲學家？難道只是因為晚上我都沒爬起床念書的緣故？人類的進步，沒想到就差在起床和賴床之間。我太震撼了。

因為小小的腦袋瓜還在運轉，不知如何反應，於是只好沉默不語。

這一緘默，沒想到，居然真的撐過一整節國文課，我都沒有說話。直到下課鐘聲揚起，我發現自己五十分鐘都沒講過一句話，眼眶險些泛淚。

「你還真的辦到了。一節課不講話，感覺如何？」劉駿光問。

我看著劉駿光，右手拿起桌上的保溫杯，高高舉起。

「在這裡，我要謝謝我的家人，謝謝他們把我生下來，否則，不可能證明一個話多的人，居然也有可以不說話的一天。謝謝國文老師，謝謝他給我們一個如此民主自由開放的環境，讓我上課講不講話都行。謝謝班上同學，沒有因為我話少了，就覺得不適應。也要謝謝福利社的黑仔，牠總是如此厭世，不吠一聲，成為我的榜樣，暗示我，必須成為一個寧靜致遠、動靜皆宜的好男孩。當然，最後更要感謝的是劉駿光。這個獎，是屬於他的！」

劉駿光像個木頭人似地看著我，讓我覺得有點掃興。

正當我想翻個白眼之際，他忽然淺淺地笑起來。

「到底為何話能這麼多啊？」他邊笑邊搖著頭說。

看見他綻放笑靨，我也跟著笑了。

「好吧，你想要什麼東西？我的承諾。今天不是也有人要裝病出去買週刊嗎？你想吃什麼都可以，我免費請你，都給你。」

雖然我耳邊響起的是蘇慧倫的歌〈給我愛〉，但當然，我沒膽這麼造次。

忽然想到那天晚上，在操場上跟蔡思明的對話。

我遲疑了一會兒，鼓起勇氣，說：「我想要你誠實回答我一個問題。」

講完這句話，我感覺劉駿光的表情變得有些僵硬。

其實我自己也心跳加速起來。

「什麼問題？」

我以為他又會冒出一句「不要」來的。

「我想問你，」我推了推眼鏡，竟感覺手心冒汗，結結巴巴地說：「想要問你的是，你，你會喜歡男生……」

劉駿光的眼睛突然瞪得好大、好大。

「嗯，會喜歡男生……」我緊張地嚥口水，繼續說，但是聲音卻愈來愈小：「兩個男生在一起，嗯，一起……去看電影嗎？」

「厚！遜！遜啦！超遜的！換人演啦！」突然間，像是有幾百個我的分身，坐在台下，每一張臉都是我自己，做著我的招牌動作翻白眼，對我喝倒采。

換什麼人啦！這是我自己的內心小劇場，把我給換掉了，是要換成誰來演我啦？

哎，想也知道，我果然是被蔡思明料中，確實沒辦法對劉駿光問出「會喜歡男生嗎？」如此關鍵性的問題。

劉駿光緊繃的表情霎時和緩下來。

「你想問的，只是這個問題？」

「嗯。」我撒謊，歪著頭回答。

「我有跟一群男生朋友一起去看過電影，但回想起來，似乎還真的沒有兩個男生一起去看電影的經驗。」

「那，會喜歡嗎？」我只好順水推舟地問了。

他轉了轉眼珠子，說：「喜歡或不喜歡，倒是從來沒有想過。但，有什麼不可以？不過就是一起看電影嗎？」

「那可不一定啊。只有兩個人的話，很多男生只想跟女生一起去看電影。」

「誰說兩個人去看電影，只能男生跟女生一起去？」

「你的意思是如果我想找你，只有我們兩個人去看電影，你OK？」

劉駿光忽然若有所思。正當我打算放棄，不想給彼此難堪時，劉駿光忽然開口：

「嗯，那我們就去啊。」

我沒聽錯嗎？劉駿光他邀請我！

「真假？你願意跟我一起去看電影？那我們就這個星期六，一起去看電影吧！」

抱著不想他反悔的念頭，我打鐵趁熱決定了日期。他木訥地點頭。

我沒膽對劉駿光問出關鍵性的問題，但「我的奮鬥」卻意外換來了一場電影的邀約。

不管他怎麼想，我決定，這就是我跟劉駿光第一次的約會了。

星期六，我要跟他，瀟灑走一回！

9

星期六下午，在陳思豪數學補完習後，我立刻從台北車站搭公車趕去西門町。劉駿光跟我約在西門圓環的麥當勞見，他說他會在那裡看書，等我下課後過去會合。走進麥當勞時，人太多，一時找不到他，只好呆站在店中央，有點不知所措。一會兒，見到有個人影在遠方朝我用力揮手，仔細一看才發現那人正是劉駿光。

他一直揮手，怕我沒見到他，臉上雖然沒有笑容，卻感覺得出來是愉悅的。他的神情放鬆自在，跟一直以來星期日在殷非凡補習班見到疲憊的他不一樣，也跟在校園裡小心翼翼保持著什麼距離的他不同。我不禁又想，到底哪一個他，才是真正的他呢？

看著他，慢慢接近他，這一天竟突然覺得，我們學校的制服，原來滿好看的。

「找不到人，又聯絡不上，差點以為你放我鴿子。」我對他說。

「啊，抱歉。我應該先跟你說我的 B.B. Call 號碼的。萬一臨時有什麼狀況，你還可以有連絡上我的方式。」劉駿光說。

「你怎麼會有那種東西？要叩機做什麼？」

我好奇一個平常都被關在學校裡的高三生，需要呼叫器有什麼用處。

「我也沒在用就是了。是家裡沒有人用的，我帶著是因為萬一……」

我在等他把話說完，但他話說到一半卻卡在喉嚨。

「算了，沒事。對了，我們今天要看什麼電影呢？」

劉駿光每次提到家裡就不想多談。幾次下來，我大概也知道了，不會追問。

他問我想看什麼電影，這才發現，這星期我只是一直期待著要跟他出來「約會」，卻完全沒想到該去看什麼電影。

「我們去對面成都楊桃冰喝杯東西好嗎？店裡的牆上會貼報紙，可以查一下有什麼院線片和電影上映的時間。」我提議。

我們在店裡邊喝楊桃冰，邊想該看什麼電影比較好。劉駿光說他都可以，雖然是他約我看電影的，但起初是我先開啟一起看電影這個話題，所以想先讓我挑。

「那我要看這個！」

我指著牆上的報紙。是周星馳和鐘麗緹主演的港片《破壞之王》。

劉駿光居然笑出聲來。

他的反應，令我很懊悔。彷彿我應該挑個有氣質的藝術片，或至少是個好萊塢洋片才對，結果竟選了個無厘頭的搞笑片。

「你真的很奇怪。要我挑，結果挑了又笑我。不想看這部的話，可以選別的。你想看有學問的電影的話，我們就去真善美戲院。反正我剛好也可以補眠一下。」

「我們就看這部吧！我笑，是因為我心裡想的也是這部啊，沒想到你就挑到了。」

「真假？」我簡直心花怒放。

「對啊。周星馳的片，我看過好幾部了，這部也打算看的。」

當劉駿光說他心裡想的跟我一樣時，我覺得這世界上有周星馳的誕生，真的是太好了。

其實選周星馳電影的另一個原因，是我可以大笑出聲。不然，如果是看文藝片，一、兩個小時，都憋著不能發聲，真是會要我的命。

我們決定去獅子林大樓的戲院看電影。上樓前，看到樓下的「台北牛乳大王」時，我忍不住又進去買了兩杯木瓜牛奶和一份法國吐司，然後一杯遞給劉駿光。

「不是剛剛才喝過楊桃冰嗎？」劉駿光驚訝地問。

「對啊，突然很想喝嘛。一個人喝多無聊，一起喝吧。請你囉！」

劉駿光默默接過去，很認真地吸了好幾口。

「好喝。好久沒喝了，還是很好喝。」他說。

「好險我有買吧！」

他含著吸管點點頭，犬臉似的超萌表情。

上樓後，等進場以前，我開始大口大口地啃起剛買的法國吐司。

「你好像今天胃口很好？」他問。

「是嗎？就是覺得想吃而已。」我推了推眼鏡。
（胃口好，是因為心情好！）
突然感覺我的頭頂冒出一排半透明字幕，道出我的潛台詞。幾秒鐘後，字幕隨風消逝。
「平常在學校裡，很少看到你短時間內吃喝那麼多東西。」他又說。
「因為，」我裝傻，笑起來說：「難得嘛！」
（難得跟你一起出來約會看電影！）
又一排半透明的字幕被敲打出來，飄浮著，一個字牽著後面一個字，從我心口出發，繞過劉駿光的身子，往天空飄去。
我覺得有點被自己的內心戲給干擾了，很擔心會把飄浮在空中的潛台詞變成提詞機，一不小心就真的說出口，所幸劉駿光及時開口另起話題。
「很好吃嗎？這個法國吐司。」他問我。
「你沒吃過？」我睜大眼睛說：「很好吃耶！我超愛的！吐司一定要夾肉鬆，然後表面再淋上蜂蜜。根本就是完美的組合。喏，一半給你，吃吃看。」
「沒關係啦，你吃就好。」
「啊，是我吃剩一半的東西，你會介意吧？不好意思。」
劉駿光被我這麼一說，竟有些緊張，說：「不會介意這種小事的！那我就吃囉。」

他幾乎是從我手上抽走法國吐司的，立刻吃將起來。

看他認真啃吐司的模樣，覺得好逗趣。他怎麼那麼聽話呢？從木瓜牛奶到法國吐司，好像都是我半強迫性地要他吃，他居然一一接受了。該不會只是因為不善拒絕，其實，吃得很委屈吧？所幸他的反應都是好喝和好吃，讓我相信他確實是樂意的。

「真的好吃！喜歡這種甜而不膩的口感。」他邊吃邊點頭。

「喜歡，是一種甜而不膩。那就是最理想的感覺。」我一語雙關。

是我的錯覺嗎？我看著劉駿光的臉似乎脹紅起來，不知道是燈光的關係，還是他害羞？難道劉駿光明白了我話中有話的含義？他看著我，愣住，停止一切的動作，但很快地又把頭偏過去，避開我的眼神，繼續咀嚼手上的吐司。

嘻嘻哈哈地看完電影後，走出放映廳，把手上的垃圾丟掉時，劉駿光對我說：

「真不好意思，喝了一杯你請的木瓜牛奶，又免費吃了你的法國吐司。」

「誰說是免費的。因為等一下，你會請我吃晚餐啊。」我故意說。

我們只說約看電影，並沒說看完電影後還要一起晚餐。我想，如果是這樣說的話，說不定就能理所當然地延長約會的時間吧。

劉駿光笑起來，搖搖頭。我搞不清楚他是不願意，還是又在裝大人覺得我好笑。

「不願意就算了。」我說。

「不是，我只是覺得你很有趣，今天一直在想吃的。胃口真的很好？」

「胃口好，不好嗎？至少不是看到你倒胃。」

劉駿光笑著，拍拍我的肩膀，我以為他會說出什麼「那真是我的榮幸」之類的話，結果他說的卻是：「要吐以前趕快跟我說，我書包裡有塑膠袋可以給你。」

切。我翻了個白眼。可是，就在下一秒，他的手拍完我的肩膀以後，卻沒有離開，很順其自然地搭在了我的肩上好一會兒。

身高十四公分的差距，搭肩的最好距離。

只是一隻手而已，卻像搭起了心裡一百條高速公路，四通八達從他那裡，通向我這裡。

我身體裡的血液，奔馳著，全超速了。

離開獅子林，其實也沒什麼特定的目標，我們就在附近閒晃了一下。從萬年大樓、西門新宿到幾間鬧哄哄的遊樂場，都是平常離我好遙遠的世界。

「這裡賣的東西，都是你有興趣的嗎？」劉駿光問我。

「沒有耶。但我想你可能會有興趣吧？」

「我也沒有。其實西門町我不熟，所以不如你帶我去你有興趣的地方逛吧！」

最後，我們去了西門圓環旁的「淘兒音樂城」唱片行。

「如果會來西門町的話，我可以在這裡待上大半天。很多其他唱片行沒見過的，奇奇怪怪的CD這裡都有，還可以試聽。」我說。

「我第一次來。好大一棟。」劉駿光一臉新鮮。

「很大間。可是，錄音帶和CD都賣得比其他唱片行貴，老實說我不會在這裡買。所以每次來試聽，都帶著一點罪惡感。只能暗自希望有錢人可以在這裡多多貢獻，祈禱它不要倒了。」

「不會吧，這麼大的國際連鎖店。」

「誰知道呢。」

劉駿光忽然問：「你好像是廣播社的？我忘了聽過誰說，你想當廣播DJ？」

「對啊。像我這麼愛講話的人，不當主持人太可惜啦！哈！我長得不怎麼樣，所以上電視不太合適，看不到臉的廣播就很恰當啦。不過也只是想想，很難吧。你有聽過中廣的節目《知音時間》嗎？或是看過華視的《金曲龍虎榜》？像是羅小雲那樣播歌，我一直很嚮往。重點是，她跟我一樣話也超多的。」

「這麼一說，我突然想起，學校餐廳不是每個星期三和星期五，在中午吃飯時間都會放歌嗎？好像還接受點歌是吧？那個是不是你們社團負責的？」

「對。每次半小時，大概可以播六首歌左右。有好幾次都是我負責錄製的！說到這，你一定不知道，每次播最後一首歌的前後，其實會有人講話吧？我負責講過好幾次呢。但是，根本不會有人待到最後一首歌的。大家都急急忙忙地吃完，十五分鐘就離開餐廳，趕回宿舍準備午休。其實，就連我自己也是這樣。只有第一次播出有我講話的那一集，刻意在餐廳留下來聽完最後一首歌。現在雖然知道，『啊，今天這集是我錄製的，最後會有我講話』，但是也不會留下來聽了。」

劉駿光注視著我，木然的表情，沒有說話。

「不用覺得不好意思啦！不知道很正常，我想除了廣播社跟廚房裡的阿姨以外，沒人知道的。」我無奈地聳聳肩。

「所以你以後想念大眾傳播或廣電系？」他問。

「我哪敢想這麼多？根本大學一間都考不上吧。」我兩手一攤。

「我修正我剛剛說的話。」他一臉正經地說：「念那些科系，應該跟成為廣播人沒有直接關係。想當電台DJ也許要透過其他管道才對。」

「你也太認真了，還修正說過的話。但你說得對，有些電台偶爾會辦DJ徵選，可以透過那樣的管道。偷偷跟你說喔，最近有電台針對校園學生舉辦了一個DJ徵選活動，其實我有參加。只要寄出書面資料和一卷試錄帶就可以參加。然後，我過了初審喔！複審的話，是要在評審面前現場主持來評選。雖然我躍躍欲試，可是想一想，都快要聯考了，好像應該安分一點才對，畢竟我成績那麼爛！所以，我應該就不會去參加複審了。」

語畢，劉駿光點點頭，沒再繼續說，不知在想些什麼。

我們在淘兒唱片裡繞來繞去，從一樓繞到樓上，最後又回到一樓。

「你都聽什麼音樂？」他問我。

「隨便聽啊。來這裡的話，就會聽台灣以外的專輯。」

「台灣以外的歌手，我只知道香港的。其實我聽香港歌手的歌，比台灣的多。」他說。

「香港歌手你喜歡哪些人呢？」我問。

「最喜歡的是Beyond樂團。可惜去年黃家駒在東京發生意外過世了，我難過了好一陣子。」

「大家都滿震撼的吧。後來出的那張專輯《海闊天空》我也有買。」

「其他的香港歌手，常聽的就是張學友。」

「台灣的歌手呢？」

「張清芳吧。錄音帶買過最多的就是她了。」

「真假？我也是耶。我超愛張清芳的。我從《加州陽光》那張開始聽的。」

劉駿光露出一副勝利的神情，說：「我早你一點，我從《你喜歡我的歌嗎？》開始。」

「這沒什麼吧，」我不服輸地說：「你別忘了你比我老一歲。比我早開始聽也很正常。」

「大一歲是有差多少？」劉駿光沒好氣地說。

其實大一歲真的沒差多少，可是，我卻總覺得劉駿光是個大人了。也許因為他沒像我這麼毛躁；也許因為他總是沉默寡言；也許因為他個子比我高大；也許因為他，有著一片溫暖的厚實胸膛。

「比起《左右》這張新專輯來說，我還是喜歡上一張 Men's Talk 的《光芒》。」我說。

「《光芒》真的很讚。去年一月我有去看她在台北體育場辦的演唱會，很難忘。」劉駿光說。

「你說《光芒耀星空》那一場？天啊！不會吧？我也有去看！」

「你也去了？」

「對啊！我找不到可以陪我一起去的人，一個人去看的。那天寒流來，好冷！本來覺得一個人看演唱會，又那麼冷，很心寒的，還好演場會令人滿足。」

「到底有多巧？我那天也是一個人去看的。要是早點認識你就好了。」

這是劉駿光第二次說出「要是早點認識你就好了」這樣的話。雖然，時光不可能倒回，多少也是一種他禮貌的客套說辭吧，但是當我聽見時，仍然感覺心底暖暖的。

那一晚，在碩大的體育場裡，看著演唱會的劉駿光，是什麼模樣？不喜於流露情緒的他，是否會和我相同，一個人，藏在張清芳的歌裡偶爾紅了眼眶？

當我現在知道，那一夜在上萬人的場子裡，原來劉駿光也在某個角落中陪伴著，當時的寂寞，彷彿都已一筆勾消。

「以後有機會，再一起去看她的演唱會吧！」我笑著說。

「好啊！」劉駿光點點頭。

會成行嗎？到了那一天，告別高中生的我和劉駿光，不知道會變成什麼樣的關係。我想，他會考上很好的大學吧，而我會落榜，過著補習班重考大學的苦悶生活。說不定，我們也不會住在同一座城市了。那時候，我們還會有如同現在這樣的 Men’s Talk 嗎？

不管怎麼樣，我想，劉駿光一定還會是個全身散放著光芒的大男孩吧。

離開淘兒唱片後，劉駿光履行承諾，請我吃完「謝謝魷魚羹」當做晚餐，我們才解散，各自回家。

第二天早上，去殷非凡補習班上課的一路上，我沉浸在前一日愉悅的情緒裡。打算等一下看到劉駿光時，再約他下課後去光華商場附近吃午飯，並逛一下巷子裡那一間我常買錄音帶的「合友唱片行」。

可是，這一天，劉駿光不是遲到一節課而已，他根本沒有出現。

10

晚上返校回到宿舍，我終於見到劉駿光。他看起來還算正常，只不過很疲憊的樣子。

「你今天怎麼沒去補英文？」

劉駿光坐在床上整理衣服，我一邊爬到上鋪一邊問他，但他沒有回答。到了床上以後，我彎下探頭看他，又問了一次。

「喂，我剛問你，你今天怎麼沒去補習？」

他抬頭看我，說：「不好意思，我沒聽到。」

我還在等他繼續說呢，但他的話居然就到此結束了。

「因為身體不舒服？該不會是星期六感冒了吧？電影院還滿冷的。」我問。

「不是。沒有感冒。」他低著頭繼續整理衣服。

「家裡有事情？」

他抬起頭來，若有所思，最後才點頭，說：「嗯，有點事。」

「我有幫你拿今天的講義喔，剛放在教室裡了，明天再給你。」我說。

「謝啦！」他揉揉眼睛，忍不住打了個哈欠。

雖然我很好奇，為何每個星期六回家後，星期天再見到劉駿光時，他總是看來非常疲憊，永遠睡眠不足的模樣，但我終究還是沒有多問。因為知道他並不想多談。雖然沒問，可是我知道原因是跟他家裡有關係。

第二天，劉駿光就像是被按下一個切換鈕似的，又恢復成一如既往，那個在學校裡充滿精神，神采奕奕的有禮貌學生。

早上數學課小考，考的題目跟上週考的內容有八成都一樣。這是數學老師刻意的。他說，這些基本題型很重要，所以重複考兩次，要我們牢記。

第一節考完，老師趁下課十分鐘就把考卷給改完了。第二節上課開始發考卷。兇巴巴的數學老師說，既然八成的題目都一樣，如果還低於六十分的話，就是太不用功，必須少一分打一下。

我低聲跟坐在隔壁的劉駿光說：「聽到他這麼說，我快哭出來了。」

「你覺得你會考很爛？」他悄悄地問。

「不是『我』覺得。這是連掛在前面黑板上的國父都知道的事。」

「低於六十分，少一分打一下，會痛到哭出來吧？怎麼辦？」

「不是我怕痛想哭，是我想到數學老師這麼老了，他如果真要按照少一分打一下的話，我擔心昏厥的是他，不是我，所以想哭。」

劉駿光瞪大了眼睛看我。

終於輪到我上台領考卷時，老師拿著藤條看著我的考卷，半晌才開口。

「你回去座位吧，何晉合。」數學老師說。

「老師你還沒打我。」我提醒。

數學老師歎了口氣，說：「成績不及格要受罰，目的是為了逼你們向上。」

「老師我知道。」我伸出雙手。

「但是你已經不可能向上，所以沒必要了。回去吧。」

老師把考卷遞給我，我看到了成績，是六分。

「可是老師，你不打我，其他被打的同學會有意見。」

「那你要老師怎麼樣？難道要我打你打五十四下？」

「五十四下，六分，剛好出現了『456』這三個數字。456連成一線，所以，就算『1』吧，那老師就打我一下好了。」

全班哄堂大笑。老師懶得理我，揮揮手，把我趕回座位去。

「六分真的很慘耶。我今天算是對你的數學程度刮目相看了。」劉駿光說。

「還好啦。剛好是我的幸運數字，六。」我聳聳肩，對他吐了吐舌頭說。

這天下午，只要一下課，劉駿光就要我把今天的考卷和數學課本拿出來，重頭到尾很仔細地為我講解一遍，題目是什麼意思、該套用什麼公式、有什麼訣竅可以解答等等。

他教得非常用心，我也竭盡所能地希望聽懂，遺憾的是一整個下午，我覺得我像是突然去了星際旅行，浩瀚星河中遇見一個外星人，嘴裡說的都不是地球話。

傍晚回宿舍洗澡時，我對蔡思明說了星期六跟劉駿光去西門町看電影的事。

今天浴室好多人，我和他分別排在正在淋浴的賽亞人和徐彥的後面。

蔡思明每次一進浴室，就會立刻用最快的速度掃描一遍所有的淋浴間。目的當然是看看有沒有徐彥。如果有，他無論如何都要想辦法排在他後面。因為這樣就可以站在沒有門也沒有浴簾的淋浴間外，一直盯著裸體的徐彥。今天也不例外。

「哇噻，很精采啊！」蔡思明回我。

「你也看過《破壞之王》？」
「沒有，我是說徐彥的屁股。」
蔡思明目不轉睛，直視著背對我們的徐彥。
「靠腰。你關心一下我好嗎？」我翻白眼。
「好啦好啦，去電影院看？」
「看電影當然去電影院。不然咧？」
「厚，你真的很笨。去什麼電影院，要去MTV啊！」
蔡思明拿臉盆敲我的頭。
「MTV是包廂，密閉式的空間，緊緊靠坐在一起，想幹嘛就幹嘛。」他說。
「我沒去過。你怎麼那麼清楚？你去過？跟誰去的？」
蔡思明欲言又止，最後才開口：「跟徐彥。」
「什麼！哪時候？你跟他約會了？你們在包廂裡幹了什麼壞事？」我詫異。
「你急什麼，我還沒說完呢。跟徐彥，還有賽亞人三個人啦。寒假的時候吧。因為經驗很差，我不太爽，所以就沒跟你說了。」
「當然差啊。有一顆電燈泡那麼亮，是要怎麼看電影？」
「所以我看得一肚子氣。本來說好只有我跟徐彥的，結果他臨時又把賽亞人也找來。」

「我突然覺得，他們是不是才在偷偷談戀愛啊？」

「最好不要。世界會因此動亂的。」蔡思明用力搖頭。

最近，賽亞人跟我和蔡思明一樣，洗澡時也愛上唱歌。他特別喜歡唱王傑的歌，老是反覆唱著〈一場遊戲一場夢〉，可惜他的歌喉實在不怎麼樣，又愛用很欠揍的哭腔唱，每次排在他後面，都要忍著別讓自己的拳頭墜落在他頭上。

好不容易，他跟徐彥終於洗完了，換我和蔡思明進去。我們洗完後，走出浴室時，恰好看見劉駿光迎面走進來。他喚住我。

「等一下早點去教室，今天考的數學，還有幾個變化題型要跟你說。」

「好。」我點頭。

我和蔡思明步出浴室，他問我：「你好像都沒有排在劉駿光後面洗澡過？」

「沒有。我們的洗澡時間，總是不巧錯開。」

「所以你從未看過他裸體的樣子？」

「沒有。所以我應該現在進去，再洗一次嗎？」

「是不用這樣啦！你還是趕快先去教室等他吧。他真的很照顧你，希望你數學進步。」

「其實只是聽老師的話吧。老師不是希望這樣才要我們換座位嗎？倒是你，跟賽亞人坐在一起以後，他有教你數學，你也應該好好教一下他英文才對吧？」

「我有啊！只是沒像劉駿光一樣加碼演出罷了。總之，我覺得劉駿光對你是用心的，比老師要求的更投入。你得好好掌握他低調的好意。對了，結果你跟他去看電影那天，還是沒問謠傳中他跟那個學妹的事？我查到了那校刊社學妹的名字，叫做林采如。」

「林采如？很可愛嗎？」我竟有點醋意。

「比你可愛一點吧。」

「全盤皆輸了。」我垂下肩膀。

「哈！我亂說的啦！我沒見過呀！聽名字應該是可愛的吧？」

「去你的！名字怎麼聽得出來可不可愛！至少一定不可能比我多話，比我講話好笑！」

我的鬥志忽然又被激起。

「你確定你話多是優勢？你確定他覺得你講話好笑？」

「他說過，我的話實在太多。」我又喪氣了。

「你必須趕緊直接表達你對他的愛意。就算你辦不到直接說喜歡他，也應該用很明確的暗示，讓他知道才對。別再只是上演內心小劇場了。」

「可是，就算他知道了又怎樣？讓他知道了以後，真的好嗎？」

「我們寫進《我的奮鬥之男兒本色》裡的那些人，有在乎過他們是不是喜歡男生嗎？」

「從來沒有。」

「那就對啦！這點都不在意了，你現在又何必在意他知道以後會怎樣？」

「你說得對。喜歡的本質，就是我喜歡，不會因為擔心表白的結果，而變成不喜歡。」

「沒錯。否則就稱不上是真正的喜歡。」

「那我該怎麼做呢？」我苦惱。

「從你跟他在西門町逛街時，有沒有什麼共同話題之類的去找線索？哎呀，你自己想想好嗎！我要是真知道，早就跟徐彥比翼雙飛了，現在還有空跟你討論這些嗎？真是。」

我似懂非懂地點頭。

蔡思明去上廁所，我一個人走回寢室。寢室裡沒有人。我把臉盆放回床底下，看著劉駿光的床位時，竟忍不住貼近床鋪深呼吸嗅聞了一下，不過，什麼味道也沒有。

呃，我這在幹什麼呢？覺得自己實在太變態了，趕緊爬上自己的床鋪。

為什麼學校這麼多的課程，卻沒有一科教我們如何去追到喜歡的人呢？

這世界上不用考試的，其實才是最困難的事。

11

平常多話，但總在關鍵時刻卡住的我，若真要像蔡思明建議的那樣，找個間接卻明確的方式表達愛意，實在困難重重。

隔兩天下午社團活動課時，我忽然想到，利用每週三、週五，中午餐廳播放點歌的形式，大概是我唯一能做到表達心意的最高程度。

這一週的歌單和最後一首歌前後的DJ收話錄音，本來是跟我同社團的蔡思明負責的，我把我的想法跟他說過以後，協議好兩個人調換時間，本週先由我上場。至於要播的歌，學生點歌部分，就不動聲色地往後延期，本週這一集全部由我決定。

學校裡有一個很簡陋的錄音室，平常是用來對全校廣播的地方，不過用來應付社團活動已綽綽有餘。到了週五的午餐時間，這一天，就要播出一整集點給劉駿光聽的歌。然而，本來錄音時還滿興奮的，真正要播出的這一天，我卻有點徬徨。

從吃早點開始，我一想到待會兒中午再回到這裡時，整棟餐廳上下樓就會播放起我點給劉駿光的歌，竟然感覺渾身不自在。

「好像是要對全校的人公告，我對劉駿光的愛意。」我對蔡思明說。

「拜託，只有你知我知而已。劉駿光頂多只會覺得，今天播的都是他喜歡聽的歌罷了。你這種表達方式，根本不是我想像的。但沒辦法，我知道你個性最多只能做到這樣。而且你根本不必擔心，因為中午從來沒有人會吃那麼慢，待在餐廳聽到最後一首歌的。對了，最後一首歌前後你說了什麼話？你那天錄音時，我沒聽到。等一下吃完就回寢室了，也聽不到最後你的錄音。」

「沒聽到最好，我自己都不敢聽。反正沒講什麼。」

上午的課結束後，大家準備從教室移動到學生餐廳，我看著一旁的劉駿光，覺得很緊張。

「何晉合，你今天不舒服嗎？話比平常少。」劉駿光問我。

「有嗎？不會啊！一定是你習慣了啦！」我推了推眼鏡，故作鎮定。

在餐廳裡等待著教官吹哨開動時，我簡直比買漫畫週刊的行動還要緊張。

終於等到教官吹哨開動了，餐廳裡有點陽春的音響，開始流淌出第一首歌曲，是劉駿光喜歡的 Beyond 在台灣發行的第二張國語專輯主打歌〈光輝歲月〉。

面對聯考慘澹的歲月，沒想到會在畢業前的最後四個月，因為遇見劉駿光而突然有了特別的轉折，我的高中歲月總算有點光輝了吧。

與我同桌，正對著我坐的劉駿光聽到歌以後，似乎沒有特別的反應，一如既往低著頭吃飯。不過，當第二首歌曲前奏一下，劉駿光便立刻抬起頭來看了我一眼。我慌張地撇開眼神。奇怪，我又不是幹了什麼壞事，幹嘛這麼做賊心虛似的慌亂呢？

只剩不到幾個月的時間，什麼事都要快馬加鞭才行啊！一切都迫不及待了。第二首歌是張清芳《加州陽光》專輯裡的〈迫不及待〉。

連續兩個歌手，都是我們那天聊過的。他可能猜到今天是我排的歌了吧。我若無其事地撇開頭吃飯，只用餘光偷偷瞄著他，見他沒再看我時，我才把頭轉回來，繼續邊吃邊偷看他的反應。

進入第三首歌的前奏了，是張學友的〈每天愛你多一些〉。劉駿光這回比剛剛抬頭抬得更快，又把目光投向我，露出他的招牌犬系表情。一臉萌樣令我害臊，只好趕緊再把眼神避開。我和劉駿光，就這樣連續在三首歌的時間裡，兩個人的眼神你看我閃，我看你閃，好像心知肚明些什麼，但其實誰也不知道對方在想什麼。

第三首歌快要播完了。通常在第三首歌結束前，有七成的學生都已經吃飽，會開始離開餐廳回宿舍。我們這桌的人也都陸續起身，只剩下三個人，就是我、蔡思明和劉駿光，還坐在位子上。

「吃完了吧？你還不走？」

蔡思明問我。我們經常都是一起離開餐廳的。

「要走了。」

我回答，目光卻一直停在劉駿光身上。他仍繼續坐著喝湯。是否因為猜到了今天是我為他特別製作的專輯，他決定要聽到最後？我感到欣慰，但同時也擔心當他聽到最後我說的話，會產生反感而造成彼此尷尬。

蔡思明湊到我耳邊，悄悄地說：「該不會你想跟劉駿光一起聽到最後吧？」

「那多奇怪。」我搖搖頭。

趕緊催促著蔡思明把餐盤拿去回收區以後，我們步出餐廳。

餐廳裡播出了第四首歌，孫耀威的〈認識你真好〉。是的，這是我想對劉駿光說的話，認識你真好。他曾經說過「要是早點認識你就好了」的話，不管是不是客套，現在聽到這首歌，又知道是我安排的歌單，一定能從這首歌明白我沒說出口的回應吧。

走出餐廳大門時，我想偷瞄一下還在餐桌前的劉駿光現在是什麼表情，可是，回過頭去看，卻發現餐桌前已經空無一人。劉駿光正把餐具放到回收區，居然要離開餐廳了。

「他沒打算聽完。」蔡思明說。

「對啊。我以為他猜到是我排的歌單，又是他喜歡的歌，會打算聽完。」

原本猶豫怕尷尬的我，變得有點失落。

「你剩下兩首點播了什麼？」

「金城武〈只要你和我〉跟趙傳〈愛要怎麼說出口〉。」

「哇，你這幾首歌名連在一起，很明顯耶。可惜他聽不到了，也聽不到你最後講的話。所以，你告訴我最後到底講了什麼？」

我清了清喉嚨，握起拳頭當做麥克風，湊近嘴巴，把聲音裝得低沉，故作深情地說：「愛要怎麼說出口？愛也許不必說出口，透過這些歌曲，間接地傳遞出喜歡上一個人的心情。喜歡，是一種甜而不膩，那就是最理想的感覺。今天所有的歌曲，都是由『環球之花』點播給『外賣仔』的歌曲，希望你會喜歡。」

蔡思明一臉困惑地問：「等等，什麼鬼？什麼『環球之花』跟『外賣仔』的？」

「《破壞之王》裡主角的綽號啊。」

「你會不會太間接了一點啊？誰會懂？」

「一起看過的電影，應該就是會理解的暗號。」

「還好意思稱自己是『環球之花』？」

「其實是環球花癡。」

我兩手托著臉，故意裝可愛。蔡思明噗嗤而笑，我們兩個人打打鬧鬧地進了宿舍，卻一直沒看到劉駿光跟上來。

這天，晚自習中場下課時，蔡思明原本說要一起去福利社買吃的，結果卻肚子不舒服而放棄。

「你叫劉駿光陪你去吧！」

蔡思明故意在劉駿光面前丟下這句話。

「你真好笑。難道我會在校園迷路？幹嘛還要別人陪我。」

我眼角餘光偷瞄著劉駿光，繼續故意說：

「只是去福利社買個吃的，要別人一起去也太麻煩對方了吧？別人應該都很忙，不會有時間想陪我去的。沒關係啦，我一個人去就可以了。反正買完以後，就一個人自己去繞操場，一個人默默吃東西。只是沒人一起邊走邊吃邊聊天，我那麼愛講話的人，可能會有點鬱卒吧？但是也沒辦法啊，人總要學著長大。就一個人去囉。我一個人去囉！」

最後一句話重複講了一次，還故意加大音量。當然是故意說給沉默的劉駿光聽的。

劉駿光突然站起來，對我說：「一起去。我肚子也餓了。」

策略成功。我看了看蔡思明，彼此努力憋住不笑。

我們跑去福利社，劉駿光買了炒麵加茶葉蛋，我照舊是吃饅頭夾蛋。然後拿著買來的東西，我們去繞黑夜的操場。仔細想想，這應該是我第一次和劉駿光在晚自習下課繞操場。

「我真懷疑你作文為什麼會好！」

經過司令台的時候，劉駿光這麼說。

「我上次教你那樣寫作文的技巧，覺得不好？」我問。

「不是。你說話時總是落落長，為何作文時可以言簡意賅？」

「寫字多麻煩啊，當然是愈少字愈好，寫重點就好。怎麼了？」

「說話也可以說重點吧？」

「哇，你真的不怕我難過受傷耶。所以你嫌我廢話太多？」

我用力咬了一口饅頭夾蛋。

「我的意思是，你剛為什麼不直接問我要不要去福利社？講話繞來繞去的。你不問我，怎麼知道我有沒有時間去、想不想去？」

「我故意的啦，好玩而已，抱歉喔。你生氣囉？」

「這哪有什麼好生氣的。我只是要說，直截了當跟我說、問我就好了。」

「可是有時候，我直截了當問你的問題，其實你也不願意回答。」

劉駿光愣了一下，解釋道：「那不一樣吧。找我去福利社，跟你說的其他事不同。」

「我知道啦。我還沒那麼笨，只是數學爛而已。」

「你一點也不笨。」劉駿光低頭看我。

「謝謝你喔。今年度最好笑的笑話出爐了。」我翻白眼。

「你想跟我說什麼，你就直接說，至於我不想回答的，也會直接跟你說我不想回答。這樣比較好吧。你是一個話這麼多的人，憋住不問、不說，不是很難受？想到什麼就說什麼，這才像是你，不是嗎？」

「我要是什麼都直截了當地說，真怕你無法承受。」

其實也怕我自己無法承受。如果，劉駿光回覆的，不是我所期待的答案。

我的饅頭夾蛋吃完了，而劉駿光沒幾口也把剩下的炒麵全送進嘴裡，雙頰鼓得圓圓的，努力咀嚼的模樣很可愛。

操場上有人像我們一樣慢慢地散步，也有人在練習慢跑。一個男生從我們身邊奔馳而過，留下一陣風，旋繞在我和劉駿光之間。

三月下旬，霞中夜裡的操場還是涼爽。想起前兩年，甚至到了五月，山腳下夜裡的操場，偶爾仍覺得微涼。不知道今年六月中旬以後，是不是跟去年一樣，晚上就會感到溽熱了呢？不知道呢。那時候，我們已經畢業離開校園了。

半晌，劉駿光開口問我：「你今天中午放的那首趙傳的歌，是日文翻唱歌嗎？」

我嚇一跳。問他：「你有聽到最後？你不是提早離開餐廳了？」

「全部聽完了。我只是把碗盤拿去放，然後就留在餐廳，聽到最後。」

那代表他也聽到了我說的話。他怎麼想呢？我緊張起來。

「是翻唱歌嗎？」他又問。

「不是。是李宗盛寫的。」

「今天的歌單很有故事感。選的歌和歌曲排序，聽起來很順。」

「你喜歡嗎？」

我忍不住問。是他說我想問什麼，就可以直截了當問的。

「嗯。」他倒是又寡言起來了。

「喜歡就好。」我說。

「環球小姐？」

我失笑：「環球之花啦！你有沒有專心在看電影？」

「喔，哈，說錯了。」

他搔搔頭，接著，忽然很慎重其事地說：

「我覺得你的聲音很好聽。透過麥克風，從音響中傳出來的時候，跟平常很不一樣。」

他確實聽到我說的話了。他是否聽懂了我的間接告白呢？

「所以，我的那段話，除了這個感想以外，沒有其他要說的嗎？」我試探。

「有。」

我的心跳加速起來，換氣急促。

風吹過操場邊的樹，窸窸窣窣的，感覺它們全都急忙地靠攏過來，洗耳恭聽。

劉駿光靠近我，低著頭看我，兩手搭在我的肩膀上。

「你一定要去參加廣播ＤＪ徵選。你不是有說，最近看到針對校園學生的徵選活動？去試試看！聯考快到了也無所謂，我百分百支持你。如果你練習的時候需要有人聽，回饋意見，或是想找人討論，看看用什麼內容去參賽比較好，我都可以幫忙你。不用客氣！總之，我想說的就是，你一點都不笨，你只是數學不好，你有其他的才華，比別人更好。所以趁著還是高中學生身分，去參加一次吧！不管結果怎樣，都會在高中生涯中留下很好的經驗和回憶的。」

我的目光經過他投向遠方。彷彿看見原本榕樹垂下來的鬚，全豎起來等答案的，這會兒跟我的肩膀一樣，都垂了下來。垂得好低好低，只差沒倒在地上翻滾耍賴要糖。

劉駿光難得一次吐出這麼長的一段話，只是，這回覆不在我的預期之中。

「怎麼樣？那個徵選，還有多久時間可以準備？」他追問。

我百味雜陳地回答：「只剩兩週而已。」

「明天星期六回家以後，星期天去殷非凡時，把報名簡章帶來。我們一起來看看！」

「真的要參加嗎？就算我聯考無望了，但你也要準備考試呀。」我猶疑。

「剛不是說了別管那麼多嗎？考試還是要準備啊，但這件事也可以同時進行吧。你想想看，高中三年，我們一直被逼著考這個考那個，在這學校裡也是活在被限制這限制那的生活，到底有哪一件事，是自己真正想做的呢？」

我歪著頭，推了推眼鏡說：「好像沒有。」

其實有啦，就是喜歡上你這件事。我的潛台詞又從心底冒出。

「那就對啦！趁著畢業前，總得有一件事，至少有一件事，是自己真正想要去做的，高中歲月才不會留下遺憾吧。」

看見劉駿光一副好認真的模樣，想到他是為我好，又覺得暖心起來。

我們繞了兩圈還是三圈的操場，記不得了，總之最後又回到司令台前。

快要上課了，我們準備離開操場回去教室，繼續晚自習。

「你要麥香紅茶還是麥香綠茶？」

我把剛才在福利社買的鋁箔包飲料從外套口袋裡拿出來，一手一瓶攤在劉駿光面前給他選。

「你變魔術嗎？剛都沒看到你買。我正好口渴了耶。」劉駿光很驚訝。

「你挑一瓶吧。」

「那我要麥香紅茶。我喜歡喝麥香紅茶。」
其實我知道。因為我早就默默注意過他，飲料總是只買麥香紅茶。
劉駿光正要從我手上拿走飲料時，我卻緊握著，不讓他拿。他有點意外。
「販賣機要按一下，飲料才會掉下來。」我開玩笑說。
「講這麼多話的販賣機，是超先進的機種吧！」他笑著搖搖頭。
他想了一會兒，盯著我，一雙大手忽然捧起我的臉，輕輕柔柔地按壓了一下。
粉紅泡泡在他那麼一壓之中，又全被擠了出來。
我的心還在小鹿亂撞中，只見他已抽走我手上的飲料，插了吸管，大口喝起來。
「啊——好喝！」他閉起眼，仰起頭讚歎。
靠腰。為什麼連喝個飲料，也可以這麼帥氣。
我突然鼓起勇氣，說：「劉駿光，你不是說想說什麼，就直截了當跟你說嗎？」
「嗯，對呀。」
「好，」我深呼吸了一口氣：「劉駿光，我要告訴你，我喜……」
唰——嘩——
瞬間，操場草皮上一整排的自動灑水器，忽地冒出頭，唰唰唰的，旋轉起來噴灑水花。
「啊！天啊！」

我跟劉駿光兩個人剛好走在灑水器旁，嚇了一大跳，頭髮都被水花給濺濕了。

「用跑的！」劉駿光大喊。

「快跑！不然衣服全都會濕了！」我說。

想起劉駿光跑得慢，我一把抓住他，緊緊握著他的手，往前奔跑。

「你剛要跟我說什麼？」劉駿光喘著問。

上課鐘聲悠悠揚起，迴盪在整個校園裡。

我邊跑邊回過頭看著他，微笑起來，什麼也沒說，只是把手握得更緊。

一朵朵開在操場上的水花，在遠方教室的燈光映射中，好似夜空中降落在地表的星星。一閃一閃地，為此時此刻流逝的每一秒，照耀出難忘的虹彩光芒。

劉駿光，我喜歡你。

我喜歡你。

12

週日中午，在殷非凡補完英文以後，睡眼惺忪的劉駿光找我去吃午餐。

「你有帶DJ徵選的報名簡章吧？」

走出補習班大樓時，他一邊問我，一邊伸了個懶腰。

劉駿光還是那樣，每到星期日就好像被睡魔附身似的，從說話到走路都有氣無力。

「我有帶。不過如果你很累的話，可以先回家休息，不一定要今天弄。」我說。

他沉默了幾秒，說：「其實我回家更沒辦法休息。」

「為什麼？」

一脫口而出，我就發現似乎不該問。

果然他聳聳肩搖頭，再次避開話題，說：「走吧！想吃哪一家？」

「忽然有點想吃『老德記』的AB麵。可以嗎？」

「好啊！那很好吃。」他點頭。

我喜歡每一次跟劉駿光如此合拍的感覺。那令我覺得，雖然我和他在外形、性格和成績上差異很大，卻依然能夠找到契合的部分，有一股志同道合的作伴感。

週日中午的「老德記」座無虛席，我們等了一會兒才入座。

兩個人都點了「AB麵」吃，混雜著炸醬、辣醬、肉末和豆乾，好大一碗，很過癮。

餐桌上攤著我從報紙上剪下來的「校園廣播新秀選拔會」報名簡章。這是一個流行音樂電台針對大專與高中生所辦的活動。比賽分成初審、複審和決審。初審以參加者的書面資料和試錄帶做為審查，選出十二名合格者進入複審。複審會選出六名來參加決審，最後再挑出前三名優勝。選出來的前三名，沒有獎金，但最吸引人的是可以上他們的電台節目，接受知名主持人的訪問，同時還可以擇日錄製半小時的專屬個人特別節目，全國放送。

對於抱著廣播夢的我們來說，能夠走進專業的錄音室，自己當主持人、編播歌曲，正式對外播送節目，是一件極具吸引力的事。

劉駿光一邊吃麵，一邊認真地研究簡章內容。

「我已經過了初審，現在要參加的是複審。十二名初審的入圍者要到電台現場比賽，當天就會知道結果，宣布哪六位可以進入最終決審。」我說明。

「離複審只剩兩個星期。今天就決定，你要報名哪一項才行。」

「報名分成一人組、雙人組、或三人以上共同主持這三組。」

「參賽者有十分鐘的主持時間，你得在這短短的十分鐘內讓評審留下印象。」

「只有十分鐘，很難。而且是現場比賽，控制時間很有壓力。」

「十分鐘該準備什麼內容呢？」

「內容不受限。我聽說以前有兩、三人演出廣播劇，還滿受評審好評的。」

「廣播劇怎麼能算ＤＪ呢？」

「選拔的廣播新秀沒特別限制是主持人、播歌ＤＪ、說書、廣播劇或任何形式。」

「原來如此。廣播劇確實是比較特殊。有一個有趣的故事，聲音表現又生動的話，比較容易博取評審的注意。可是，你會廣播劇嗎？應該會吧。因為你話那麼多，廣播劇恰好需要很多台詞，你可以吧？」

我翻了個白眼，說：「話多不代表就能演戲好嗎？不然教官也可以了。」

我怎麼能說，其實我有一座內心小劇場，經常上演的都是關於你的內心戲。

「那就不行了。只剩兩星期，也來不及練習。」

「最簡單的就是一個人自說自話，只要想個有意思的題材就行了。」

「可是一定大部分的人都是選這個，競爭會很大。」

「那該怎麼辦呢？」

「聽廣播時，你覺得對一個主持人來說，最能看出他功力的，會是什麼樣的節目內容呢？」

我想了想說：「應該是訪問來賓的時候。因為一個人可以天馬行空地講，但訪問來賓時，講求的是互動。能不能營造出好的氣氛、問出好的問題，還有針對受訪者的反應得臨時應變，就是考驗主持人功力的時候。」

「那麼答案出來囉。」劉駿光把最後一口麵吃完以後，說：「用你訪問另一個人的形式，去參加徵選比賽吧！如果你真有實力，就可以在主持訪談這個形式中，讓評審看見你的實力吧。而且，以訪談參賽的人，我想不多。」

「呃，可是我要訪問誰？喔，我知道了。」

我含情脈脈地看著劉駿光，微笑起來。

「欸，我不行啦。受訪者要挑有內容好訪、特別一點的人才行。」劉駿光說。

你很特別啊！我在心裡想著。

瞬間，彷彿看見一群啦啦隊衝進「老德記」店裡。帥哥美女高舉著尼龍彩球，從其他桌客人座位旁的走道，整齊劃一進場，最後圍在劉駿光的身後。

眾人一邊搖曳著尼龍彩球，一邊大聲喝采著：

「Special！Special！光光好，光光讚，光光最特別！」

全部的客人有如看餐廳秀似地，邊吃邊望向我們這一桌。

一支麥克風從餐桌下緩緩升起，停在我的面前。

我戴起耳機，手在控音機上推出背景音樂，開啟麥克風。

「哈囉！親愛的聽眾朋友們大家好！我是您收音機前的好朋友何晉合。又到了『我的奮鬥之男兒本色』的特別訪談單元。今天，是哪一位特別的帥哥來我們節目呢？我們先來聽一首L.A.Boyz洛城三兄弟今年春天的暢銷大碟〈That's the Way〉。是的，今天的來賓就是如此堅持自己的style，走自己的way，很酷。聽完這首歌，我們將在杜德偉的歌曲〈拯救地球〉中開啟與今天的來賓十分鐘精采可期的訪談！容我先透露一下他的名字。他到底是誰呢？他就是山霞高中的校草，帥到可以拯救地球，非常特別的，劉駿光！」

對，劉駿光，你不知道你的眼睛很特別嗎？光是你的眼睛這個話題，我就可以講個五分鐘沒問題。再來是你時不時露出超萌的犬臉，也很特別。這個也可以講個五分鐘。這樣十分鐘就滿啦！可是，一旦開啟你眼睛和表情的話題，又怎能不提你那厚實的胸膛和一百八十三公分的身高呢？我會忍不住要評審再多給我五分鐘講這部分的。當然，還有你平常總是木訥寡言，但每到緊要關頭就會迸出令人深刻的真心話。這也可以再延長個五分鐘。對了，你掌心的溫度也很特別。你還會精油按摩呢，這部分我看非得講個十五分鐘吧？另外，我也很想問問你，有沒有興趣去做催眠，了解一下上輩子的你，到底是積了什麼德，這輩子才能那麼帥呢？我想，我這輩子已經來不及了，如果知道平常可以做什麼善行，下輩子就有機會變得那麼帥氣，我現在就可以開始努力！

天啊，我恐怕需要兩個小時才行。

「何晉合？何晉合！你到底在發什麼呆？一直拿著筷子對著嘴巴幹嘛？」

劉駿光喊著我的名字，還用力拍了一下我的頭。

啦啦隊消失，各桌客人恢復與我們無關的距離，眼前的麥克風也變成我手上的筷子。

我又出神了。剛剛竟一直盯著劉駿光傻看，上演自己的內心戲，沒顧到他的存在。不，不應該說是沒顧到他的存在，而是太顧著他了，因此整個人的思緒都陷在他的身上。

「你有聽到我剛剛說的嗎？得想一個比較特別的人來訪問才行。」他問。

我點點頭，推了推眼鏡，撒謊說：「我剛剛很努力想有誰可以幫忙。」

其實我的腦袋瓜裡除了劉駿光以外，根本想不到其他人。

「蔡思明如何？」劉駿光提案。

我失笑，說：「找他？要訪問他什麼？他會霸占著麥克風開個人演唱會。」

「呃，那好像會離題。」劉駿光尷尬地笑。

「不行不行，他絕對不行。」

我們吃飽了，結帳離開餐廳。就在走出餐廳門口時，劉駿光突然說：

「我想到有一個人可以幫忙。應該可以訪談出有點內容的東西，而且既然這個活動是選校園廣播新秀，那麼我想，這個也會滿符合『校園』的主題，或許能投評審所好。」

「是說除了你以外，我還有認識這樣優秀的人嗎？」

「我認識。我可以介紹給你。」

「是誰？」我好奇。

「一個學妹。學校裡校刊社的一個學妹，叫做林采如。」

我心裡一沉，因為那不就是跟劉駿光走得很近，謠傳中偷偷交往的女生嗎？

「你跟她很熟？」我試探。

「很熟。」

「她很不錯嗎？」

「還不錯喔。」

我心裡很不是滋味。

「讓我想一想。而且，說不定，對方也不一定有意願。」

「我請她幫忙的話，她一定會說好的。就看你了。」

劉駿光一臉充滿自信。

「你們兩個真的有謠傳中的那麼好？」

我終於忍不住問了。

「居然已經有謠傳了啊！真有意思。」

劉駿光笑起來。

他還能笑出來，很開心是吧？哼。我的醋勁鯁住了喉頭，一時之間不知該怎麼回應這個「幫忙」的提議，也不想再多加試探追問。這件事看來不是謠傳，而是真的了。

跟劉駿光掰掰以後，我跟他朝反方向離開，各自走向回自己家的公車站牌。

走到一半，不知怎麼，我突然有個感覺，劉駿光其實沒有要去搭車。好奇心升起，我掉頭往他離開的方向跟上去，果然，沒看到他在應該在的公車站牌前。

劉駿光回家的公車站牌不遠處就是光華商場，我直覺他在那裡。

走進地下街，到上次他去的舊書攤，果真見到他在那兒。他背對著我正在結帳，這一次我躲得很小心，不讓他有發現的可能。不久，在他離開書店以後，我走了進去。

「老闆，請問剛剛那個男生，買了什麼書？」我問老闆。

老闆看了我一眼，沒說話，用手指著身後的書架。

我走過去看，那一櫃的書大多是關於園藝、植物栽培和花草茶叢書。在架上的盡頭，我看見好幾本芳香精油與精油按摩的二手書。劉駿光買的應該是精油按摩的書吧。

離開書店上樓以後，想到劉駿光應該還沒走遠，張望四周，發現他正在馬路的斜對面。原本以為他買完書會去公車站了，但是並沒有。他繼續朝著公車站的反方向走，我保持著一段距離尾隨在後。他一直走，都走過幾個十字路口了，仍未停下來。走到我已經覺得累，想要放棄之際，最後看見他轉進一條巷子，走進一幢建築裡。

那是一間室內游泳池。

劉駿光喜歡游泳嗎？我從來不知道。每個星期天補完習以後，劉駿光就自顧自地往這個方向走，或許都是來游泳？

建築的側面有窗戶，可以看到一部分游泳池的室內。我在窗前看了一會兒，不久，看見換上泳褲的劉駿光出現在泳池畔邊。我忽然明白，劉駿光的身材如此勻稱，胸膛厚實，原因大概就來自於他經常游泳。

劉駿光在池畔做完暖身操以後，躍下泳池開始游泳。雖然因為窗外的角度問題，我沒辦法看得很清楚，但是劉駿光高眺的身材，在泳池中怎麼樣都是特別顯眼的。他游得很快，很熟練，在長長的泳道裡折返了好幾回。

劉駿光跑步能力很差，我一直以為他沒有運動細胞，原來還是有擅長的運動。

我不會游泳，看見他在水裡如此優游自在的模樣，對他的羨慕與崇拜又增添了一些。

半晌，他跳上池畔，褪下泳帽。我清楚看見他的容顏，一點疲憊的感覺都沒有。他轉過頭望著剛才離開的泳池，甚至微微笑起來，臉上盡是滿足的表情。

明明在殷非凡補習班裡，是一副要死不活的厭世模樣，離開補習班走在路上也是滿臉倦容，可是，現在卻全然不同了。游過泳的他，忽然又活過來，變成另外一個人。

游泳池透光的屋頂撒下日光，落在他濕潤的肌膚上，閃亮亮的，好像只要是此刻看見他的人，都會受到幸運的祝福。

13

晚上回到學校，我在走回宿舍的路上，跟蔡思明說了劉駿光提議找學妹林采如幫我忙，以及看見他去游泳的事。

「哇，你很瘋狂耶。居然跟蹤他！」蔡思明睜大眼睛說。

「不要用跟蹤這個字眼，說得好像我有病。」我辯解。

「不是跟蹤是什麼？」

「是追蹤。像你喜歡金城武和徐彥一樣，會『追蹤』他們的一舉一動。我也是追蹤他，不是跟蹤。」
「有差嗎？跟蹤也好追蹤也罷，反正都挺瘋的。」
「確實。不瘋不成愛。」
「我忽然覺得好可怕。」
「為什麼？」
「單戀的力量原來這麼可怕。如果全世界的人都像我們兩個這樣，只是單戀就可以這麼瘋狂的話，累積的力量不知道會多驚人。」
「大概就是可以取代核電廠，安定發電的程度吧。」
「用愛發電，多環保！」
「只是以我們兩個瘋狂的程度恐怕會被供奉在發電廠裡，像土地公一樣受人膜拜。」
「脖子上會掛很多金牌那種？好土啊！」我搖頭。
「金牌可以轉賣呀，笨。」
想到那個畫面，我們兩個忍不住笑出來。
「林采如的事情你有什麼看法？」
我導入正題問蔡思明。
蔡思明想了想，說：「你就答應啊。本來是敵暗我明，你完全不認識敵人，現在有機會可以接近敵人，不是比較好想對策嗎？」

蔡思明說得很對。接近敵人，瞭解敵人性格，抓住對方的弱點，明白她無法滿足劉駿光的部分，我才能在那個部分多下工夫。我的奮鬥，終於要開戰了。

第二天早自習結束時，我告訴劉駿光，決定麻煩他請學妹來幫忙。

「好的。明天社團活動課時，我帶你去校刊社找她。」他說。

「謝謝。」

「明天她答應以後，後天就把報名表用限時專送寄出去。不然等到週六回家時才寄，怕太晚了。」

「可是要怎麼寄？學校裡沒有郵局，只能到校外鎮上的郵局去寄，但我們出不去。託買漫畫的人去寄的話也是星期四了，而且出去時是傍晚，郵局已經關門。」

「嗯。總之明天跟學妹確定好以後，先把報名簡章都準備好吧！後天該怎麼寄出去，我會有辦法的。」劉駿光胸有成竹的樣子。

其實比起怎麼把簡章寄出去，此刻我更在意的是明天即將登場的林采如。

星期一下午最後一節課是地理課，身兼導師的魏美華常常會利用這節課的最後十分鐘，檢討上週全班的成績狀況。

「自從換過座位，讓強項得以互補的同學坐在一起以後，確實看見不少同學的成績都比以前進步了。很不錯！」

魏美華手上還握著剛剛授課時用的紅藍鉛筆，她用它指著手上的全班週間考試總成績表。她一邊看一邊步下講台，走到我旁邊時，腳步停下來。

「可是何晉合，你的數學成績怎麼還是那麼差？」

魏美華看著我，我看著她，過了幾秒鐘後，我開口：

「老師，這問題，我也想了快三年。其實這個問題本身，就是一道比數學更難的題目。所以在這問題還未解開以前，想當然耳，我數學成績也很難進步。」

賽亞人忍不住笑出聲來，魏美華對我眼睛瞪得好大，皺起眉來猛搖頭。

劉駿光突然用他的腳尖，踢了一下我的腳。

「喂！你話多，也要看場合啊。」

他在我耳邊低聲地說。

魏美華放下手上的成績表，手撐在我的桌子上，卻把頭轉向劉駿光。

「劉駿光，還是你沒有好好教他？」

我聽了趕緊開口解釋：「老師，他有教我，是我自己笨，學不好。」

「老師，」劉駿光說：「不好意思，確實是我的問題。何晉合他有很努力在補強。只是因為之前我占用了他太多時間，讓他教我史地和作文，結果變成教他數學的時間不夠。從今天起，我會好好再多花一點時間教他的。」

「你的史地和作文確實比上個月進步很多了。」魏美華說。

「多虧了何晉合幫忙。就是因為這樣，占用了太多他補強數學的時間。」

我驚訝劉駿光竟把他成績進步歸功在我身上。

魏美華看著我說：「老師沒有要求你突飛猛進，老師也知道那不可能。不過，只剩下幾個月了，拚一下，能加強多少就算多少，搞不好最好的一次成績，就出現在聯考那一天不是嗎？何晉合，你要好好學習！」

我點頭說好，心底卻是無語問蒼天。

吃完飯，回到宿舍洗完澡時，我在寢室遇到劉駿光。

「我其實根本沒教你什麼。你史地作文成績進步，是你自己很努力的結果。」我說。

「不會啊，你教了我不少東西。」劉駿光客氣地說。

「倒是我很愧疚，數學成績不見起色，害老師還誤以為你沒有好好教我。」

「那就讓她瞧瞧你的進步，證明我真的有好好教你吧！」

「我也想。但很難吧，真的是我笨的原因，跟你無關。」

「你去參加廣播新秀徵選，不是也抱著試試看的心態嗎？數學這件事，『我們』也這樣看待吧！不管結果怎麼樣，先試試看就對了。」

劉駿光說的是「我們」，而不是「你」。他數學好得很，怎麼需要跟我一起努力呢？但是他把自己和我放在同一陣線，陪著我朝向同一個目標前進的態度，確實激勵了我。

看著他為我著想的真誠眼神，我差點紅了眼眶。

晚自習結束，回寢室等熄燈後，我照例一躺下就與世無爭地呼呼大睡。沒多久，在朦朦朧朧之中，我做了個夢，看見劉駿光依偎在我枕邊。

喔買尬！為什麼就連在夢裡他也可以這麼帥啊？我傻傻地對著夢裡的劉駿光癡笑。夢裡的他面無表情。既然是在我的夢裡，那就代表這是我的夢，我想要怎樣就能怎樣囉。我早就想要親劉駿光了。現實世界裡沒辦法，在我的夢裡總可以吧？就在這念頭浮現的剎那間，我立刻把嘴湊上他的臉頰，迅雷不及掩耳地親了一下。然而，難道是因為笨的人，連做的夢都會比較遲鈍嗎？夢裡的劉駿光被我的夢拖累，也變得笨笨的，表情木然，毫無動靜。

睡覺時做夢最累了，既然不得我願，就讓我一夜無夢好眠吧。可是，突然間，我卻感覺有人開始搖我，並且喚我的名字。我到底還是在繼續做夢嗎？

「起床！何晉合！」

我揉揉眼睛，睜開眼，發現劉駿光真的攀在我床邊。

他一邊搖我一邊說：「快點起床！」

「請問我在做夢嗎？」我問。

「快點！快點起床看書吧！」劉駿光催促我。

剛剛是夢，現在一切才是真實的。現實中的劉駿光並沒有任我處置，他命令我起床看書。咦，等等，我愈搞愈糊塗，半閉著眼睛說：「可是，我沒有要起床看書啊。」

「你有。因為我要你起床看書。從今天起，你都必須起床看書，跟我一起好好來一次數學總複習。」

「不能好好睡個覺嗎？」

「從十一點到十二點就好。這樣子六點起床，還有六小時睡眠時間，足夠了。你要參加廣播徵選，也不能荒廢考試的準備。快點起床！」

「天啊，我頭好痛。」我裝病。

「別任性了，快起來！」

劉駿光語畢，用他溫暖的手掌輕輕地撫摸了我的臉頰。

頓時，我精神都來了。如果此刻我真有病，相信也會瞬間痊癒。我懷疑劉駿光可以醫好我所有的病。等我以後有錢了，我要送他一塊匾額，上面寫四個大字——華佗再世。

坐到走廊上的書桌前，劉駿光從數學課本裡抽出一張紙給我，上面寫滿他的字跡。

「這張進度表，你收好。」他說。

「這是什麼？」

「從今天開始，到畢業以前，我們就按照這個來總複習。」

「你什麼時候弄的？我都不知道。」

「剛剛。比你提早起來弄的。」

「哇，你要不要讓我太感動啊？」

「等到數學進步時再感動吧。」

「恐怕不會有那麼一天。」

我看著那張進度表，這下子真的頭痛起來。除了我恨死的雞兔同籠以外，表格上還列出一堆什麼由度量連續量所產生的實數；極限與函數、微積分；基本函數的多項式函數和指數、對數函數；古典機率；座標、向量幾何跟線性代數等等項目，全是劉駿光準備要我總複習的內容。

天啊，真的是不想碰這些東西，可是，看在劉駿光那麼用心花時間在我身上，我也只好硬著頭皮把死馬當活馬醫了。

預計只花一小時的複習，原本以為會度秒如年，沒想到一晃眼就過了一個半小時。放下筆，整個人攤在桌上時，居然發現已經是半夜十二點半。

「覺得怎麼樣？」劉駿光問我。

「覺得餓了。」

「我是說第一次的數學複習課程啦。」

我裝傻笑起來，突然聽見劉駿光的肚子傳來飢腸轆轆的聲音。

「你也餓了。」

「都是你說餓，害我也忽然感覺餓了。」

「我們來吃泡麵吧！」

「我沒有泡麵。」

「吃，這種東西，只要是我在的話就不必擔心。」我拍胸保證。

我從置物櫃裡拿出兩包味味A排骨雞麵的碗裝泡麵，還有一包王子麵。打開碗麵紙蓋，再把王子麵拿出來折成兩半，各放一塊在兩人的碗裡。這是我們向來在半夜吃泡麵的方式。因為覺得麵不夠，就會去福利社買王子麵，自行升級麵量，感覺很豐盛。

「你平常看起來飯量很少，怎麼可以這麼能吃？」劉駿光問我。

「我也不知道。可是你不覺得半夜在宿舍吃泡麵，大家的胃口都特別好嗎？」

「其實，我沒有在宿舍吃過泡麵。」

「什麼！我不敢相信！要是沒有在霞中宿舍半夜吃泡麵，還算是霞中畢業的嗎？」

「有這麼嚴重？」

「當然啊！要是以後我回想起高中三年住宿，最快想到的一定就是這件事。走走走，我們去樓下裝熱水吧！」

看劉駿光拿起泡麵，我立刻阻止。

「哇，劉駿光，這件事我真的在你面前很有成就感。想不到你真不懂？沒有人會拿泡麵下去裝熱水的。這樣端泡麵上樓多危險？拿自己的鋼杯去裝熱水就好啦。」

霞中的學生，每個人在寢室中都會有一個鋼杯，是用來盥洗用的，平常放在臉盆裡，收納在床底下。每當吃泡麵時，漱口的鋼杯就會變成裝熱水的好幫手。

全宿舍只有一樓才有放置熱開水的飲水機，我們拿著鋼杯下樓裝水，小心翼翼地端上樓沖泡麵。我和劉駿光對坐，等待泡麵泡好，倒數計時三分鐘。

「大家都會在半夜的宿舍吃泡麵嗎？」劉駿光問我。

「對啊。半夜爬起床看書很痛苦，但偶爾吃一下泡麵的話，就有種被救贖的感覺。半夜宿舍裡的泡麵，總覺得特別美味。大概就像是颱風天的夜裡，在家吃泡麵也特別好吃一樣。但是泡麵吃太多，對身體不好啦，所以只能偶爾吃、吃。」

「謝謝你。」劉駿光突然說。

「謝我？為什麼要謝謝我？」我詫異。

「謝謝你找我吃泡麵啊。不然畢業了，都沒在半夜的宿舍裡吃過一次泡麵的話，不是很遺憾嗎？」

「啊？」

「就跟活到了十七、八歲，都還沒有跟人接吻過一樣的遺憾吧。」

「咦？難不成你有嗎？」我追問。

「我沒有。那，你有嗎？」

劉駿光搖頭，急著把問題丟還給我。

「我？大概只有在夢中才有吧。」

我閉起眼，回想起剛才的夢境，忍不住傻笑起來。唉，也只有在夢境裡才能肆無忌憚地吻上劉駿光了。結果，當我睜開眼時，居然看見劉駿光的臉頰與耳垂變得好紅。真奇怪。他害臊什麼？

「你知道我做了什麼夢？」我問他。

他搖頭，吞吞吐吐地說：「誰，誰知道啊！」

「你不想知道嗎？」我又問。

「啊！」劉駿光突然詭異地轉移話題，大聲說道：「超過三分鐘了啦！泡麵！」

我突然懷疑，難道剛才不是夢境嗎？

劉駿光打斷我的思緒，再次催促我，快超過五分鐘，麵都要糊了，得快點吃才行。他替我打開碗麵的紙蓋後也撕開自己的，泡麵的水蒸氣倏地冒出來，我的鏡片頓時霧成一片，什麼也看不見。

茫然的我，正準備找身上有沒有面紙可擦拭時，聽到劉駿光邊笑邊說：

「你這樣子也太有趣了吧！」

他用手指擦開我鏡片上的霧氣。我重獲光明，看見他還是笑個不停。

「到底有多好笑？」我嘟嘴。

「很好笑。眼鏡都是霧的樣子好笑；看不到然後手足無措的樣子也好笑。幹嘛那麼緊張啊你？」

「當然緊張啊，哎呀你不懂啦！好啦！別再笑了，快吃啦！」

劉駿光要是再追問我，我怕我會脫口而出，怎麼不緊張呢？我多不想錯過一分一秒看見你的機會。我多擔心鏡片上的霧氣消失後，你不見了，一切真的只是個夢境。

我和劉駿光大口大口地吃起香噴噴的泡麵。劉駿光直說好吃，驚歎地表示，沒想到竟比預期中的更好吃。

他一臉滿足的感覺，活像個小學生郊遊時，打開野餐盒驚歎美味不已的模樣。我默默觀察著他所有細微表情，覺得真是可愛極了。

泡麵的蒸氣依然一陣陣地襲來，我變得非常忙碌。一邊要低頭猛吃，一邊要偷看劉駿光，每隔一下子鏡片起霧了又得擦眼鏡，完全是一心三用。

就從這一晚開始，我居然有點期待每天晚上的宿舍夜讀。當然，才不是對數學幡然開悟，而是因為有著劉駿光的伴讀，以及偶爾肚子餓的時候，在夜半時分，兩個人沉浸於霧氣中的泡麵時光。

14

這星期的社團活動課時段，劉駿光約了我去找校刊社的學妹林采如。

學校裡的社團，每個人最多可以參加兩個，不過大部分的人因為分身乏術，都只選擇

劉駿光伸進那男生胸膛的雙手給硬拉出來。

就在這時候，突然看見一個女生走過來。她對著劉駿光溫柔地說：

「以為你今天不會來呢！」

她肯定就是林采如。啊，必須說她真的有點漂亮。

「今天是來找妳的，有事相求。」

劉駿光將我拉到林采如的面前。

「他是何晉合，我的同班同學。他要參加一個比賽，我向他提議可以請妳幫忙。」

林采如的目光打量著我，臉上不帶任何表情。

「妳好。」我向她點點頭示意，又補上一句：「其實不用勉強，如果不OK的話。」

林采如冷冷地看著我，轉過頭對著劉駿光，忽然又展開笑靨。

「只要是你開口，當然沒問題。」林采如說。

根本還沒了解是要請她幫什麼忙，林采如二話不說答應了。她到底是很愛劉駿光吧，才會說出這種話來。

我們三個人離開社辦，在一旁花圃裡的石椅上坐下來。劉駿光用非常條理分明的敘述，在極短的時間內，把整件事情的前因後果迅速向林采如解釋完畢。

「所以希望兩週後，我和他一起去參加現場的評選。但是我要怎麼幫忙？」

林采如一臉困惑。

「我想了想，有個建議，看何晉合覺得怎麼樣。」劉駿光說：「可以把這十分鐘的節目，包裝成你們共同聊校刊。其實本來兩個人一起主持的話，應該是要互相熟識，默契好的搭擋才對。不過，已經沒有時間了。我知道采如其實還滿會講的，而且又是談妳熟悉的主題，想必沒問題。何晉合原本就是廣播社，對主持當然駕輕就熟，只是比賽的話，一個人講感覺太單調。所以如果有妳在旁一搭一唱，而他也擅長依照別人所說的再延伸發揮，我想一定會滿精采的。」

「可是，」我舉手發難：「我對校刊製作什麼的，一點都不熟啊。怎麼聊？」

「你們可以找一個主題，比如『成長』啊『畢業』啊之類的，像是校刊裡的特輯來談。怎麼去企劃和執行這個特輯，就讓林采如說，而你，針對這個主題排出一個歌單，主要就從那些歌去對應她所講的企劃，這樣對你來說應該就很簡單了吧？」

「我還是覺得，既然你這麼有想法，為什麼不就你來跟我對談就好？」

「我只會丟點子，沒辦法講。林采如可以跟你搭配得很好的，只要你們再討論和練習幾次就行了。你臨場反應很好，順著林采如所說的再發揮，一定可以做得很好。」

劉駿光拍拍我。他對我到底是哪來的信心？

「采如，何晉合就麻煩妳了！你們練習時，若不嫌我礙事，我會在一旁聽，然後給些意見。」劉駿光說。

林采如微笑著對劉駿光點頭，但是一看到我，就立即收起笑容。

討厭我也太明顯了吧！說真的我也不想找她呀，我只是不想澆熄劉駿光的一片好心，才答應來這裡的。

劉駿光說「再討論、再練習」，但是事實上，我和林采如根本沒有什麼時間可以討論和練習。因為學校禁止男女同學在校園中私自交流與說話，只有在社團活動時間是例外，所以我們真正能利用的時間，就只有這兩週共四節的社團活動課而已。

剛才初見面的開場已經用掉了一節課，於是我們火速在第二節課進入正題。決定好要談的主題是「畢業」以後，林采如提議開始撰寫腳本，而我同時也列出歌單來與她討論。

時光飛逝，轉眼間第二堂課也結束。我們剩下的，就只有下週同一時段的兩節課。

「下週見面時就正式彩排。報名表記得想辦法寄出去。」林采如說。

「好的，我會的。」我點頭。

離開時，忽然停下腳步，轉過身對她說：「真的非常謝謝妳抽空幫忙。」這時候說出這句話的我，可是誠心誠意的。但是林采如看著我，什麼也沒說，只把目光投向身旁的劉駿光。我不知她在想什麼。

複審報名表填寫好以後，第二天，我請保健室的大好人香香阿姨幫忙寄出。

我們學校裡沒有郵局，平常基本上無法寄送郵件。若要寄東西，就得委託外出的人。可是這一週買漫畫的日子還未到，沒有人「請假」到校外。正陷入一籌莫展之際，蔡思明幫忙想辦法，建議可以去找香香阿姨幫忙。還好香香阿姨熱心，解決了我的困境。

「聽你這麼說，她對你超有敵意耶。」蔡思明說。

話題回到林采如身上。

「算了，她願意幫我，已經很感謝。雖然肯定是看在劉駿光的面子上才答應，但老實說，她也可以拒絕的不是嗎？」

「但我真難想像，這麼對你有敵意，兩個人能創造出什麼默契？」

「不知道。昨天討論時，感覺還行。但實際狀況要到下週社團課彩排時才會知道。」

「嗯。對了，昨天你看劉駿光和林采如的互動，會覺得他們真有在交往嗎？畢竟校園中大家都這麼謠傳。」

「是看不太出來。不過可以感覺林采如一定很愛劉駿光吧。」

「何以見得？」

「就是劉駿光提出的請求，林采如都說好。比如林采如對我根本不熟，因為劉駿光開口請她幫忙，她想也不想就答應。」

「那樣算愛嗎？感覺只是聽話吧？」

「聽話？」

「對呀。像老師交代你要幹嘛，你也會答應吧？那麼你愛老師嗎？那只是順從、只是聽話，跟愛沒啥關係吧。」

「真的只是這樣嗎？」

我聳聳肩，推了推眼鏡回答。

聽話不算是愛嗎？對於喜歡的人所提出的要求，為了讓對方開心，於是全心全意去做，原來只是聽話的服從，而不一定是愛？說到底，愛這種東西到底是什麼，我真的不太懂。

一週後的社團活動課，我再度和林采如見面。約的地點仍是在校刊社辦，而現場看我們彩排的觀眾，除了劉駿光以外，還有其他校刊社的社員。

我沒料到其他社員也會在場觀看，因此突然變得有點小緊張。

林采如依舊不改她對我的冷淡，我確實開始擔心起蔡思明說的，這樣的兩個人在麥克風前可能會變得尷尬。

然而，當彩排正式開始時，林采如完全變了一個人似的，相當熱情。所有事先寫好的腳本，從她口中說出來，完全像是臨場發揮。而且她知道這個比賽的重點是在我身上，於是說話的長度都恰到好處，不會搶戲。她總是會把話語權丟回給我，讓我可以掌握全局。

她不按照腳本說出的話也很有趣，讓我可以找到梗發揮下去。

我看見劉駿光的表情，也注意到校刊社員的反應。十分意外，我和林采如兩個人的互動，效果非常好。對於下星期的比賽，我總算放下了心中一塊大石。

結束後，劉駿光說他先去上廁所，等等直接回教室見。

我一邊收拾東西，一邊向林采如道謝。雖然她下了戲，又變回原來的樣子。

我突然覺得這感覺有點熟悉。對了，跟劉駿光不是挺像的嗎？平常在學校和週末在殷非凡補習班的形象，判若兩人。

「你不用謝我。因為我其實是……」

林采如尚未說完，我便打斷她的話，搶著說：

「其實是幫劉駿光的忙。對吧？」

林采如被我的直言不諱給嚇了一跳。她沉默不語。

「妳不說我也知道啊。但總之還是很謝謝妳，沒有拒絕。」我說。

社團辦公室裡其他人都已經離開，整間教室只剩下我和林采如兩個人。午後的陽光斜斜地從窗口注入進來，照出空氣中飄散的浮塵。

就在我收完東西，向林采如道別時，林采如突然打破沉默。

「何晉合。」

我轉過身看她。

「怎麼了嗎？」我狐疑。

林采如欲言又止。半晌，她才吞吞吐吐地再度開口。

「你要對劉駿光好一點。」

她竟然這麼說。

「為什麼妳突然這樣說？」

「我沒有見過劉駿光這麼熱心地幫過其他任何一個人。」
我愣著，不知該怎麼反應。
「任何一個人？」我問她：「難道連身為女朋友的妳，都不包括在內嗎？」
「我不是她女朋友。」
「不是？可是，大家都謠傳你們在偷偷交往。」
心底的情緒有點複雜。我不知該說那是驚訝還是竊喜。至少在這一刻，我確定了劉駿光沒有被人搶走。
「我知道。我們只是懶得澄清而已，連校刊社裡的人都以為我們在交往。」
「因為你們真的走得很近！」
「那是一定的啊！」
林采如忽然笑出聲。她從未在對我說話時笑出來。
「為什麼說『那是一定』的呢？」
我推了一下眼鏡，眉頭一皺，發覺案情並不單純。
林采如沉默了一會兒才開口，淡淡地說：
「因為我們從來沒有跟別人說，我們是兄妹。」
「啊？」我吃驚地問：「真假？問題是，你們不同姓啊？」
「同母異父的兄妹啊。」

我認真覺得蔡思明如果當不成偶像歌手，應該去行天宮或龍山寺附近擺攤算命，因為實在太神準。劉駿光和林采如不是情侶的關係，竟然被他料中了。

劉駿光和林采如真是兄妹？

這意思就是說，從今天起，我多了一個未來的小姑?!

15

我想不透。

我真的想不透為什麼林采如對誰都沒有說，卻只願意告訴我那個祕密。

一直以為她對我很有敵意的，沒想到有如此戲劇化的發展。

我原本想好好保守這個祕密，畢竟林采如都說了，她沒有告訴學校裡的其他人。但是事實上只要跟蔡思明混在一起，就永遠不可能有「祕密」這兩個字存在。

當天晚上洗澡，我和蔡思明一起排淋浴間時，他再度一眼看穿我。他直指今天下午林采如一定跟我說了什麼關於劉駿光的祕密，但是顯然我不打算告訴他。

「為什麼你會這麼覺得呢？」

我忍不住試探他，究竟知道到什麼程度。

「你看過一個人想放屁卻憋著不放的樣子嗎？」他問。

「怎麼突然扯到這個？」

「你去照一下鏡子就知道了。你全身都像是把屁憋到快要爆炸的感覺。」

「你讓我覺得自己好噁心。」我皺起眉頭來。

語畢，蔡思明喜歡的徐彥和一個好可愛的學弟一起走進浴室。

他是誰？怎麼會漏掉，竟然沒記載到《我的奮鬥之男兒本色》上呢？我太不專業了。看著他們，突然想到那本筆記本上記載的帥哥群像。

於是深深覺得，個人的爆炸事小，但若是把這些足以復興民族的帥哥們給炸死的話，我真的對不起整個世界。為了避免事故引起國仇家恨，在浴室嘩啦啦的淋浴聲中，我終於還是把一切，如流水般地對蔡思明傾洩而出。

我悄悄聲地說，蔡思明也壓低音量回應。

「真沒想到他們竟然會是兄妹。」蔡思明驚訝地說。

「但是你能算出他們兩個不是男女朋友，已經很厲害了。」

「林采如對你的敵意不是妒忌，是出自於防衛心吧。她說她沒見過劉駿光對另外一個人那麼熱心，所以覺得很怪？她大概擔心劉駿光會被人利用。他們雖然是同母異父的兄妹，但似乎感情不錯。否則，林采如不會這麼關心劉駿光。」蔡思明分析。

「也許。不過，她大可選擇不把祕密說出來吧？」

「確實。難道是為了表示對你的信任？我也不懂。」

「尤其是開門見山就說要我『對劉駿光好一點』，真的把我給嚇一跳。」

「一種小姑下馬威的概念。」

蔡思明咯咯地笑著說。

賽亞人洗好澡，一邊走出淋浴間，一邊自我感覺良好地引吭高歌張雨生的〈一天到晚游泳的魚〉。他五音不全，唱得像是魚要擱淺。

默默在補習完去游泳的劉駿光，在水中都是抱著什麼樣的心情呢？像一條魚的泅泳，我好奇是浮在水中的自在，抑或是承受著水帶來的壓力？

我自忖，他大概是不想被人說三道四的，因此不願意多說他和林采如的關係。同母異父的家庭，也許對他而言有著我難以揣想的影響。或許正因為那些事情，才讓他在遠離家住校的平日都看起來很神清氣爽，然而一放假回家後，隔天又變得了無生氣。

劉駿光究竟是成長與生活在怎麼樣的一個家庭呢？

我不確定林采如有沒有告訴劉駿光，她已經跟我解釋過他們的關係，以至於一時之間，在劉駿光的面前，我說話變得綁手綁腳。偏偏我們兩個人在教室裡坐隔壁，寢室裡睡上下鋪，距離實在太靠近，他那麼聰明，我知道他很快就會察覺我不對勁。

好不容易捱過一天，隔天半夜爬起床來，在寢室走廊上惡補數學時，沒想到劉駿光自己主動提起了這件事。

「你從昨天下午跟林采如見面以後，話就變得很少。」把今晚的進度完成後，準備回寢室睡覺前，劉駿光突然開口說。

「有嗎？」我裝傻。

「我本來今天吃完飯要去保健室的。」

「為什麼？你不舒服？」我擔心地問。

「我以為我的耳朵壞掉聽不到聲音了呢，後來發現只是因為你話變少。」

我翻了個白眼。我這個人是不是很簡單啊？很簡單就被看穿到底正常不正常。劉駿光和蔡思明都是這樣，只要覺得我沉默寡言了，就是心裡有鬼或身體不舒服。

「其實我不是故意要瞞你的。關於我和林采如的事。」

劉駿光突然話題一轉。

「原來你知道她跟我說了？」我問。

「她沒有對我說，不過我直覺，應該是告訴你了。」

「你要不要給別人留點生存的後路啊？這麼厲害，人長得帥，還會讀心術。」

劉駿光一本正經地搖搖頭，解釋道：

「因為你太沉默了，很反常。我想你大概就是知道了吧，然後生氣，所以從昨天到現在都不想說話。」

「生氣？」我笑出來：「我沒有。我只是在想，我都已經知道了，接下來在你面前談起林采如時，萬一不小心說溜嘴，說出『你妹妹』會不會怎麼樣？我話這麼多的一個人，就怕言多必失啊。說不定你不想要別人知道這個祕密。」

「原來你在擔心這個？你想多了。如果你或者其他人知道了，也無妨。其實，我沒有覺得這是一個需要隱藏的大祕密。只是因為有些人知道以後，會追問一大堆問題，我就必須解釋，有點煩。總之，我沒有故意隱瞞你什麼，希望你明白。」

「嗯，我完全明白。你以前不是說過了，我們想說什麼就可以大方說，不想說的事情，也可以坦白說不想說嗎？關於你和林采如是兄妹的事情，你沒有故意要隱瞞什麼呀，你只是沒有主動說而已啦。」

劉駿光聽我這麼說，霎時微笑起來。

「有點晚了，我們快去睡覺吧！」我說。

「那，關於這件事，你都沒有想問我什麼問題嗎？」他問。

「沒有呀。林采如是你妹妹，我就放心啦。什麼問題也沒有了。」

「什麼問題也沒有了？什麼意思？」

我愣了一下，說：「什麼意思？反共義士啦！」

「老好套。」劉駿光失笑。

「你還不是笑了！」

喜歡一個人，或許無法擁有他，但知道他也沒有被誰擁有的時候，那一刻，就是世界上最令人放心的一件事了。

幾天後的週末，廣播ＤＪ徵選複賽正式登場。

週六中午，我搭校車重返人間以後，翹了下午的陳思豪數學課直接前往會場。林采如和劉駿光則先回家一趟，和我約了兩點半在比賽地點見面。

可是，當我抵達現場，過了兩點半，卻始終沒見到他們的蹤影。

比賽下午三點開始，只剩下一個小時就輪到我。

怎麼回事？不可能會忘記吧？我找到電台對街的公共電話亭，拿起話筒插入電話卡以後才赫然驚覺，我根本沒有林采如和劉駿光他們家裡的電話。

沒輒了。我垂下肩膀，只能回到電台樓下大門呆等。我看著手錶計算時間，正在演出的這組結束後，就該我了。不過，比起得棄權比賽這件事來說，我更擔心的是不知道林采如和劉駿光遇到了什麼事情。我暗暗祈禱著，千萬不要有什麼意外才好啊。

就在這時，我終於看到劉駿光匆忙地向我奔跑過來。

可是，只有他一個人，不見林采如的身影。

「何晉合！抱歉、抱歉！」他上氣不接下氣地說。

「怎麼了嗎？」我問。

「采如她回到家以後突然上吐下瀉，很嚴重，我只好帶她去掛急診。」劉駿光說。

「怎麼會這樣？她怎麼了？現在狀況還好嗎？」

「醫生說是急性腸胃炎。現在留在醫院吊點滴，好險狀況已經穩定下來了。」

「太突然了。不過現在沒事了就好。」

「可是，她不能來了。真的好抱歉！沒想到會變成這樣。她躺在病床上，頭腦昏昏沉沉的，還惦記著這件事，直說對不起，要我一定要先轉告你。」

劉駿光滿臉歉意。我從未見過一個男生跟人道歉的表情，是那麼地惹人疼愛。有一刻，我壞心地想，要不你就天天對不起我好了。對不起我，就該想辦法來補償我。那麼，就用「一天一點愛戀」來對我做為彌補。梁朝偉的歌聲在心中淡入淡出。

然而，劉駿光並沒有錯，林采如也沒有。他們誰都不需要向我道歉。

「身體不舒服，當然要以健康為優先啊！你一定要幫我向林采如說，千萬不要介意！沒辦法參加DJ徵選，真的是小事。」

「唉，可是你們都準備好了。」

「以後還有機會吧。」

劉駿光沉默半晌，突然開口，十分懇切的表情：

「何晉合，你還是上場吧！一個人也上場試試看吧！」

「我一個人？可是，彩排好的腳本內容是兩個人的呀。」

「你就講你的部分，當做是一個人的深夜節目那樣，把你原來已經準備好跟『畢業』

主題相關的歌單介紹給大家，再播幾首歌。」

「可以是可以。只是，比起其他組別的演出形式來說，這樣就會有我們最初討論時說的問題，一種獨角戲的單調。」

劉駿光拍拍我的肩膀，充滿鼓勵的眼神，說：

「重點是『參加』這件事。只要參加了，就會留下經驗，留下一輩子只有一次高中時代的回憶。所以別管結果，有始有終比完賽，就好。」

想起林采如說，從未見過劉駿光對別人那麼熱心，我決定問他一個問題。

「劉駿光，你告訴我，你為什麼總要那麼鼓勵我？」

劉駿光愣了一下，表情忽地變得不太自在。

「還好吧。我……」他結結巴巴地說：「我只是交換條件啊。幫忙你參加比賽，然後你就好好加把勁弄好數學。對，只是這樣啦。你數學成績有起色，老師才不會覺得我都沒有教你。我、我只是為我自己啦，你別想太多。」

看見劉駿光說謊辯解的模樣，我憋著笑意。

點點頭，我答應了劉駿光，無論如何一個人也要參加完這場比賽。

我硬著頭皮上場，然而一切發生得太突然，我也變得挺緊張，到底講了什麼又講得如何，自己當下全然無感。十分鐘倏地結束。十二組的複審入圍者都演出完畢，經過十五分鐘休息後，等待評審公布結果。

終於，答案揭曉了。

毫不意外的結果，進入最後六組的名單上沒有我。

我落選了。

16

我沒有太複雜的感觸。不覺得失落，也不會難過。

劉駿光八成覺得我受到不小的打擊。在步出電台大樓後，他見我又陷入沒話可說的狀態，試圖安慰我。

「我覺得你表現得不錯。一個人也把原來的腳本發揮得很生動。」

「謝謝你的安慰。其實我很緊張，腦筋根本一片空白。」

「我不是安慰你，是真的覺得不錯。參加比賽嘛，結果總跟評審喜好有關。記得我說過嗎？我覺得是你走這行的料。」

「是不是這塊料，我是沒什麼自信。不過可以確定的是，至少我喜歡做這件事吧。沒多想到底有沒有人會肯定，反正就是喜歡聽廣播、想當ＤＪ，在學校社團裡總是一股腦兒投入，就還滿開心的！」

「有人肯定啊。廣播社裡，包括蔡思明，他們不都很肯定你嗎？學校餐廳裡廣播的點歌時間，感覺反應也不錯。」

「哈！有嗎？大家都趕著要衝去籃球場或搶淋浴間，才沒有人認真聽吧？」

我自顧自地往前走，突然發現劉駿光沒跟上來，狐疑地轉過身。

劉駿光佇足，看著我。

「你怎麼了？」我問。

「明明有人在餐廳裡聽到最後才走。」

說完這句話的劉駿光，臉龐倏地脹紅起來。

夕陽的光芒襯在他身上，令我一時分不清紅的是太陽，還是他的雙頰；台北盆地繚繞的春風從他的方向吹拂過來，也令我一時分不清暖的是風，還是我胸口的躍動。

劉駿光還記得。上一次，在餐廳對他點播告白歌單的事。無論他是否聽懂了那是我的告白，他真的聽完了那些歌，並且還記得，已令我感到萬分窩心。

「劉駿光，謝謝你鼓勵我報名參加。」

「不看結果，至少在高中畢業前，做了一次想做的事情吧。」

我點頭，說：「嗯，很難得的經驗，很特別的回憶。」

難得的是累積一次廣播徵選的經驗；特別的當然是他為我留下的回憶。

我們繼續往公車站的方向走，劉駿光伸了個懶腰，說：

「好像覺得需要做一點什麼轉換氣氛的事。」

我想了想，說：「我們去吃知多家豬排好不好？」

對我們來說，「知多家」就是最高級的日式豬排飯。

「好啊！不過，在那之前，我有個提議。」

「說出來聽聽！」

「先別問，跟我走就知道了。」

我有點好奇劉駿光的提案是什麼，但我沒多問，決定就跟著他去看看。

沒想到最後我們抵達的地方，竟是那間他去的室內游泳池。

「游泳？」我驚訝地問。

「對啊。會抗拒嗎？」

「不會。只是沒有想到你的提議，是來游泳，也太妙了。」

「試試看吧！心情鬱悶的時候，游個泳會讓人開朗起來的。」

「你經常來嗎？」

我問他，假裝不知道曾看過他來。

「嗯。」他點頭。

「所以代表經常心情鬱悶？」我追問。

他不置可否，表情瞬間拘謹起來。

「走吧！入場費我來付，請你！」

不知道他是真沒聽到或裝作沒聽到，只管催促著我進去。

雖然沒帶泳褲泳帽，但櫃檯可以租借，劉駿光也替我付了錢。我們一起走進更衣室，他把泳褲遞給我時，我兩手拿著，突然害臊起來。

「這這這，要我穿這種超細的三角泳褲嗎？」

「怎麼了嗎？我一直都是穿這種。」劉駿光說。

「你可以，我不行。這種泳褲要身材好的人穿才行。」

劉駿光笑出來，說：「是去游泳，又不是走伸展台。要換別件嗎？」

「算了，沒關係啦。」

我盯著那條泳褲，還在突破心防，扭扭捏捏地才脫掉上衣，不曉得何時劉駿光竟已飛快地完成更衣。

「看！就這樣，沒什麼吧？跳到泳池裡沒人會注意。快點換上！」

明明就很有什麼啊！報告老師！在小泳褲下明明就非常有什麼。

緊身的泳褲跟平常穿的內褲不同，把劉駿光身體的稜線更加凸出了。他兩手扠腰，我發現他的人魚線變得比以前更為明顯。

我突然又心跳加速。真是太奇怪。在學校宿舍裡，不知見過多少次劉駿光裸著上半身，只穿著內褲的樣子，現在居然還是會緊張。

劉駿光習以為常地跳進了游泳池裡，而我則是東遮西掩的，也不知道是在害羞個什麼勁兒，好不容易才把我的雙腳給移進水池裡。

已經游了一圈的劉駿光，回到起點對我說：

「就把自己整個人交給泳池裡的水吧！」

我幹嘛把自己交給水啊？我想把整個人交給你啊！

「不只是你的身體，還有你的心情和你的時間。整個都在水中釋放出來，讓它們離開你的身體，讓它們浮起來。」

「你真覺得這麼心靈層面的東西，我的智商可以理解嗎？」我苦笑。

「總之你跟著我的速度慢慢游。我停下來在水中走時，你也跟著我一起走。」

我點頭說好，開始跟著他一起游。

好安靜。我不是沒游過泳，但今天卻是我第一次真正感受到埋首潛入水中時，隔絕掉外界，像是滑進一個非現實的國度。時間延展開來了，動作和情緒都放慢節奏。在靜謐的環境裡，我尾隨著劉駿光擺動的身姿前行。光從水面上折射下來，透過晃動的粼粼波光，我看見前方的劉駿光回過頭，確認我是否無恙。那一刻，我突然感覺在陸地上的時候，從未以為空氣是相連著我們，但這片泳池是一個溫柔的容器，令我意識到我和他被這片水實實在在地相連著。在水的媒介中我們緊緊貼合，代替一次怯懦而卻步的肌膚相親。

字，否則串在一起送洗，絕對搞不清楚哪一件是誰的。
「告訴你一個祕密，我今天穿著徐彥的內褲。」
記得去年的某一天，蔡思明突然這樣跟我說。
他拉開褲頭，讓我瞄了一眼，內褲的褲頭上確實寫著一個「彥」字。
我吃驚到幾乎下巴快掉下來。
「天啊，你真的很敢！我不知道你變態到這種地步。」
「我這星期換了一條新的內褲，忘記買麥克筆，還沒來得及寫上名字。我想全寢室的人，大家的衣物都有寫名字，只有我的沒有，所以也就不會搞錯。結果沒想到，徐彥他好像昨天忽然也換了一件新的內褲穿。我們兩個人的內褲都是深灰色的，長得超像，但牌子不同。結果我昨晚洗好澡，拿錯他的來穿，今天早上才發現。」
「徐彥有發現嗎？還是他也沒注意到，所以今天穿了你的內褲？」
「八成是這樣。因為他也沒說。」
「你們兩個人交換了內褲穿耶。感覺太色情了。」
「還好不會懷孕。」
我快被蔡思明的話給笑翻。
「被徐彥穿過的那條內褲，我決定保存下來做紀念，再也不穿。」
「夠了，你這個小變態！」我用力推了他一下。

不知道該說是幸抑或是不幸，傍晚回到宿舍洗澡，蔡思明向徐彥道歉，說他穿錯了他的內褲時，徐彥立刻從衣櫃裡把蔡思明的內褲拿出來還他。

「你沒穿？」蔡思明面露失望。

「我又不是只有這條內褲而已。你記性差穿錯了，我還跟著你一起耍笨嗎？」

徐彥真是一語驚醒夢中人。

廣播徵選結束的那個週末，回到學校幾天以後的傍晚，這一天，輪到我和劉駿光去洗衣室拿衣服回寢室。路上，我和劉駿光聊起這幾樁「洗衣事故」的往事。

「其實我偶爾會想，所有人的衣服都放在一起洗，到底衛生不衛生啊！」我說。

「這種事就別想太多了。」

「說到洗衣服，跟你說一件特別的事。大部分人的家裡，都是媽媽負責下廚和洗衣晾衣這些家事對吧？可是在我家，相反過來，都是我爸做的。因為我媽身體比較不好，曾經病倒過，雖然沒什麼大礙了，但後來我爸就一直很擔心，不讓我媽太累。但是有時候真的做過頭啦，我媽都開玩笑說，她在家很無聊呢！」

我邊說邊笑，但是劉駿光卻變得怔忡，倏地整個人安靜下來，始終沒反應。

他怎麼了？害怕冷場的我，一時緊張，趕緊找了其他話題。

「對了！我想起來一件事。昨天，我爸看到我桌上放著ＤＪ徵選的資料，問起我來，我就跟他說了去參加比賽的事。當然沒說我是翹了陳思豪的數學課啦。結果，我本來以為他會罵我都要聯考了，還不肯好好看書，沒想到我爸居然說，沒入圍決審真可惜。」

「你爸爸，他人很好。」劉駿光說。

他的眼神變得深邃，好像在最遠的底端藏著什麼看不見的東西。

「其實，他大概只是沒對我的聯考結果報以任何期望吧，所以才沒生氣。」

「沒生氣不是代表他對你的聯考沒期望，而是肯定你的興趣。」

「我覺得你比較適合當我爸的兒子耶。好像很懂他。」

「我不懂他啊，只是聽你轉述他的話，覺得是這樣。」

「蔡思明告訴我，比起一般人的爸爸而言，我爸算是非常開明的。這麼一說，我更覺得你比較適合當他的兒子了。」

「為什麼我適合呢？」

「你這麼聰明，功課好，人又帥，給他當兒子，他應該會覺得非常有成就感呀。像我這種土豆，當他的兒子，好像讓他有什麼損失的感覺呢。」

「我雖然不認識你爸爸，但知道你爸才不會這麼想。」

「是喔？」我推了推眼鏡，聳聳肩。

走了一會兒，快到宿舍前，劉駿光忽然放慢腳步。他若有所思，甚至皺起眉來。難道因為我剛才說的話，觸發了他什麼情緒嗎？觀察他的表情，感覺沉默的他，似乎有什麼想要說卻鯁在喉頭的事。恰好這時候蔡思明出現了，我喚住他。

「幫我把這袋衣服拿回寢室好嗎？」

「好啊。怎麼了嗎？」他問。

「沒怎麼啦。就幫我一下嘛。」

蔡思明看了我和劉駿光一眼，突然明白了。他點點頭，微笑起來，把麻布袋給接手過去，走進宿舍。

我向劉駿光提議。

「沒有急著要去洗澡吧？我們去走走操場吧？」

「嗯。」他簡短回應。

很少見到他這個樣子。我想陪他走走操場，就算小心翼翼的他，最終不願意多談什麼，散散心應該也是好的吧。

走了一圈操場，他果然什麼也沒說。終於在走完兩圈半時，他開啟話題。

「你記得我跟你說過，我媽不喜歡我跟她一樣，學精油按摩的事嗎？」

「我記得。」

「她也不喜歡我去游泳。我國中時想參加游泳校隊，她也不贊成。現在如果去游泳的話，都是瞞著她的。」

「為什麼呢？」我好奇。

他聳聳肩說：「反正我喜歡的，他們都會反對。」

「他們？」

「對。我媽，還有……我的繼父。」

劉駿光冷冷地笑了一聲。

我從未見過他這個模樣，很是意外。

「他叫林德凱。我不想稱他是我爸。他是林采如的生父，不是我的爸爸。在我出生以前，我的生父就跟另一個女人跑了。我沒有見過他，連他姓什麼都不知道，我是跟著我媽的姓。三歲時，我媽改嫁給林德凱，生下采如。采如是好人，但是林德凱不是。事實上，采如自己也不喜歡他。」

這是第一次，劉駿光對我傾訴他的煩憂，也是第一次，見到他帶著很情緒化的口吻，一口氣說這麼多的心事。我小小的腦袋突然接收到這麼龐大的資訊，有點秀逗，不知該如何反應。

劉駿光繼續說：「你們大家都覺得很奇怪，我為什麼理組念到只剩半年就要聯考了，卻突然轉到文組來吧？」

「是啊，這幾個月以來，這件事一直是校園的世紀之謎。」

「這也是林德凱的擅作主張。他是律師，一直希望我以後也去當律師，壯大他的律師事務所事業，可是我根本沒興趣。我對醫療的領域比較有興趣。高二分組，我選理組，他知道以後大發雷霆，要我重選，我死也不從。我跟他本來就相處得很不好，從那天起變得更糟。他一直想盡辦法要我轉到文組，沒想到，最後居然透過學校的力量達成了。他沒想過，只剩下半年就要聯考，過去一年半，念的科目很多都不同，這樣強迫我轉組，難道就能考上他期望的法律系嗎？他不會想這麼多，因為他只是想滿足他狂暴的控制欲。」

「他為什麼要這樣控制你？」

「他想控制家裡的每一個人，藉此證明他真的是一家之主，證明即使我和他沒有血緣關係，他依然可以對我行使父親的權力。」

「可是，他為什麼有這麼大的本事，可以透過學校來干預呢？一般人怎麼有辦法要學校做出這麼違反常規的事？」

「正因為他不是一般人。」劉駿光搖著頭說。

「但是你爸爸，喔，不是，」我糾正自己，說：「那個叫做林德凱的男人，到底跟學校有什麼關係啊？」

「他是學校很重要的理事。那種會牽扯到私立學校預算的人。」

「原來如此。不過，他強迫你轉組了，你也很拚命地趕進度呀。要是我的話，滿肚子氣，就隨便考考，才不想趁了他的意，真的考上他希望的科系。」

「我只是不服氣，不想被他看扁。還有，聯考成績好一點的話，可以選擇的大學比較多，我就可以選擇南部的學校，遠離家，遠離台北。」

遠離台北。劉駿光要離開台北嗎？我一直希望高中畢業後，不管有沒有考上大學，都不要再住校，好好住在台北舒服的家裡就好。可是，劉駿光現在說他希望去南部念書，那就代表以後，我們絕對是不住在同一個城市了。

想到這裡，我頓時感到萬分失落。我看著操場上的每一條跑道，彷彿都深陷下去，前方全部變成了毫無前途可言的懸崖。

在懸崖的邊緣，我們停下腳步。

「何晉合，你會留在台北吧？」劉駿光突然問我。

「其實……我也是想去南部。一直都住台北，沒意思啊。」我撒謊。

「真假？我以為你想留在台北。那你要好好加把勁啊！成績好一點，才能有多一些學校的選擇。」

我點頭，但話題一轉：「那個，劉駿光，那個……」

我吞吞吐吐地，掙扎著不知道該不該問，沒來由地衝進腦袋裡的一個念頭。

「劉駿光就是這一個而已，還有哪個？」他指著自己，問我：「怎麼樣？你要說什麼？」

「不是啦，我是想問，如果啊，我是說如果喔，如果以後我們都去南部念大學了，也許不一定是同一間學校，因為你一定是去很好的大學嘛，但我想說，如果學校都在同一座城市裡的話，我們一起在外面租房子住，好不好？」

哇噻，我真是吃了熊心豹子膽，竟然提出這樣的請求。

怎料，劉駿光想都沒想就立刻爽快地回覆：

「行啊！不然咧？」

「真假啦？」

我的心臟簡直快要從胸口蹦出來了。

「但我得提醒你，你真的想去南部嗎？南部可沒有西門町也沒有淘兒唱片喔！」

「又沒關係。」

「確定？我怕你傻傻的，沒想清楚。」

「我很傻，但是你更傻。」我回他。

「怎麼這樣？你說過我又帥又聰明的。」

「其實你很傻。你超傻。」

我推了推眼鏡，喜孜孜地說。

劉駿光嘴角微揚，再次伸出他的大手掌，輕輕地拍了拍我的頭。

此時此刻，我該點播一首金城武的〈只要你和我〉還是張清芳的〈迫不及待〉呢？兩首歌的旋律在心底交錯盤旋，粉紅泡泡從我的頭頂緩緩冒出，在夕陽裡飛舞著，晶瑩剔透，有一刻，真錯覺它們永遠不會墜落。

沒有了淘兒唱片、佳佳唱片、九五樂府和合友唱片，沒有了許多熱門的廣播電台聚集的台北，那樣的生活究竟會變成什麼樣呢？說真的現在難以想像。

但是劉駿光，你很傻。
你還不知道嗎？有沒有那些真的沒有關係。
因為到那個時候，我沒有了那些東西，但是，我會有你。

18

突然間，我有一種感覺，彷彿同時擁有了劉駿光的過去與未來。
那一天，劉駿光難得地對我訴說家庭的私事，讓我覺得和過去的他有了銜接。他同時與我分享畢業後想要去南部的想法，更讓我感覺參與了他的未來。
始終感覺和他忽遠忽近的距離，終於又多了一個接點。
幾天後，我才知道，其實我們兩個人還有另一個接點。原來我們的生日是接連著兩個月的。我是五月出生，而他是早我一年的六月。
這一天，我們在學校裡一起共度了慶生會。
在準備聯考有如集中營的住校生活中，霞中人所幸仍有兩件值得快樂的事。
一件事算是小快樂，就是每週連載〈Young Guns〉漫畫的週刊《熱門少年TOP》發刊日；另一件事則屬於大快樂，那就是每隔兩個月，學校會為壽星舉辦慶生會。

在慶生會的這一天，廚房會為我們的晚餐加菜。無論是不是壽星，每個人都能吃到一隻大大的炸雞腿和一粒華盛頓蘋果。

雖然等我們下課用餐時，放在桌上已久的炸雞腿也是涼掉的了，但要知道我們平日的菜色是非常貧瘠的，因此能獲得一隻炸雞腿，已令大家感激涕零。

托壽星的福，大家都能吃到炸雞腿。而在那兩個月內的壽星還能拿到一小張紅紙。憑著那張紙條，吃飽飯以後，可以去兌換一個大圓形的戚風蛋糕。

壽星在領完蛋糕後就會回宿舍，把蛋糕跟室友一起共享。我的那間寢室在學校裡相當出名。因為我們是唯一一間，在每一次的慶生會，室友全員都能吃到蛋糕的寢室。每間寢室有八個人，非常幸運的，大家的生日都分散得恰恰好。每次慶生會至少總有一個人，是那兩個月當中的壽星。

五月出生的我和六月出生的劉駿光，恰好是落在同一次慶生會的壽星。這一天，是我們兩個人第一次，也是最後一次，在霞中一起去領生日蛋糕，一起度過慶生會。

我特別喜歡吃那個戚風蛋糕。每一次吃的時候，我都在想如果人生重來一次的話，我就算為了這個戚風蛋糕（以及帥哥們）也願意再來念一次這個像是地獄的霞中。

把這件事情（當然沒說包含帥哥）告訴了劉駿光，他感到難以理解。

「有這麼好吃嗎？」他不解地問我。

「也可能。最近半夜都有起來看書。」

過了一會兒，蔡思明關心地問：「現在覺得怎麼樣？」

「好像好一點了。」

坐下來以後，我感覺到自己的呼吸頻率雖然正常了，但胸口依然悶熱。

教官宣布電影開始放映，全體學生拍手歡呼，音量大到快把禮堂的屋頂給掀翻。

我的眼睛雖然盯著前方的大螢幕，但是電影到底在演什麼，根本無心觀看。

不知道電影放了多久，突然間，一陣劇痛從我的體內襲來。灼熱至極的痠痛，像是看牙醫沒下麻醉針就狂抽神經，而且是還要再放大好幾百倍的酸楚。連續好幾陣的炙燒，從後背迸發開來，凶猛地刺向胸口。

好痛！我痛得整個人抱住胸口，在椅子蜷縮起來。

想要大口呼吸，卻吸不到空氣。我一把抓住蔡思明的手，試圖開口說話卻無法發出聲音。蔡思明被我嚇到，對我說了什麼，我聽不見。他急忙轉身，可能是找救兵，接著，我的腦袋就斷斷續續地呈現空白。我已痛苦到無法顧及外在世界。

啊，不行了！

終於，我整個人倒在地上。

我閉起眼，在頭差點撞向地板的千鈞一髮之際，感覺有人抱住了我。

19

說也奇怪，明明身體都痛到無法思考了，但在感覺到整個人癱向一片結實的胸膛上時，我那不知道是什麼結構組成的大腦，居然還能上演粉紅色泡泡的肥皂劇。

短暫的幾秒鐘，我心想，既然都倒下了，既然劉駿光都展現英雄之姿了，那麼下一秒乾脆就心肺停止比較划算吧。如此一來，他就能順理成章替我施行人工呼吸。

「生命的意義在於創造宇宙繼起之生命」，這種盡是偏見的鬼打牆廢話，我一直無法認同，但這一霎那，我終於明白倘若一個發生於生命關鍵時刻的吻，拯救了我，那真的就是整個宇宙最有意義的事了啊。

時間倒轉一個半小時。

我在禮堂倒下以後，被扶到了保健室。保健室護士香香阿姨擔心情況不單純，給我簽出假單，要我找個同學一起陪著，去鎮上的診所仔細檢查一下。

於是蔡思明陪著我離校，搭計程車到鎮上找了間診所看病。

醫生替我的胸腔照了X光片以後，看著X光片大驚失色。

他說我是患了氣胸，要我立刻去大醫院掛急診，否則會有危險。我本來只是覺得胸腔和背部超痛的，並沒有特別緊張，看見醫生比我還要面色凝重，才感覺事態嚴重。

醫生介紹我去台北市區的一間醫院掛急診，很熱心地馬上替我打了一通電話給那間醫院他認識的醫師，說對方是舊識，囑咐要特別照顧我。

在回學校的計程車上，我不發一語。

「我剛剛在外面看到醫生突然很嚴肅地打了通電話。為什麼要打電話？到底現在是怎麼樣的狀況呢？你為什麼從剛才到現在都不講？」

坐在一旁的蔡思明緊張地問我。

「氣胸。」我回答。

「蛤？為什麼？你只不過是身體不舒服，犯了什麼罪嗎？要對你緝凶？所以剛才是打給警察局舉報嗎？現在怎麼辦？」

我翻了一個大白眼：「舉報我是同性戀嗎？要抓也該先抓你！」

從計程車前座的後照鏡裡，我瞥見司機斜眼瞄我。

我和蔡思明解釋了所謂的「氣胸」狀況。我也搞不太清楚什麼是氣胸。聽都沒聽過。簡單來說就是肺泡突然破裂，空氣洩入不該進去的胸腔，把肺葉給壓垮了。如果不趕緊進行手術的話，肺葉無法張開，便會造成呼吸困難的危險。基本上不是什麼病，只是突發意外。大多發生在過度疲勞，壓力大，以及體形纖瘦而身長突然拉高的男生身上。

蔡思明聽完以後，拍拍我，試圖安慰。

「原來如此。你先不要太緊張，等回學校跟你爸媽聯絡，讓他們趕緊帶你去大醫院就好。大醫院的醫生比較專業啊，一定很快能解決問題的。」

「呃，其實我沒有特別緊張。」我吐了吐舌頭說。

「可是看你都不說話，很沮喪的樣子。」

「我不說話，不是沮喪，只是納悶。納悶事情怎麼會如此發展？怎麼會是你呢？為什麼你現在會坐在這個計程車上呢？」

「喂！你也太過分了吧！我好心陪你出來看病，犧牲看電影耶。剛剛看你突然痛得倒下去，超擔心的。好險我接住你，不然你的頭撞到地板就開花了吧！」

「是的，好險接住了我。可是，唉，怎麼會是你呢？」

我伸手，狠狠捏了捏蔡思明的胸部，搖著頭繼續說：

「明明就還好啊！一點都不結實啊！」

「你在說什麼啊？」蔡思明不解。

「我剛剛以為伸出援手的是劉駿光啊。」

「原來你想的是這個！拜託，是我！是我反應快，冒著我孱弱的身軀會被壓垮的危險，挺身而出。你還以為劉駿光英雄救美嗎？真是。」

「劉駿光跑去哪裡了？沒陪我到保健室，也沒有陪我出來看病。」

蔡思明非常不屑地瞪了我一眼，沒好氣地說：

「他不在禮堂好嗎？他沒去看電影，應該在教室看書，根本不知道你發生什麼事。」

「是喔，好吧，那就不能怪他了。」我聳聳肩。
「你真的好偏心。」蔡思明抱怨。
「別這樣，我對你也很偏心呀！」我握起蔡思明的手撒嬌地說：「如果沒有你，我一個人怎麼架構起對帥哥充滿幻想的世界呢？我最愛的是劉駿光，但最離不開的就是你。」
「你少來！」
蔡思明忍不住咯咯地笑起來。
計程車的後照鏡，映照出司機皺起眉來盯著我們。看著司機仍不懷好意地打量我們，我偏偏故意更把蔡思明的手，往自己的懷裡拉得更近一點，像是對他、對這異性戀霸權世界表達的無言抗議。
回到學校，打電話回家，爸媽聽聞後很緊張，說馬上開車來載我離校看病。到教室等他們來學校時，我看見劉駿光真的坐在教室裡看書。
他看見我和蔡思明出現，有點意外。
「咦？電影放完了？還沒有吧？」他問。
「你都不知道剛才我發生了什麼世界大事。」我說。
蔡思明在一旁幫腔：「這個星期週記的一週大事有題材了。」
「你怎麼了？」劉駿光著急起來問。
「我差點要去西方取經了。」我說。

身體不適的我很累了，坐下來，懶得開口，請蔡思明幫忙解釋來龍去脈。

劉駿光知道以後滿臉歉意，非常過意不去。

「居然發生這樣的事！真抱歉！我應該第一時間幫忙處理的。我一直在教室裡看書，完全不曉得禮堂發生什麼事情。真的太對不起了！」

「算啦，沒人通知你，你本來就不可能知道。一切事發突然，香香阿姨要我快點去看病，我也就趕著出去了。」

「等一下你爸媽要來接你，你已經請假了嗎？」

「還沒有。」

「那你休息，我幫你去請假！」

劉駿光起身，拿著我的醫師診斷證明，急忙去保健室和訓導處幫我填寫請假單。

蔡思明回宿舍，幫我簡單收拾幾件行李帶來教室。

爸媽抵達學校以後，直接到教室把我給領走。劉駿光和蔡思明陪我一起走到校門口。爸媽的車停在外面，他們只能送到這裡。

坐上車以後，爸爸倒車回到大門口，搖下車窗，讓我向劉駿光和蔡思明道別。

「啊！我忘了！」

說完掰掰，我突然想到一件事。

「忘了什麼？」蔡思明問。

「劉駿光的背包。」

「蛤？」蔡思明搖頭，目光轉向劉駿光。

「你知道的，劉駿光，我要你的背包。我放在置物櫃裡，你可以跑回宿舍拿給我嗎？拜託了！」我說。

劉駿光用力點點頭，立刻拔腿跑回宿舍，不一會兒就背著他的背包衝回我面前。

「其實回來再吃就好啊。」

他上氣不接下氣地說，並把鼓脹的背包，從車窗外交給我。

「不行，我要今天吃它才行。這樣我才不會覺得，我今天是徹頭徹尾的倒霉。我要邊吃邊想，什麼氣胸不氣胸的倒霉事，都比不過今天這件事。」

劉駿光忍不住把手伸進車窗內，摸摸我的頭。

「你生病了，結果我幫不上任何忙，抱歉。」他滿臉愧疚地說。

「怎麼會？你幫我把這個帶過來了呀！」

我指著抱在懷裡的背包。

「快點回來，健健康康地回來。」劉駿光說。

「嗯。」我點頭，一陣鼻酸。

「對了，這個 Call 機你帶著。如果我要跟你聯絡的話會叩你，你看到有顯示訊息的話，就去打公共電話聽我的留言。」

劉駿光把他幾乎沒在用的B.B.Call遞給我。想起上次去西門町時，他曾經提過一次，沒想到是在這種情況派上用場。

我突然間覺得好不想要離開學校。這三年來，在學校的每一天都想著此時此刻最好就能立刻離開校園，然而在這一剎那，竟有不想離開的念頭。

爸媽載著我到台北市的大型醫院掛急診，急診室的醫生看完肺部X光片以後，判定我必須立刻在急診室做胸腔插管，隔天再進手術房開刀處理肺泡問題。

以為明後天就能回學校的，沒想到醫生告訴我，動完手術以後，還必須待在醫院復健一週才能出院。

折騰一整晚，夜已深，突然感到飢腸轆轆。我拉開劉駿光的背包，拿出他留給我的他的慶生蛋糕，在病床上默默地吃起來。

應該是要在半夜的宿舍走廊上，和他一起分享的，不是嗎？

明明甘甜的戚風蛋糕，這一夜，卻有著苦澀的滋味。

20

雖然需要全身麻醉，但對醫生來說氣胸手術似乎不是什麼大手術。可是，對於沒有開刀經驗的我來說，已經是場接近天塌下來的過程。

開完刀躺在病床上，最大的挑戰不是傷口癒合痛不痛，而是我的復健過程。

我必須把先前被壓垮的肺葉給膨脹回來。護士給了我一個吸氣的工具，要我每天定時含著一根長長的管子，進行深呼吸與吐氣的動作。工具裡有一粒球，會隨著我的吸氣而上升，吐氣而下降。聽起來很簡單，但是我生下來活到這麼大，從來不知道深呼吸會變成一件那麼困難且痛苦的事。因為只要一用力吸氣，我的胸口就會疼痛。

我的胸口像是被什麼鬼東西給堵住一樣，吸氣到某個點的時候，就吸不進去了。但是護士說，我必須一天天突破那個點，忍著痠痛，努力繼續吸，肺葉才可能慢慢張開。如果肺葉沒有完全張開，肺功能就不算恢復，那麼我就無法盡快出院。

週六下午，蔡思明來醫院看我，我拿著吸氣的管子，一臉哀愁地向他解釋。

巡病房的護士阿姨進來檢查我的點滴，看見我這一個小時的復健紀錄還是空白的。

「何晉合同學，你一直拿著卻不吸，等於拖延了出院時間喔！」

「喔，好啦，我現在要吸了。」

我皺起眉頭，輕輕歎了一口氣。

蔡思明見狀居然笑個不停。

「你有沒有同情心啊？」我表達抗議。

他偷偷湊近我耳邊，說：「你會不會以後有『吸』的心理障礙呀？」

「你這個三八鬼又在胡思亂想。」

「我是認真的。我擔心你從此以後一吸就有心理障礙，倒霉的是劉駿光。」

「你好煩！」

我大笑起來，結果弄得胸口好痛。

「劉駿光跟我說今天傍晚會來看你。但我好奇為什麼他不跟我一起過來？可能有什麼事情吧。」蔡思明說。

「我知道他要傍晚才能來。」我說。

「你怎麼知道？」

「他給了我他的 B.B.Call，我有聽到他的留言。」

「B.B.Call？居然有這招！他是不是家裡很有錢啊？你記得嗎？他剛轉進來我們班，賽亞人要裝病出校買漫畫的時候，他很大方地幫忙出錢請客？那時候還有人在背後說，他是想要用這種方式讓大家對他有好感，融入我們班上的團體。其實是家裡滿有錢的吧？不在乎那一點小錢。」

「我也不知道。應該還好吧。」

忽然想到劉駿光曾說他的繼父是學校理事會的人，很有勢力。我想大概確實也很有錢吧，但是我沒跟蔡思明多加透露。

「聽說用 B.B.Call 聯絡的人不是工作，就是談戀愛。你們是不是在談戀愛了？」

蔡思明狐疑地質問。

「沒有啦！只是我一廂情願暗戀他而已。我現在覺得，只要他沒有抗拒我對他的態度，而且也願意對我好，那就行了。」

「就算沒有跟你說喜歡不喜歡你，你也不在乎了嗎？」

「我怕對他正式告白，而他又無法說出喜歡我這種話，從此以後兩個人相處起來會很尷尬。我怕會帶給他壓力，反而讓他遠離我。快要畢業了，我不想要留下一個讓彼此不愉快的遺憾。」

「何晉合你確定你只是開胸腔手術，沒有被換腦嗎？這是我第一次聽到你如此條理分明地分析出自己的內心世界，說出你的愛情觀耶。」

「可能身體被打開來的時候，小精靈竄進來了吧。」

「開心嗎？畢竟也是一種被進入。」

蔡思明再次邪惡地笑起來。我跟著笑，胸腔又是一陣痛。

「何晉合同學！」護士阿姨又進來病房，大聲疾呼：「你一直拿在手上沒吸？醫院不是度假勝地耶。快點好起來回學校用功念書！」

「快吸吧你！」蔡思明還在笑。

「好好好！」

護士阿姨好凶，我嚇得趕緊含住管子開始復健。確實此刻沒有任何事情，會比趕緊出院回學校更重要了。

每天傍晚大概七點到七點半之間，劉駿光借給我的 B.B.Call 都會震動起來。那時候我就會拜託爸爸把我推出病房，到電梯口旁打公共電話。

「你手上還插著點滴呢，非得去打電話嗎？是要打給誰呢？」

爸爸想不透，好奇地問我。

「我要去聽這個 Call 機主人的留言。就是那天你開車來學校載我，在校門口看到的那個高高的男生。」

「有什麼事情需要每天都聯絡呢？」

「交代學校的考試和功課進度啦。」我胡謅。

「不要再那麼辛苦了。你身體都搞壞了，暫時先不要管學校的事吧。」

沒想到我爸還擔心我太用功。我差點失笑，同時也覺得有點愧疚。

劉駿光每天傍晚用 B.B.Call 聯繫我，我打去聽留言，老實說都不是什麼重要的事。

「喂？嗯，你好，我，我是劉駿光。那個，跟你說，今天學生餐廳的飯，還是超難吃的。所以我要祝你早日康復！」

什麼啊！這前後文是有邏輯嗎？我開始擔心他的作文成績了。

這是劉駿光第一次的留言。我聽完，整個人在公共電話前笑個不停。很劉駿光的風格啊。明明是想關心我才打去留言的吧，可是不知道怎麼用言辭表達內心的感覺，就變成這副德性。

「喂？你好，我，我是劉駿光。我吃飽也洗好澡囉，你現在在幹嘛？我現在準備去教室裡晚自習了。所以祝你早日康復。」

第二天的留言稍微有點脈絡了。會跟我報告他的行程，還問我正在幹嘛，這傢伙分明就是想我了吧？但是，劉駿光，「所以」真的不是這樣用的呀！

「喂？你好，我，我是劉駿光。我昨天半夜起床看書時泡了泡麵，可是覺得好難吃。所以你到底是怎麼泡的啊？泡麵原來也需要技巧嗎？回學校時記得教我。」

第三天的留言，我的自我詮釋是，劉駿光可能感覺到我不在的寂寞了。

「喂？你好，我，我是劉駿光。我今天在想，其實你到底有沒有聽到我的留言呢？因為只有一個 Call 機，所以只能傳呼一個人。我一直對著機器說話，但聽不到你的回應，感覺好奇怪。我星期六傍晚會去醫院看你。到時候再聊吧！」

蔡思明離開醫院一會兒以後，傍晚，劉駿光終於現身了。

他走進病房，手上抱著一大疊影印資料。

「嗨！」他打招呼。

「不對。你開頭應該是說，喂？你好，『所以』我是劉駿光才對。」我糗他。

「你都有聽到我的留言。」

「當然有啊。Call 機一響起，我就排除萬難去打公共電話。」

我指著掛在病床上的點滴瓶。

「我的留言很可笑對吧？我不是DJ，不習慣對著機器講話。」他說。

「又沒關係。沒有人把 B.B.Call 留言當成廣播節目主持的。」

「那個 Call 機是林采如給我的，本來的用意是萬一她遇到什麼需要緊急聯繫我的事，但又沒辦法進去男生宿舍時，就打去傳呼我。可是那東西其實是她爸爸買的，所以我一直有點抗拒，不想用那個男人的東西。但這幾天，卻忽然覺得應該要有兩台 B.B.Call 的。這樣的話，你也可以叩我，我也可以去公共電話聽你的留言了。」

「你有這麼想聽我的聲音？」

劉駿光尷尬得臉紅，辯解道：「就是萬一有急事，你想聯絡我的話，方便一點呀。不然該怎麼互相聯繫呢。又沒有大哥大。」

我笑起來，不再為難他。明明就是想我了，他還是嘴硬。

「我很好奇，你說 B.B.Call 是你繼父的東西，所以你不太想用。那你繼父要是給你錢的話，你也不想用嗎？」我探問。

「錢另當別論囉。我雖然不怎麼想用，但可以拿來給別人，給有需要的人用吧？」

「難怪你老是願意幫班上出錢買漫畫，買零食？反正是用他的錢？」

「是的。最好把他的錢全部花光，讓他流浪街頭。」

我大笑起來，說：「我一直覺得你超齡，像個大人。你剛剛那句話證明你果然只比我大一歲而已。原來也有這麼幼稚的想法啊！他沒錢了，流浪街頭，你們全家不是也遭殃？」

劉駿光聳肩，不置可否。

「對了，你抱著那一大疊東西是什麼？」我問他。

「喔，是要給你的。我本來打算跟蔡思明一起過來，但後來決定先去南陽街那裡影印這些東西後再過來，耽誤了一點時間。」

「到底是什麼？」

我很好奇，雙手接過來。

「哇！不會吧，上課筆記？還有每一堂小考的題目卷和答案卷。天啊！連考卷上你都密密麻麻地標記了老師每一題的解說要點？你這可以出成參考書了啦！」

我不可思議地看著劉駿光準備的那些東西。

「我想說快要聯考了，現在的每一天都非常關鍵。你不在學校的這一個星期，會錯過很多測驗和課程。如果有這些資料的話，你在醫院裡沒事時，就能同步趕上進度。回到學校以後，可以無縫接軌。」

我突然看見劉駿光的周圍閃耀出光芒四射的聖光。

他的背上伸展出一對潔白的翅膀，頭頂上浮出一圈閃亮亮的金色光環。

劉駿光你是天使嗎？我要點播黃鶯鶯的〈天使之戀〉，播完之後，再來一首陳明真的〈到哪裡找那麼好的人〉！

到底到哪裡找那麼好的人啦？但是我找到了。現在這個人就在眼前。

「謝謝你。你以後會有一雙飛得很高很遠的翅膀的！」

我向劉駿光道謝。

「什麼翅膀？」他愣著問。

「啊，沒事。」

突然間，放在病床邊的 B.B.Call 猛地震動起來。

「奇怪？你不是在這裡嗎？是誰傳呼留言呢？林采如嗎？」我問。

劉駿光拿起 B.B.Call 看，點點頭。

「我去打一下電話，看有什麼事情。」劉駿光說。

過了一會兒，劉駿光回來病房，面色有些凝重。

「發生了什麼事嗎？」我問。

「可惡極了！」劉駿光憤憤地說：「沒想到我妹也被性騷擾了。」

我很驚訝，追問：「性騷擾？在那裡？她現在還好嗎？」

「她還好。她立刻嚇得跑出補習班打 Call 機給我。」

「是誰騷擾她？而且你剛才說『也』被性騷擾？很多人都被性騷擾嗎？」

「你知道學校的數學老師邱鴻澤吧？」

「知道啊！是他?!老師性騷擾學生嗎？他看起來溫文儒雅的耶，居然這麼噁心？他不是很有名嗎？還在外面開補習班，改了名字，叫『邱鴻數學』？他性騷擾女學生？」

「不只女學生，聽說偶爾也會對男學生下手。林采如以前就跟我說，聽說邱鴻澤常在補習班下課後，對教室裡最晚走的學生毛手毛腳的。可是那些謠傳被性騷擾的學生，都沒有人願意站出來承認和指認，所以這件事情就一直只是謠傳，沒人能證實，沒人能解決。想不到我妹也碰上了。」

「太過分了。」

「不好意思，我想我得去找她一下，看看到底是什麼狀況。」

「你快去找她吧！而且我覺得應該想個對策，揭露邱鴻澤的醜聞才行！」

「你說得對。我們要在畢業前把邱鴻澤的醜態公諸於世。」

「哇！感覺好刺激！沒想到畢業前，轟轟烈烈的事有這麼多！」

「這麼多？」

腦中響起伊能靜的歌〈轟轟烈烈去愛〉。在這個節骨眼上，我哪能說出「遇上你，就是我畢業前最轟轟烈烈的事」呢？

「你快去吧！」我尷尬地推了推眼鏡，抓著頭撇開話題。

劉駿光準備離開病房，在房門口轉過身。

「我覺得這個星期，時間過得好慢好慢。所以，何晉合，快點回來吧！」

劉駿光誠摯的眼神望著我。

沒錯了，這才是「所以」合乎邏輯的用法。

劉駿光終於以他的方式，表達出在個人史上，對我最露骨的牽掛。

21

在醫院住了一週以後，我終於出院。

出院後隔天恰好是週日，晚上，我立刻搭著校車趕回學校宿舍。

家人和校方都勸我可以在家多休息一星期，但我堅持要立刻回歸校園。大家誤以為我勤奮向學，殊不知我只是因為想念劉駿光。

第二天一早，班導師魏美華在課堂上歡迎我歸隊，稱我是「勤能補拙」的最佳範例，要全班為我鼓掌拍手。我哭笑不得，不知道那算是稱讚還是貶抑。

晚上，夜自習下課時，劉駿光很貼心地衝去福利社幫我買炒麵和茶葉蛋，要我在司令台等他回來。半晌，他氣喘吁吁地現身，又體貼地說我剛開完刀，還是別走操場比較好。於是，我們就坐在司令台上對著月光吃起來。

「勤能補拙？老師怎麼這樣子亂用成語！」

劉駿光提起早上的事，替我抱不平。

「她是地理老師，不是國文老師。」我說。

「那是常識吧！她這樣的說法，是先入為主，認定你很拙似的。」

「她沒說錯啊，我承認我是很笨拙。」

「你一點也不笨也不拙。總之，我不能接受身為老師，言行不謹慎。」

見到劉駿光為我生氣的認真模樣，感覺窩心。

此刻，我衷心感謝班導師認定我就是拙，因此才能換來劉駿光的反應。

「對了，說到老師，邱鴻澤的事情接下來該怎麼辦？」我問。

劉駿光咬了一口手上的饅頭夾蛋，嚥下去後，娓娓道來那天的狀況。

邱鴻澤在補習班課後對林采如性騷擾。劉駿光趕去與林采如會合了解詳情，林采如告訴劉駿光，邱鴻澤就像是傳言中的做法，先等到全班同學都離開以後，剩下來的最後一個同學，就會開口請那個同學幫忙改試卷。林采如是那天教室裡的最後一個同學。邱鴻澤對她開了口，請她留下來幫忙。

大部分的同學如果沒聽過關於邱鴻澤的流言，一定不疑有他。但是林采如不同。原來，她準備好了。她是刻意留下來，成為那天教室裡最後一個人。

邱鴻澤把教室的燈都關掉，只剩下林采如頭頂上的那一排日光燈。他假惺惺地說是為了省電，其實只是想把教室弄得昏暗。只剩下一排日光燈的大教室，原來比想像中來得更加黑暗。林采如不諱言很緊張，很害怕。

邱鴻澤把一大疊考試卷遞給林采如，教她只要對著答案卷幫忙批改第一部分的選擇題即可。接著，邱鴻澤離開教室，只放林采如一個人。在停止了空調的昏暗教室中，握著紅筆批改試卷的林采如漸漸感到溽熱。加上因為緊張的緣故，她的手心不斷地冒著汗。

邱鴻澤去哪了？其實他並沒有真的性騷擾學生嗎？就在林采如這麼想著的時候，突然聽見身後的門輕輕地被關上了。

背後傳來的腳步聲，從門口逐漸靠近她。邱鴻澤會對她怎麼樣？萬一她的計畫失敗了，而被他下手了該怎麼辦？林采如突然有點後悔做了這件事。

可是，她知道，她必須冒險做這件事才行。她一直聽說有學生被騷擾，明明也知道是哪幾位，但當她向那些同學求證，希望他們能站出來指證時，大家卻認為就快聯考了，更害怕被老師報復，於是選擇息事寧人，甚至否認老師會性騷擾。充滿正義感的林采如，一想到這樣的狀況，就覺得無論如何她都要想辦法冒險蒐證，曝光狼師的醜態。

當邱鴻澤走到林采如的身旁，將他的手攀在她的肩上，接著指尖漸漸地滑向她的後頸時，林采如不動聲色。她右手繼續批改考卷，左手則伸進抽屜裡的書包，偷偷地按下了隨身聽的錄音按鍵。

邱鴻澤下流的話語，全被錄進那卷空白錄音帶裡。

在林采如覺得證據蒐集得差不多時，她突然裝病，大叫肚子痛，接著一把抓起書包就頭也不回地往外衝去。

劉駿光在那一天才知道，原來林采如早就安排好這樣的計畫。他和林采如之前就討論過邱鴻澤性騷擾的事，也曾一起想過該怎麼舉發，只是沒想到林采如沒有告知他，那天忽然就決定一個人行動。林采如說，因為她前一天又聽到傳聞，有同學慘遭魔手，因此忍無可忍，才臨時決定獨自行動。

當劉駿光告訴我事情的來龍去脈時，我對林采如忽然多了一分敬意。

一邊吃著饅頭夾蛋的劉駿光，一邊回答我的提問：

「接下來，就是要仔細想想，那卷錄音帶到底應該交給誰，才能有效懲治邱鴻澤，而不是被官官相護給湮滅證據。」

「該告訴誰呢？跟教官說？不行不行，教官是管學生的，管不到學校老師的事。」我說：「跟訓導處說也不行，他們也是管學生的。教務處可以吧？他們處理跟老師教學有關的事。」

「總覺得層次都太低，面對老師性騷擾學生這種事，跟他們說的話，一定會被搓湯圓搓掉的。」劉駿光說。

「層級最高的話，就是校長了。校長雖然看起來傻傻的，但感覺上應該是個好人。好人要是知道發生這種事，絕對不會容許繼續發生的。」

「我和林采如也是這麼想。所以，我們拷貝了一卷錄音帶，打算寫一封匿名信，一起投到校長室的信箱裡。」

「我忽然有個疑問。關於邱鴻澤性騷擾的傳聞不絕於耳，但是為什麼你妹妹，還有其他學生仍決定去他的補習班呢？」

「采如確實原本想離開，後來繼續待著，就是為了希望蒐證、揪出邱鴻澤的真面目吧。至於其他學生，有些是真的沒聽過傳聞吧？」

「那麼，那些確實被邱鴻澤性騷擾的人，即使不願意站出來舉證，也沒有理由繼續待在他的補習班吧？大可以去陳思豪數學啊，或是其他的。畢竟有這麼多的數學補習班。」

「你說得對。」劉駿光思索了一會兒，說：「難道受害者有什麼把柄在邱鴻澤手上嗎？因此不敢貿然離開？」

「把柄？天啊！感覺好恐怖。」

該不會是什麼不堪入目的東西吧？我不敢再繼續多想。

晚上睡前，在宿舍裡，我和蔡思明說了直接向校長舉報這件事。蔡思明沉默了一會兒後開口。

「你們不能一個人寫完那封信。」

「為什麼？」我好奇地問。

「這樣太好辨識字跡了。萬一告密失敗，反變成肅清告密者的話，寫信的人很快就會被揪出來。」

「哇，蔡思明，你太冰雪聰明了。」我簡直想拍手鼓掌。

「所以我的建議是，請全班來寫，一個人寫一個字就好。」

「可是，這樣一來，這件事就得跟全班曝光了。會不會有危險？比方有人去檢舉呢？」

「應該不會。你不知道大家都不喜歡邱鴻澤嗎？其實這半年來，我早就聽賽亞人他們聊過，知道班上很多人都在說邱鴻澤是披著羊皮的狼。關於他性騷擾的謠傳，我聽過不只一、兩次了，而且不只對女生，也會對長得斯文的男生下手。」

「為什麼我從來沒聽過？」

「你的世界只有劉駿光，怎麼容得下其他？」

「哎喲，怎麼這麼說，我還有你。」

我故意拉了拉蔡思明的衣角。他笑起來翻了個白眼。

要號召全班一起來做這件事，我想我和蔡思明的號召力都不夠，唯有模範生劉駿光才有足夠的資格。我馬上就和劉駿光商量，他二話不說立刻答應。

隔天早上掃除時間時，劉駿光偷偷和林采如在社團辦公室碰了面，解釋我們準備做的事情。林采如表示同意，並請我們小心。

在教室裡宣布有點危險，我們選擇傍晚時分，大家回到宿舍洗澡的時段，由我和蔡思明陪著劉駿光，帶著隨身聽和那卷錄音帶走訪每間寢室，一一解釋。

班上同學對邱鴻澤的惡行都相當氣憤。在「邱鴻數學」補習的徐彥甚至勇敢透露，幾個月前，他也被騷擾過。那天他是最後一個留在教室的人，邱鴻澤如出一轍地把他給留下，說請他幫忙清掃教室，然後藉著教他怎麼用掃除用具時，一直觸摸他的身體，甚至好幾次還故意不小心碰到徐彥的私處。

「當時沒想到是性騷擾，畢竟從來沒遇過這種事，沒概念。當下我只是覺得很不舒服。後來，聽到謠傳他也對其他學生這樣時，才知道原來這就叫做性騷擾。我後來就決定不去他那裡補習，改去陳思豪數學。」

「你沒有被他抓到什麼把柄，威脅不准離開嗎？」

我想起前一天和劉駿光的談話。

「把柄？沒有。因為那天剛好是補習課的最後一天，隔週進入新的一期課程，我就沒再報名了。」徐彥說。

「原來如此。」我點頭。

徐彥陳述時，態度平和，反倒是蔡思明非常生氣。

「絕對不能放過這個色狼！」

蔡思明握著雙拳，義憤填膺。大家點頭如搗蒜。

語畢，蔡思明偏過頭，貼近我耳邊悄悄地說：「馬的，我的徐彥都給邱鴻澤摸光了。可惡！」

「你是吃醋吧？徐彥不知道其實你才是大色狼。」我低聲回覆他。

老實說，我原本擔憂大家是否會想要共襄盛舉，但沒料到，在劉駿光登高一呼之下，全班同學都爽快答應。

賽亞人熱血沸騰，脹紅著臉，雙手握拳說：

「那當然啊！劉駿光同學常常那麼大方替我們出錢買漫畫買吃的，我們來幫忙這一點小事也是應該的。而且，我們三年七班，雖然論成績比不上別人，但是論義氣，絕對是全校無人能擋的！」

寢室裡的同學們「對啊、對啊」的認同，令我對身在三年七班感到非常榮耀。那股團結的氣氛，簡直像是要成立「興中會」的氣勢了。

最後拍板定案，當天晚上的夜自習就來動工寫信。信件內容由我起草，每個人趁著晚自習時照著抄寫，一個人只寫一個字。

翌日，我和劉駿光趁著下課時間，周圍沒有人注意到的情況下，小心翼翼地把裝著備份錄音帶與信件的牛皮紙袋，投進校長室的信箱裡。

我們期待校長會做出正義的裁決。然而，過了幾天，都沒有任何風吹草動的跡象。週六上午，最後一節課的班會時間，學校訓導處突然很反常地廣播，把全校學生都集合到禮堂去。我有預感，時候到了。

校長步上禮堂的講台，果然，我們看見他的手上，拿著那包牛皮紙袋。全班引頸期盼著正義的到來。他一臉凝重，把牛皮紙袋舉在半空中，打開麥克風的開關。

「我們學校絕對不容許這種事情！」

我在心底吶喊著「太好了！」，但沒想到，這念頭來得太快。

「不容許學生惡作劇，毫無根據汙衊師長。這是犯罪！這是刻意誣賴的罪嫌。在學校胡作非為，以後離開學校，就是危害社會！這封惡作劇的信和錄音帶裡指控的老師，事實上這幾天才被本校理事會評鑑為優良教師。這位老師對於本校的貢獻，絕對值得肯定。校長室的信箱，永遠為大家開放。但是，請不要利用這個管道惡作劇，詆毀他人。這一次，我不追究。但是我在這裡警告各位，如果日後再發生類似的荒唐事件，我們絕對會抓出胡鬧的學生，追究到底！最後提醒大家，就快要聯考了，同學們請不要再做這些無聊的事。好好專心準備考試，才會有好的未來。」

校長的聲音，自信滿滿。他抑揚頓挫的音調，迴盪在禮堂裡，我彷彿能看見每一個字，都很狠地撞擊在建築的牆壁上，然後碎成一地。

整個三年七班的我們，全傻了眼。

22

「真沒想到校長是這種人。」

我一邊大口吃著AB麵，一邊連珠炮似地抱怨。

「什麼叫做無聊的事？性騷擾學生的老師，正大光明在學校裡教書。即使學生舉報他的惡行，校方還包庇，漠視受害者，這叫做無聊的事嗎？這些話，聽在被性騷擾的同學耳中情何以堪呢？太過分了！聯考會比這件事來得重要嗎？『好好準備考試，才會有好的未來』?!但是心裡卻留著沒人能為他們平反，或許一輩子都不可能忘記的傷，還跟我們說會有好的未來？我聽到都快吐了。」

星期日，上完殷非凡英文課以後，我和劉駿光來光華商場旁的「老德記」吃午餐。

「很令人失望。」無精打采的劉駿光搖著頭說。

看著面無表情的劉駿光，我放下手上的筷子。

「其實我一直很想問你一件事。之前還不熟，不好意思問。但我也不知道現在能不能問。如果你不想回答，就像以前那樣直說不想講就好。」

「什麼事？」他突然緊張起來。

「為什麼老是在星期天看到你，都很累的樣子？跟在學校時差很多。」

「喔。這件事啊。」

「不方便說？」

「也不是，」劉駿光思索著，半晌，繼續開口說：「反正都跟你說過我家裡的狀況了，也沒有刻意要隱瞞什麼。總之，還是跟我媽和林德凱有關。」

「他怎麼了嗎？」

劉駿光本來似乎要解釋，卻欲言又止。

「算了，」他揮了揮手，說：「我現在不想聊他。我們當務之急，是解決邱鴻澤的事情才對。」

「也是。」

總在這時候，劉駿光又會立刻跟人拉開距離，展現出他冷淡的那一面。不過，相較於他剛轉進來我們班，我初初認識他的那時候，他對我的態度已經熱絡太多。

我點頭說好，不強迫他。

「校長為什麼包庇邱鴻澤？明明那卷錄音帶一聽內容就知道不可能是假造的。」我問劉駿光。

「昨天和采如討論過，仔細想想，我們把東西交給校長也是有點蠢。因為校長不可能會處理的。他如果真以性騷擾的理由懲處邱鴻澤，那麼這件事一定會曝光。其他與霞中競爭升學率和招生率的學校知道以後，就會想辦法弄成新聞事件，原因是可以打擊霞中的聲響。我們是私立學校。霞中的招生率受影響，學生少了，收入就會短缺。與其說校長在乎學校的招生率，不如說他在乎的是學校理事會的反應。因為他的職位，是理事會決定的。沒辦法讓學校營收正常營運的校長，是不可能受到理事會青睞繼續連任的。」

我咀嚼著口中的麵條，傻傻地盯著劉駿光。聽他長篇大論分析完以後，我再次確認我和他真不是同一個世界的。他懂的真多。

我知道要是我跟蔡思明說了之後，蔡思明一定會拍我的頭反駁我，說：「我們也擅長分析啊，不然，你在《我的奮鬥》裡是怎麼『論述』帥哥族譜的呢？」

好吧，這一回合，就讓我相信術業有專攻。

「那我們該怎麼辦呢？」我追問。

「你覺得，我們要把事情給搞大嗎？」

劉駿光倏地閃過一抹凶狠的眼神。麵店裡的冷氣機風吹向他，把他的頭髮吹亂了。我彷彿聽見緊鑼密鼓的電影配樂響起，他一隻手壓住頭髮，一隻手往背後伸，感覺像是港片《英雄本色》之類的橋段，下一秒，他就會抽出一把槍。真是太帥了。

結果，是一包面紙。

「你怎麼吃得滿嘴都是醬汁？」

呃。劉駿光從身後褲子的口袋抽出面紙給我擦嘴。

我尷尬地邊擦邊轉移話題，說：「你說把事情搞大是什麼意思？」

「就是做出一件不只是我們班行動的事，而是全校學生都一起參與，最後讓學校不得不正視、處理的事。」

「全校學生？這太高難度了。」

「是很高難度，但是，我想有辦法的！別那麼快放棄，總要試試看才知道！」

總會有辦法的；總要試試看才知道。劉駿光說出這句話時，雖然人是很沒有精神的，但仍不減語氣中充滿信心，善於鼓勵人心的特質。就像是我明明自知數學超爛，成績很差，根本考不上大學，可是他依然對我有信心，總要我努力試試看，別輕易放棄。

我忍不住開口：「你不覺得你這樣有點帥氣嗎？」

「帥？這樣有什麼帥氣的？拜託，你別再催眠我了。」

他無奈地笑著搖頭。

「對了，我等下吃完飯，休息一下以後想去游泳。沉澱一下思緒，也許可以在水中想出辦法。要不要一起來？」

劉駿光邀約我。不過，我還沒回應，他又立刻補上：

「啊！剛開完刀的你，可以游泳嗎？可能不太好？」

感覺到他的細心與貼心。其實我自己都忘了才剛開完刀不久。

「可以是可以，游泳不算劇烈的運動，醫生也有建議游泳可以訓練肺活量。只不過上次你教我游，我還是不太行。」我說。

「就是還不行，所以才要再去學呀。」
「算了，你去就好了。」
「那不然，你陪我去。你可以在看台上背書。」
「那樣怎麼可能背書啦？」
我突然臉紅起來。估計是潛意識裡浮現出小泳褲的畫面。
「也是。那裡不是念書的環境。」
我突然後悔了。畢竟就快畢業啦，我還有多少機會可以見證劉駿光的帥呢？
「話說回來，不是有一種說法嗎？在嘈雜的咖啡館裡，有時候反而更可以專心看書。叫做什麼『白噪音』來的？對，所以在充滿白噪音環境的游泳池畔，應該也能訓練一個人心無旁騖地念書吧？」
這種胡謅亂道的論點，我真驚訝自己也能說出口。實在是太沒有做人的原則了。
總之，最後我還是跟著劉駿光去游泳池了。
坐在看台上，我拿著地理課本，眼神卻一直飄向水池裡的劉駿光。他身上起伏的肌理，才是應該牢牢背誦的山川壯麗。
這天晚上回到學校宿舍後，我向蔡思明拿來《我的奮鬥》，然後記下一筆。
「有一種帥，是劉駿光的帥。那樣的帥，存在於帥的人，總是不覺得自己帥。」
蔡思明看了，搖頭說：「有一種癡情的傻，是何晉合的傻。那樣的傻，存在於傻的人，總不覺得自己傻。」

或許我真的很傻。但反正我本來就夠傻，像是杯子的水已經滿出來了，再多那麼一點水也沒啥差別。而且不都說傻人有傻福嗎？可能因為這樣，我才認識了劉駿光。

接下來的一星期，由劉駿光領軍，蔡思明、賽亞人、徐彥和我，都一起加入集思小組，思索該怎麼策劃一場串聯全校學生的大行動。

林采如則負責女生班那裡，她也集合了幾個班上頗有正義感的女同學，希望大家可以一起想出什麼點子。

雖然還不知道該採取什麼樣的行動，但我們全班同學都很贊同串聯全校的想法。劉駿光過去待過的理組班上，同學們也很支持。林采如班上的女生們，也都跟我們站在同一陣線。可是，剩下的其他班級，似乎就進展得不很順利。

那些人並不如我們一樣同仇敵愾，雖然也聽聞過邱鴻澤的事情，更不認同校長那天的發言，但卻難以凝聚出更大的力量，跟我們一起反抗學校。這也是無可厚非的。畢竟再過不久就要畢業，且大考在即，怕惹事生非，怕父母不開心，忽視那些會讓自己失序的情緒，安安穩穩過完最後的日子，那也是很「正常」的想法。一直以來，我們就是被教育成這樣忍氣吞聲的。

想要祕密進行說服全校學生，不曝光，真不是容易的事。我們當然不能跑去每個班級的教室，站在講台上大刺刺地拉票，三年級的宿舍又跟一、二年級分棟，他們那裡除了有舍監以外，還有嚴格的室長看哨，直接進去那裡宣傳的話，很容易失策。

最後，我們想到最安全的地方就是在福利社。因為幾乎所有人，都會在不同時段去福利社。那裡距離教室與宿舍有一小段路，教官和老師都不會過去那裡。而且之前告假回老家的強哥，已經回來福利社工作，他之前就幫我們瞞著學校去校外買漫畫回來，所以本來就是與我們同一聯盟的，不怕他會走漏風聲。

我們幾個人輪流，頻繁地在下課時間去福利社，向來福利社買東西的人宣傳串聯行動的事。強哥也超挺我們的，甚至決定加碼演出。

「只要願意加入大行動的人，我就免費請吃一次茶葉蛋！」

真是太感人，連一旁的黑仔都汪汪了兩聲，搖著尾巴附和。

「黑仔！我沒有白疼你，你也想參加對不對？那你能不能提供我們什麼想法？」

我摸著黑仔的頭，牠趴在地上看著我，露出無奈的一張臉。

茶葉蛋確實免費請了不少人，但可惜，快一個星期過去，我們還是沒有辦法串聯起全校學生，甚至連一半支持的人數都不到。我感覺有點挫敗。

星期六中午放學後，搭校車從地獄返回人間的路上，我突然想起一件事，問坐在旁邊的蔡思明。

「如果最有權力控制學校的是理事會，那麼我們是不是可以考慮直接跟理事會告密，比較有效果呢？」

「可是理事會跟校長一樣，都怕事情曝光，會影響學校名譽吧？到頭來結果大概還是一樣的。」蔡思明說。

「上次向校長告密時，我們只是把證物給出去。這次給理事會的話，我們可以做出一點恫嚇的事。比如，威脅他們要是不做出懲處邱鴻澤的決議，我們就會把錄音帶寄給警察局。」

「警察才不會管我們呢！」

「但至少是種威脅呀。讓他們曉得我們是有想到會公開證物這個階段的。如此一來，理事會成員應該就會向校長施壓，研議怎麼樣能在不破壞校譽又能滿足我們請求的情況下，將邱鴻澤給革職吧？即使不是用性騷擾的名義，也會想出其他藉口。」

「嗯，好像有點道理耶！不然我們也想不到串聯全校學生後，可以做出什麼事來。重點是，現階段根本也串聯不起全校學生。不過，如此一來，又有問題了。理事會。我們誰有管道認識理事會裡的人？」

「是的，」我緊皺眉頭，說：「又是一個難題。」

突然，我的肩膀被戳了一下。是後座的劉駿光。

「那個，」劉駿光悄聲地說：「我有聽到你們剛才的對話。關於理事會成員，我想，我和林采如可以試探看看。」

啊，我突然想起來了。林德凱。林采如的父親，劉駿光的繼父。

「不會吧？你連理事會的人都有辦法？」不明就裡的蔡思明興奮地說。

除了我以外，班上沒有人知道劉駿光的繼父是理事會成員。可是，劉駿光明明討厭林德凱的。要他去向自己討厭的人求情，我覺得那並不是一件對的事。

「還是算了，我突然覺得不是很ＯＫ，還是不用想辦法了！」我趕緊說。

「沒關係的。」

從劉駿光的眼神中，我想他知道我的顧慮及擔憂。

「可是……」

我不想委屈他，劉駿光打斷我的話，說：

「你剛剛的假設，我覺得是可能成功的。如果理事會是一條比較快也比較有效果的路，那就別那麼快放棄，總要試著走走看才知道！」

別放棄，總要試試才知道！

太帥了。忽然，一個大轉彎，巴士裡散出難以數計的粉紅泡泡。我抱著崇拜的眼神，望著泡泡中的劉駿光，感受他在顛簸的校車裡，搖晃出一個帥氣的新幅度。

當我還在想，隔天去殷非凡英文補習碰到劉駿光時，應該就會知道他和林采如向繼父求援的結果，沒想到，星期日還沒到，事情卻有了戲劇化的轉折。

星期六下午，一個就讀於霞中二年級，在邱鴻澤那裡補習的學妹，從「邱鴻數學」十五層樓高的屋頂，跳了下來。

23

「陳思豪數學」在台北車站對面，「邱鴻數學」則在南陽街裡，雖然隔了一些距離，基本上都在同一個範圍內。星期六這天，數學課中場下課時，我待在教室裡休息，去上廁所的蔡思明走出教室突然又衝回來，告訴了我這個惡耗。

「不知道是真的還假的？大家現在都在教室外議論紛紛。」

「怎麼會這樣？希望不是真的。」我好震驚。

「但不可能平白無故傳出這樣的事吧。」蔡思明說：「好像是有人在邱鴻澤那裡補習，剛才跑過來我們這裡說的。」

我的心一沉。霎時間，不知道該如何反應。整堂課，我都無法專心聽講。一下了課以後，我和蔡思明帶著半信半疑的心走進南陽街。南陽街依舊煩躁，人跡雜沓，就像過去的日子一般，感覺不出有什麼異樣。

走到「邱鴻數學」的那棟大樓前，看見許多警察圍在大門口。一樓餐廳的落地窗外，那裡原本有戶外座椅，現在被封鎖線給包圍起來。封鎖線內一片紊亂。翻亂的桌椅，坍塌的遮陽敞篷，好像經歷過一場大地震。

有幾個看起來像是新聞記者的人試圖進入補習班，拿著照相機拚命拍照，很快地都被警察和補習班保全人員給制止。

原本傍晚以後就會亮起的補習班招牌，今天熄燈。印在上面的「邱鴻數學」四個字，此刻看起來格外陰鬱暗沉。

我和蔡思明站在大樓前看著這一切，心知肚明的兩個人，誰都說不出話來。是真的了。是真的有人跳下來了。那是邱鴻澤性騷擾導致的悲劇嗎？跳下樓的女學生，現在怎麼樣了？誰能告訴我們，究竟發生了什麼事情嗎？

回到家看三台的晚間新聞，聽廣播的新聞，都沒有報導這件事情。直到隔天早上，準備去殷非凡英文補習前，在住家附近的美而美吃早餐，翻了店內的報紙，才在社會新聞版面上的一隅，瞥見篇幅很小的一則新聞。

標題下得不痛不癢：高中資優女生南陽街補習班意外墜樓。看了內文才知道，學妹因為恰好掉在遮陽棚上，沒有直接墜落到地面，所幸撿回一命。雙腿嚴重骨折，送醫急救，目前在加護病房昏迷中。

想當然耳，這一天，殷非凡補習班上同學們的話題，都繞著昨天這件「意外」墜樓事件。其中也包括了傳聞邱鴻澤會性騷擾學生的事。

在殷非凡英文見到劉駿光時，我嚇了一跳。他看起來比平常週末時更加疲憊。

「你還好嗎？」我關心地問。

「你知道昨天的事了吧？」

「當然。」

「那個學妹，是林采如的直屬學姊。昨天晚上，我和林采如有去醫院。不過因為學妹在加護病房，不方便探病，只問候了她的家人，陪著他們到很晚。」

難怪他看起來比平時的週末更疲倦。

「原來你們認識她。那麼，你覺得真的只是意外嗎？」

「當然不是。」他用力搖頭。

「你怎麼能這麼肯定？」

「采如很久以前就告訴過我，墜樓的學妹很久以前曾經私下向她訴過苦。」

「訴苦？所以早就有徵兆？」

「嗯，可是，沒有說得很清楚。那個學妹有一次曾經對采如坦承自己是女同志，最大的困擾不是身分認同問題，而是自己明明不愛男人，但是身心卻不得不任由男人擺布。當時采如聽不太懂她的意思。雖然追問詳情，但她不願多說。後來，開始有關於邱鴻澤性騷擾的流言蜚語出現了，采如有一天突然想起這件事，才懷疑也有在『邱鴻數學』補習的那個學妹，是不是當時暗指的就是這件事。在采如決定要揭開邱鴻澤的醜聞時，她開始徵求傳聞中的受害者，希望大家挺身而出作證。那時候，采如有去找過學妹，但學妹卻改變態度，說與邱鴻澤無關，再也不願多談此事。」

「如果無關的話，她不會選在邱鴻澤的補習班樓上跳下來吧？」

「但尷尬的就是，我們並不知道她是真的想自殺，還是像報導中說的『意外』墜樓。因為她沒有留下任何遺書。」

「我們能知道的訊息真有限。」我垂下肩膀。

「也不一定。」劉駿光話鋒一轉。

「不一定？什麼意思？」

「昨晚跟采如從醫院回到家以後，我們向她爸說了學妹墜樓的事，也第一次提起邱鴻澤性騷擾學生。采如告訴林德凱，她蒐集到了鐵證。我在一旁補充，曾將證據拿去給校長，但是被壓下來，希望理事會能幫忙處理。如果不行，我們只好採取其他預定的方式。」

「他怎麼回應？」

「我覺得他的反應有點古怪。他沒有像是校長那樣，懷疑我們是在亂掰的。他不太意外，也不生氣，只是很嚴肅地反問我們，證據在哪裡？又問，理事會不管的話，我們預定的其他方式又是什麼？他說他是律師，知道怎麼樣處理是最好的，所以要我們把蒐集到的證據交給他，他會好好想想。」

「感覺似乎他知道些什麼內情耶！關於邱鴻澤。」

「是的。采如也這麼認為。」

「結果你們有把錄音帶給他嗎？」

「采如拷貝了一卷給他，但不是完整內容，只擷取幾秒而已。因為我有點不太信任他真會處理。我懷疑萬一邱鴻澤和理事會的關係很好怎麼辦？林德凱一定也會把這件事給壓下去。正因為他是律師，想走法律漏洞的話絕不是什麼難事。總之最後我說，要是理事會無法處理的話，我們只好把完整的錄音帶內容交給教育部或警察局。」

「他怎麼說？」

劉駿光歎了口氣說：「他只說會再跟理事會成員談這件事。然後也說，就算那卷錄音帶是證據，能證明的部分也跟墜樓的女學生無關。」

「他說的也對。」

「總之，目前就是這樣了。」

整個週末，低氣壓籠罩著我、劉駿光、蔡思明和林采如，令人難以喘息。

星期日晚上回到學校以後，霞中校園依舊對於此事議論紛紛，各式各樣奇怪的流言蜚語開始蔓延。

我本來以為邱鴻澤會告假的，想不到週一時他還是如常現身於校園。星期一中午吃過午飯，離開學生餐廳時，看見邱鴻澤正走進教務處所在的大樓。我們班的數學課老師不是邱鴻澤，所以大家都很好奇，邱鴻澤在事發兩天後站在講台上，到底是什麼狀況。

回到宿舍以後，聽到其他班級有上他的課的同學，說起早上課堂的狀況。

「他有說些什麼嗎？有沒有什麼異狀？」賽亞人問隔壁班的同學。

「整堂課就像過去一樣，看不出有什麼不同。」同學回答。

「一點哀傷的感覺也沒有？」賽亞人問。

「沒有。上課上到一半，甚至還有開玩笑。」

「還笑得出來？」

忽然，另外一班的同學湊過來加入談話。

「可是，他在我們班上倒是有講到墜樓的事耶！」

「他說了什麼？」

我和劉駿光異口同聲地問。

「就在快下課前，他闔上課本，突然對我們說：『大家一定要注意自己的安全。老師都是為同學們著想的。如果告訴你們，什麼地方危險，盡量不要去，那麼就最好不要去。星期六在補習班發生的意外，我想同學們也聽說了。其實我和補習班的主任都不只一次說過，樓頂雖然視野很好，但圍牆很低，很危險，請大家上樓時要小心，最好就是不要上去。結果很遺憾，還是發生了這樣的事。』語調中沒什麼難過的感覺。」

我覺得一陣毛骨悚然，說：「他真的夠噁心的。跟校長如出一轍，居然還能心平氣和講出這種話。」

「趕快自清，用他的說法，為這件事情定調吧。」劉駿光說。

「而且講得一副事不關己。怎麼說也是發生在他補習班的事情，只說遺憾，卻沒有一點難過的意思，不管有沒有性騷擾這件事，未免都太冷血了。」蔡思明說。

晚自習結束，回到寢室，熄燈後我躺在床上，等待可以去走廊看書的時刻。為了消磨時間，也為了別一不小心睡著，我戴上隨身聽耳機消磨時間。按下錄音帶播放鍵，裡面放的是李麗芬《發現》專輯裡〈活著快樂就好〉這首歌。去年出的這張專輯，常常拿出來聽。裡面有幾首歌特別喜歡。不是大家都愛的〈得意的笑〉，而是墊底的幾首冷門歌，像是〈有什麼我能為你做〉、〈活著快樂就好〉和〈愛〉。

每次段考、模擬考成績一公布，我面對各科老師對我生氣也好、放棄也好的態度，自己都覺得到底這麼爛的成績，還待在這個升學掛帥、軍事教育的私立高中裡，是為了什麼呢？我根本不可能考到什麼大學的呀。總是在這樣的日子與情緒來臨，晚上就寢時，躲進被窩，戴上耳機，聽到〈活著快樂就好〉這首歌，好像就會一掃陰霾，心情變好些。

想到極可能是受到性騷擾而自殺墜樓的學妹，這首歌今天聽起來，變得相當感傷。

突然意識到已經有好幾個月，都沒聽這首歌了呢。因為我的生命裡，出現了比這首歌更能鼓舞我的東西。

一會兒，下鋪的劉駿光搖了搖我的肩膀。這時我才發現，我還是睡著了。

「要起來看書嗎？」他問。

「要啊。」

「可是我在想，你也許可以好好睡一下。你剛出院不久，就開始熬夜，不太好。」

回過神來的他，冷靜下來，支支吾吾地說：

「呃…我的意思是，你之前不是說，要是以後我們在同一個城市念大學，要一起合租房子嗎？萬一你不在了，我房子都租了什麼的，很麻煩耶！那我怎麼辦。」

口是心非的傢伙。我笑起來，整個人故意推撞了他一下。結果一推他，反而是我痛得叫出聲。

「你還好吧？弄到開刀的傷口？」劉駿光緊張地問。

「我覺得自從開過刀以後，身體變得很容易僵硬，常常動一下好像就會扭到肩膀、腰似的，但其實也不是真的扭到，不知道怎麼回事。」

「不如你回寢室躺躺吧。我可以替你精油按摩紓緩一下。不會用力弄到傷口，主要是塗抹一些舒緩筋肉緊繃的精油，應該會好一點。」

天底下有這麼好的事，我當然立刻點頭答應。

回到寢室，爬上我的床，劉駿光帶著按摩油也來到上舖。寢室裡黑漆漆的，只有門口透進來走廊的光。

「你趴著，把上衣脫掉吧。」劉駿光說。

恭敬不如從命。我光著身子趴在床上，讓劉駿光那一雙抹有按摩精油，帶著溫暖的厚實手掌，開始在我的身上遊走。

「你說腰也不舒服是嗎？幫你把褲頭拉下來一點，我的手比較好推，可以嗎？」

可以啊，當然可以。整條褲子全拉下來都可以啦。

「這樣啊，喔，那好吧。」我故作矜持。

一邊胡思亂想，一邊感受劉駿光的手，在我的腰際和臀部上緣推拿。雖然很舒服，可是身體愈來愈敏感。趴著的我，突然正面鼓脹得很不舒服，想不顧一切轉過身來。

為了消滅邪念，我決定開始背誦〈赤壁賦〉。

「為什麼現在要背書？」劉駿光驚訝。

「表達現在的感受。飄飄乎如遺世獨立，羽化而登仙。」

「你登仙了，但我已累。你過去一點，讓我休息躺一下。」他說。

有點意外劉駿光的要求。穩定著小鹿亂撞的心，我繼續背誦著〈赤壁賦〉，然後保持趴著的姿勢，將身子往牆邊挪動，好讓出一點空間給他。

劉駿光「呼」了一口氣，躺下來，跟我擠在同一張狹小的床上。

我的心跳加速。從來沒有跟劉駿光這麼靠近，睡在一起。

「寄蜉蝣於天地，渺滄海之一粟。哀吾生之須臾，羨長江之無窮。挾飛仙以遨遊，抱明月而長終。」

輕聲細語背誦的聲音，飄浮在我和他之間。不久，我聽見劉駿光的呼吸聲愈來愈大聲。我停止背誦，轉過身，才發現他已經睡著了。

漆黑的寢室陷入寂靜。我注視著他沉睡的臉，愈靠愈近。

很想趁人之危就這樣親下去。但是這樣真的好嗎？走廊上忽地傳來桌椅移動時磨擦地板的刺耳聲響，像是我心底糾結的聲音。

「相與枕藉乎舟中，不知東方之既白。」

不知怎麼忽然又背誦出〈赤壁賦〉的最後兩句話來。

一張小床變成一葉小舟，飄蕩在一片粉紅霧氣的河面上。

算了。能夠依偎在他身邊睡覺，一同迎接天光，就已經夠滿足了。

第二天，我沉浸在前晚到天亮的氣氛裡，成天飄飄然的，像在童話世界。

社團活動課時，劉駿光來廣播社社辦找我，要我跟他去校刊社一趟。

「發生什麼事嗎？」我問。

「采如收到了一封信。墜樓的學妹，寄給她的。」劉駿光說。

我整個人突然驚醒，跌回了現實。

24

很少人會寄信到學校來。不過，如果要寄信給某人時，只要寫清楚學生姓名與就讀的班級，班導師就會轉交給收件者。

林采如在社團活動課開始前，收到班導師交給她的一封信。沒有署名寄件者的名字，但是林采如一看，就知道是誰寄來的。

我和劉駿光趕到校刊社社辦時，林采如把我們帶到一個沒有人的角落去。她手上拿著一個厚厚的牛皮紙袋，還未拆封。

「是學姊的字跡。她的字很特別，我不會認錯。」林采如篤定地說。

「她在墜樓以前寄出的，現在才寄到？」我問。

「我想是的。」劉駿光說。

「所以這是遺書？代表她本來真的打算自殺，不是意外墜樓。」我說。

「我沒勇氣一個人打開信封袋。我想，你們陪著一起看，會比較好。」

「可是，她既然選擇寄給妳，或許代表她只想讓妳看到內容。至少，應該由妳來拆開信封。」

林采如聽完我的話以後點點頭。她在我們面前，小心翼翼地拆開牛皮紙袋，抽出一本薄薄的筆記本。她打開第一頁開始閱讀。我和劉駿光在一旁保持沉默。林采如快速看過幾頁，略過中間的部分，接著翻到最後一頁，放慢速度仔細讀起來。

再次抬起頭來的林采如，眼眶泛紅。

「最後一頁確實是遺書。她怕留在在現場可能會被毀滅證據，也怕直接交給我，我會及時阻止她；才選擇在跳樓那天寄出，打算在她離世以後，才讓我們看到。」

「日記寫了些什麼呢？確實跟邱鴻澤有關吧？」我問。

「是的，學姊寫下了邱鴻澤他們如何性騷擾的細節。」

「他們?!」

劉駿光與我異口同聲，很是驚訝。

「不只邱鴻澤的意思嗎？」

林采如聳聳肩，一邊再次翻閱著那本日記，一邊搖頭說：

「學姊沒有寫得很清楚。她只是字跡潦草地重複寫了好幾次『我恨透了他們！衣冠楚楚，禽獸不如的變態』。」

「會不會是情緒激動下的筆誤？」我問。

林采如繼續翻閱著日記，帶著哽咽的口吻，忍著不落淚，回答說：

「這種事情不會筆誤吧？看起來不像。因為這一頁又寫到『他們』。學姊寫，邱鴻澤自己逞欲不夠，還想要把她推給他們。」

「天啊！」我聽得毛骨悚然。

「他們到底是誰？是邱鴻澤的友人？」劉駿光陷入沉思。

自殺未遂的她，在日記裡吐露著這些日子以來，痛苦的心聲。

原來，她被邱鴻澤下迷藥，偷拍了一組裸照。邱鴻澤以此威脅她，讓她不得不對他言聽計從。邱鴻澤要脅，若她想離開補習班，或試圖搬救兵，就會把裸照以匿名方式散布在補習班和校園。即使她告訴邱鴻澤，自己是女同志，邱鴻澤依然不放過她。竟然還對她說，同性戀就要用「正常的方式」來矯正，甚至說班上有幾個男生，一看就是娘娘腔的同性戀，他都已經「幫忙矯正」過他們了。

「被性侵已經夠悲慘了，一想到學姊喜歡的明明是女生，根本不喜歡被男人碰，我的心就更痛。怎麼會這樣？怎麼可以這樣！怎麼可以！都怪我沒有能力，好好讓學姊對我坦誠更多，讓我可以想辦法幫助她。」

林采如說，每一個字都顫抖著憂傷。

我也好難過，但是仍然試圖振作起來，努力安慰她。

「妳已經想辦法幫過她了。但是，她一定有著我們難以想像的苦處，才不能對妳，對任何人發出最後的求援。請不要自責。現在收到她的日記，至少可以證明她是因為邱鴻澤而自殺未遂的。這些令人髮指的遭遇，再加上妳錄到的證據，邱鴻澤這傢伙的惡行，已是鐵證如山。接下來，抖出邱鴻澤，就是幫助學妹。」

劉駿光聽了也認同，說：「往好的方面想，所幸學妹還活著。」

「還活著，真的是好事嗎？我不知道。」林采如眼神渙散地說：「學姊如果清醒以後，又該怎麼重新面對這一切？」

我真的也不知道了。最恐怖的是，邱鴻澤可能還當起性仲介逼迫學妹跟「他們」發生關係。但「他們」會是誰？又讓我們陷入一陣謎團。

生活在霞中三年，我一直活在自得其樂的「大同樂園」裡。三年七班特別不同，不知道為何班上聚集特別多的同志。即便是異男，對於喜歡同性這件事也從未有過異樣眼光，有著極高的接受度。久而久之，真讓我誤以為所有的地方都是對我們友善的了。

為什麼這世界上，會有人將性當做攻擊與威脅人的武器呢？性侵他人，已經是極度不可原諒之事，而像是邱鴻澤這樣歧視同性戀的人，到底憑什麼認為他們有這種資格，以為自己比較優等，高高在上，可以將他們眼中的弱者踐踏在腳下？

這一天傍晚的洗澡時分，我和劉駿光告訴蔡思明筆記本的事，他震驚得不知所措。晚自習下課時，我和他及劉駿光一起去走操場。我們三個人沿著跑道一直繞、一直繞，像繞在心中找不到出口的迷宮。直到上課鐘響起，誰也沒有開口說話。

度過一週，星期六下午，我上完陳思豪數學課步出補習班大樓時，看見劉駿光等在大門口。我們並沒有約，看見他時，我有點驚訝，心裡浮現出不好的預感。

「你要先聽好事，還是壞事？」劉駿光問我。

「一定都得聽嗎？」我反問。

「你可以選擇不聽好事，但我還是必須說壞事。」

「那請先說好事吧！」

「好事就是剛剛經過『小騎士德州炸雞』看見正在買一送一。我們等下可以去吃。」

「真假?!那是一定要去吃的呀！」

「壞事就是……」

我打斷劉駿光的話，搶著說：「等等，你先別說！我們去吃炸雞時再說好了。一邊享受著好事，再聽壞事，也許會好過一點。」

「這樣不會難以下嚥嗎？」

「就當做是一種『沖喜』的概念。」

我們兩個無奈地相視而笑。

坐進「小騎士德州炸雞」店裡，劉駿光告訴我，中午回家後，他和林采如再次向他繼父林德凱詢問了處理邱鴻澤一事的狀況。同時，林采如也告訴她父親，這星期收到學姊留下來的日記與自殺未遂的遺書。

「你已經說是壞事了，就代表沒有好結果。他怎麼說？」我問。

「他大發雷霆，把我們痛罵一頓。說我只剩不到一個月就要聯考，自己的當務之急不管，卻有閒時間管這些。他辛辛苦苦想辦法把我從理組轉到文組，我已經有把握能考上法律系了嗎？還說我自己一個人墮落就算了，現在還把林采如也給拖下水。最後告訴我，理事會的人複雜得很，這種事情不可能被拿出來討論處理的。嘰哩呱啦，像是機關槍一樣，訓話訓了快半小時。」

劉駿光沒帶什麼感情似的，邊說邊咬著炸雞。

「從理組轉到文組，又不是你自願的。」我說。

「人家他還辛辛苦苦想辦法呢！」

「然後呢？」我急著問結果。

他看了我一眼，喝了一口可樂，說：「然後？然後我問他講完了嗎？他愣了一下，說不出話。我認定他講完了，於是就轉身出門。剛剛先去游個泳，現在就坐在你的面前吃炸雞啦。」

我忍不住失笑：「你這麼處之泰然，一點也不生氣？」

「有什麼好生氣的。我早就知道會是這個結果。他在罵我們的時候，我心裡只是在想，那麼接下來該怎麼辦而已。」

「那我們接下來該怎麼辦呢？」

他從餐盤上抽出一根薯條，送進自己的嘴巴。接著又抽一根，往我的嘴巴送。我沒料到他有這種舉動，像是反射動作似的，沒思考就張開嘴巴，吃下薯條。

「下星期全校的模擬考，我們來鼓吹全班一起罷考抗議吧！」

我差點沒噎到。

「罷考？這不是件小事情耶。而且，還想要全班都參與？」

「三年七班這麼團結，可以的。」他毫無猶豫地說。

到底哪來的自信？難道只要帥就可以？我在心底納悶著。

「問題是我們班是全校成績最爛的一班，罷考這種事，學校在意嗎？對他們來說，我們甚至不去參加聯考，可能也沒什麼差別吧。」

我雖然這麼說，但是劉駿光卻認為，罷考，主要是讓校方知道，我們是非常在意這件事的。既然校長漠視，林德凱也不願幫忙，又說即使理事會知道此事也不可能處理，那麼我們就只好來鬧一鬧，鬧到學校不能忽視我們的訴求。

第二天週日晚上，回到學校宿舍以後，我和劉駿光、蔡思明、賽亞人和徐彥五個人，再次結合，展開遊說團，在教室與寢室，用最快的速度把計畫陳述一次。

原本全班同學對於校長上次的處理方式已經很不滿意了，現在又加上學妹確實是自殺未遂，以及邱鴻澤性侵的罪證確鑿，大家都義憤填膺，出乎意料之外的團結，居然都答應這星期的模擬考，我們全班要從頭到尾不答題罷考。

兩天的模擬考結束後，第三天朝會前的早自習，抱著一大疊考試卷的班導師魏美華，氣呼呼地踏進教室。

「你們到底怎麼一回事？每一科的老師都跑來問我，為什麼你們全班的考卷，都是空白的。班長？是你帶頭的嗎？你告訴我發生什麼事。」

班長站起來，一副很害怕的模樣，欲言又止。

「老師！是我帶頭的。」

坐在我身旁的劉駿光突然站起來。教室窗戶射進來的光，今天特別長，在他起身的剎那，伏臥在他的桌子上。
「劉駿光？你帶頭的？」魏美華很是驚訝。
「請老師站在我們這邊，讓學校正視邱鴻澤和學妹的事。」劉駿光鏗鏘有力地說。
魏美華走到講台中間，把考卷放在講桌上，垂下雙肩，歎了一口氣。
「但是你們這樣，是沒有用的。」
我決定也站起來。
「老師，那請告訴我們，我們該怎麼做。」
沒想到見我一站起來，從蔡思明、賽亞人和徐彥開始，全班學生，一個接著一個，都站了起來。
「請老師告訴我們，我們該怎麼做，才能讓學校願意處理這件事。」賽亞人說。
他頂著那一頭怒髮衝冠的頭髮，今天看起來更有氣勢。
魏美華凝視著我們，原本肅穆的神情，突然展現一絲笑容。
「三年七班，果然是全校最麻煩的班級啊！」她搖搖頭，語帶玄機地說：「而麻煩的班級，學校指定的班導師，其實也是個麻煩的導師呢。」

25

班導師魏美華代替我們，向教務處陳情了我們的用意。結果，換來的卻是魏美華也被訓了一頓。

學校要求我們補考。其實我們班成績真的很爛，多一次少一次模擬考，真的沒差別。為了我們補考，各科老師還得重出一份試題。學校只是故意藉此告知，我們浪費了多少學校的資源，並宣示學生就得聽學校的話——不是你們想要怎樣，就能怎樣。

補考利用我們的早自習和晚自習時間進行，全程都由魏美華監考。當魏美華把第一科補考試卷發下來以後，她站在講台上，用一種暗示的口吻對我們說：

「你們可以怎麼做？其實已經有了答案。因為關於成功這件事，他，已經以身作則。可別說是我要你們這麼做的喔。是他！」

魏美華指著牆上的國父遺像。

我們全班都笑了出來。誰都知道國父革命十次才成功。於是，我們又做出了第二次的罷考。我一直以為魏美華只是個古板的地理老師，人好卻很沒有存在感，現在才發現她這麼酷。雖然她的臉，還是那麼讓人難以記住，但我想我這輩子都不會忘記她的壯舉。

再度罷考，不僅惹惱整個教務處和教官室，終於也震驚其他班級。鐵面教官取消了我們班這週的社團活動課與班會課，改成自習，而且親自來到班上坐鎮。

畢業前一個月，每週都有模擬考，下週又有。教官警告我們，下星期的模擬考，要是我們再耍花樣就試試看。

好像被挑起鬥志似的，根本沒在怕，到了下週模擬考，我們再次罷考。然而，這一次，令校方最為驚訝的，倒不是我們三度罷考，而是出現連我都沒料到的事。

全校的高三女生班，居然群起響應，跟著我們也全部罷考。

原來，在林采如的奔走下，高三女生班的每個人都知道了所有事情。連男生班的我們都暴怒了，何況是對這件事更貼身相關的女生呢？她們更無法接受學校的漠視。

模擬考結束後，第二天午飯時間，教官很反常地沒有出來喊開動。取而代之的，是校長出來巡場。我們在餐廳裡正襟危坐聽他訓話。

「在三年七班的惡性帶頭下，這兩天發生非常令校長失望的事。如果三年七班全班學生想放棄聯考，那麼校長也沒辦法逼他們考。但是，女生班的同學們，你們的成績都很好，千萬不要好的不學學壞的，受到他們影響。模擬考的內容都是老師們精心思考設計的，非常有可能會出現在聯考中。不考模擬考，對聯考的影響很大。校長在這裡再次提醒大家，不要再次做出後悔莫及的事情。」

我翻了一個大白眼。賽亞人看到差點笑出聲來。

「我真沒料到女生們這麼有膽。」他悄聲地說。

「還有更大膽的事。」我說。

「什麼事？」

蔡思明搶話，小聲地說：「我們廣播社的年度最佳節目即將登場。」

劉駿光似乎猜到了什麼，瞪大眼睛看向我和蔡思明。

「不會吧？你們。」

我和蔡思明點點頭。

在校長喊出一聲「開動」以後，我們拿起碗筷開始吃飯。餐廳牆上的音響開始播送歌曲。是的，今天中午也有我們廣播社提供的節目。孟庭葦〈誰的眼淚在飛〉開始幽幽地迴盪在餐廳裡。第一首歌結束後，我的聲音出現了。

「憂傷的事，最憂傷的，是刻意被漠視憂傷這件事。擦不乾的眼淚，只能在空中繼續翻飛。謝謝三年七班的全班同學，為二年級學妹點播這首歌，祝福妳早日康復。我們想要告訴妳，至少我們沒有漠視。」

我見到坐在遠方角落餐桌前的教官，突然放下手上的碗筷，臉神凝重起來。

「我們希望邱鴻澤老師也不要忘記，您做出的所有惡行。或許您真的忘了？那麼就讓我們播出一段聲音來提醒您。」

林采如錄下邱鴻澤的聲音片段，開始播放出來。邱鴻澤以一種猥褻的口吻，怪腔怪調地說話。

「……啊，妳的脖子好冰呢，會冷嗎？還是會熱？臉那麼紅。啊，皮膚摸起來很好呢。上課時老師有注意到妳，常常很專心看著老師……」

整個餐廳，兩層樓的學生們瞬間鼓譟起來。

「廣播社的！今天節目是誰負責的？」

教官暴跳如雷，起身衝到餐廳的中央大吼。緊接著，校長也跑了過來。

「到底是誰？敢做敢當！」

我和蔡思明未經與劉駿光商量，私下決定做出這件事。因為我們真的沒有耐性再等下去。事情每拖過一天，多被漠視一秒，我就覺得更加難過。我必須讓這股難過釋放出來。是的，敢做敢當。邱鴻澤是否也敢做敢當呢？我非但沒有做錯什麼事，還覺得做了一件很正確的事，並不需要躲躲藏藏。下一秒，我從座位上站起來。一旁的蔡思明見狀也跟著站起來。坐在同桌對面劉駿光滿臉擔心的表情。

教官和校長的目光狠狠地轉向我們。錄音帶的內容繼續播送。

「其實老師也注意妳很久了喔。一直覺得妳很漂亮，功課好又乖。對了，老師補習班樓上其實有個小房間，幫我做事情的學生，累了就會去那裡休息。我看妳也滿累的，要不要上去休息一下。那個小房間，只給幫忙我做事，成績特別優秀的學生才能進去喔……對了，老師其實有認識大考中心的出題委員，據說有幾份試題很可能出現在未來幾年的聯考。昨天我才拿到的，也放在樓上的房間，不如順道去看看？」

教官和校長原本要衝向我，聽到這段錄音，立刻掉頭，衝往播音室。

「誰負責播帶子的？給我立刻切掉！」

接著，節目又切回到我的聲音。

「以上片段，由『邱鴻數學』獨家贊助提供。接下來讓我們轉換心情，以免中餐難以下嚥。讓我們來聽這首張雨生的〈大海〉。希望所有受過的傷，所有流過的淚，所有惡人，喔，當然也包括色狼老師，都讓大海全部帶走。」

全校譁然，議論紛紛。教官邊跑邊罵，消失在我的視線。氣到發愣的校長，站在原地，怒視著我。不久，張雨生高亢的聲線終於也消失在餐廳裡，只留下學生們竊竊私語的音浪，向大海的潮波一樣，仍未止息。

26

午休時間，教官沒讓我們回寢室睡覺，把我們叫到教官室外體罰。在走廊上半蹲的我、蔡思明和劉駿光，兩腳雖然已經發軟，心底卻十足暢快。

體力快無法負荷的我們，三張臉擠得像是肉包子的縐褶，但三人對視的剎那，又忍不住笑出淚來。

「我最初只是隨便提議的，真沒想到何晉合認真起來！你們剛剛有注意到校長和教官的臉嗎？真是太爆笑了。可惜沒看到邱鴻澤的表情。」

蔡思明說，上氣不接下氣。

「邱鴻澤如果也有在餐廳用餐，應該嚇到尿失禁了吧！」我說。

「邱鴻澤的聲音太好認了，這下子全校都知道他的惡行。你們做出震撼全校師生的事，我佩服你們的勇氣！」劉駿光說。

「怎麼想這都是最快最有效的方式。你記不記得你曾經對我說過，趁著畢業前應該要做出一件想做的事，才不會讓高中歲月留下遺憾？我想到你的這句話，所以決定去做。比起參加廣播DJ徵選來說，這絕對更有意義。如果我讓這件事石沉大海，就這樣畢業的話，我想，我一輩子都會後悔。」我兩腿發抖地說。

「你好像一夜長大了。」

劉駿光的身體顫抖起來，勉強擠出微笑。

「等一等，」我突然意識到一個非常詭異的事，開口問劉駿光：「話說，劉駿光你為什麼會在這裡啊？」

「對耶！我們都沒想到這件事。對呀，為什麼？為什麼你會在這裡跟我們一起半蹲？我們被教官叫到這裡半蹲，連一分鐘都還不到吧，就看到你被教官帶過來一起體罰。明明是我跟何晉合幹的好事，你又沒參與。」蔡思明說。

劉駿光一臉尷尬地說：「因為，我跟教官說整件事情是我策劃的。」

「蛤?!」我和蔡思明很驚訝。

「就算是我幫林采如被體罰吧。教官要是知道那卷錄音帶是她錄音的話，總不會要她接受體罰吧？我說是我祕密取得的錄音，並且主導在餐廳播放，你們只是照著我的話去做而已，這樣比較好。」

「呃，可是即使你不這樣說，讓學校認為是我們想辦法取得的錄音也行呀。你跳出來，結果只是多一個人受罰而已。」我說。

「沒關係啦，」他重複說了一次：「這樣比較好。本來這件事從頭到尾，我們都是三個人一起想辦法的不是嗎？你們兩個最後做出這個舉動，把我給拋在一邊，我都沒怪你們不講義氣了，至少體罰要讓我一起參與吧！」

我不懂劉駿光說「這樣比較好」的含義。他主動要求受罰，怎麼會比較好呢？萬一要被記大過甚至退學，豈不是害了他。

過了一會兒，教官出現在走廊上，把我們叫進教官室裡。半蹲太久，起來後兩腳發麻，我們連走路都走不穩。

「劉駿光，你明明知道你父親是理事會的重要成員，卻在學校做出如此違反校紀的事，豈不是找你父親麻煩，也給學校帶來困擾嗎？按照校規，學校應該要把你們給退學的。可是你是林德凱理事的兒子，我們也不好對你做出這麼嚴厲的懲處。但是不懲處你們，又會讓其他學生看在眼裡，覺得教官、校長和學校好欺負。」

原本一臉凶神惡煞的教官，說這段話時表情竟然變得有些無奈。

「請問教官，組成學校的單位，除了老師，就是學生吧？」劉駿光突然問。

教官愣了一下才回答：「是學生沒錯。」

「那麼邱鴻澤老師性騷擾學生，讓學生困擾，不也等於是讓學校困擾嗎？因為學生就是學校。事實上邱鴻澤老師已經不只是性騷擾，而是性侵害了。除了錄音帶證據以外，在自殺未遂的學妹日記裡，記載得清清楚楚。是非對錯，我想教官一定比我們還要清楚，不是嗎？一開始，我們也試圖以正常管道向校長陳情，可是卻不被重視。這件事情早已在學生之間引起很大的不滿，如果不解決的話，我們只會對這間學校愈來愈失望。我們出此下策，也不是初衷。」

劉駿光振振有詞地說。

「唉，真是麻煩！」教官不置可否，搖搖頭說：「總而言之，你們都快畢業了，還給我搞這種飛機！」

「就是因為快畢業了，我們才希望可以成為一個提起『霞中』就感到驕傲的畢業生。而不是在離開學校後，回想起來卻覺得自己念了一個不想承認的高中。教官，您可以幫助我們，讓我們成為驕傲的『霞中人』嗎？」

教官沉默不語。

我站在劉駿光旁邊，注視著他的側臉，再次懷疑這個人的「組成成分」到底是什麼呢？除了帥氣以外，一個十八歲的男生，能夠擁有如此正義且成熟的思想。我好擔心。我擔心有一天外星人要是來地球，一定會把他帶走好好研究的。

「學生闖出這種名堂，照例學校都要通知你們家長來的。」教官說。

「教官，學校該怎麼處理，就按照常規處理吧。但是，整件事情是我主導的，何晉合跟蔡思明只是配合我，所以請把所有過錯算在我頭上就好。」劉駿光說。

「不是這樣的！」我出聲反駁。

一旁的劉駿光立刻用手肘推我一下，暗示我不要再說。

教官看著劉駿光一會兒，最後搖搖頭，無奈地說：

「不用啦！我其實還沒打電話呢，很奇怪你父親就已經知道，打電話給理事長了。剛才理事長直接打電話給校長，要我們不要再追究你們和整件事。是『你們』和『整件事』都不要追究喔！很少有這種事。何晉合、蔡思明，你們兩個還不謝謝劉駿光？托他的福，喔，應該是說托他父親的福，你們逃過一劫。」

我和蔡思明對劉駿光點頭表示謝意。然而，我看見劉駿光的眼神閃過一抹與我相同的納悶。是的。為什麼林德凱會知道剛才餐廳裡發生的事？更令人費解的是，劉駿光不是和他繼父關係很不好嗎？為什麼林德凱還想幫劉駿光，替他求情呢？

那天傍晚，洗完澡以後，我和劉駿光在從宿舍走到教室的路上，認真討論。劉駿光突然像是化身偵探福爾摩斯似地分析起來。

「林德凱會知道這件事，一定是學校裡的誰告訴他的。那肯定不會是學生，而是某個老師。而且在這麼短的時間內就知道，一定是很著急的人，才會告訴他。」

「會對這件事著急的師長，那就是教官和校長。所以是校長？」我問。

「校長不可能主動向理事會告知這件事，因為那只會替他惹來麻煩，覺得他沒有把學校管理好。因此，只剩下著急的老師了。你知道誰會是對這件事最著急的老師吧？」

「邱鴻澤？邱鴻澤告訴你的繼父，然後你繼父再向理事長求情嗎？原來邱鴻澤和你的繼父是認識的，而且有熟到這個地步？」

「我不知道他們有多熟。但是，林德凱打電話給理事長，真正的目的一定不可能是替我求情。我幹出這種事來，以我認識他這麼多年，他根本希望我被退學算了。但如果是邱鴻澤請他幫忙，那麼邏輯上就是很合理了。林德凱可能有什麼不得不幫他的原因，才會向理事長求情，讓理事長要求學校睜一隻眼閉一隻眼，不要懲處邱鴻澤，也不懲處我們。」

「因為只要懲處我們，就代表承認我們在餐廳做出的事。而承認了我們做的事，也就不得不承認確實有那卷錄音帶的存在，還有邱鴻澤性侵學妹的事實。」

「沒錯。」劉駿光點頭。

「你認為邱鴻澤和你繼父兩個人之間，會有什麼利害關係？」

「利害關係？或者，根本就是共謀關係？你記得學妹筆記本裡寫了什麼吧？」

「天啊！你的意思是，學妹說的『他們』包括了林德凱？不會吧？」

「為什麼不會？林德凱從來不是個好人。」

劉駿光的臉倏地沉了下來，滿懷心事。他沒有繼續多說，似乎又陷入一個與外界隔絕的世界。我看著那樣的他，不敢多問什麼。

我難以想像，邱鴻澤性騷擾的事件，萬一最後牽扯出與林德凱有關，那會演變成什麼狀況？雖然劉駿光不喜歡林德凱，但不管怎麼說，他仍是他的繼父，一舉一動，都會牽扯到他整個家庭狀態。

他的母親，以及林德凱的親生女兒林采如，又該如何面對？她極力希望幫助她的直屬學姊，冒險拿到證據，想要嚴懲邱鴻澤，可是萬一最後的結果，和邱鴻澤狼狽為奸的竟是自己的父親，那真是太荒謬了。

幾天過去，學校看似又恢復風平浪靜。邱鴻澤依然大搖大擺地在學校裡任課。每次看見他在校園裡的身影，我就感到非常挫敗。然而，到星期五早上時，聽邱鴻澤任教班級的同學說，邱鴻澤沒有出現，來了代課老師，不知道是自行告假，還是學校做出了什麼懲戒。一整天，校園裡充斥著各種傳言。

每當校園裡有流言蜚語，或是想聽八卦的時候，到一個地方就對了。那地方就是福利社。不僅同學們會在這裡交換情報，就連福利社的老闆強哥都會加入討論。可能因為強哥是霞中畢業的老學長，又在這裡開福利社開了好多年，總能從四面八方彙整學校裡的各項傳說。事實上，關於邱鴻澤會性騷擾學生的傳言，強哥說很久以前就有聽過。

入夜以後，福利社傳出的最新說法是邱鴻澤被校方暫停教職了，連「邱鴻數學」補習班主任都宣布暫停上課。

下課時，從福利社回來的蔡思明向我和劉駿光轉述完這則流言以後，欲言又止。

「是不是還有什麼事情，你沒說完？」我問。

蔡思明突然看向劉駿光，然後又看著我，緩緩點頭。難道跟劉駿光有關？

「劉駿光的繼父，原來是學校的理事會成員對吧？」蔡思明壓低聲量問。

劉駿光一臉為難地點點頭。

「他被開除了資格，而且連理事會會長也一起被開除。強哥說，他聽到的傳言，是你的父親和理事長，跟邱鴻澤的事脫離不了關係。」

劉駿光聽完以後保持沉默，臉上沒有任何表情，讓人摸不清他此刻作何感想。

週六中午放學時，我有點擔心劉駿光回家見到林德凱會發生什麼事。

「我比較擔心我媽媽。」劉駿光卻這麼回答。

校車抵達台北市區，劉駿光回家，我去陳思豪數學補習班上課。中場下課時，詫異地看見林采如氣喘吁吁地衝到教室找我。她不在這裡補習，怎麼會出現在這裡？

「何晉合！快點！快點來幫忙！」她滿身大汗。

「發生什麼事？」我緊張起來。

「快跟我到我家去！快去救劉駿光！」

27

翹掉補習班的課，我跟著林采如搭計程車，匆匆奔向他們家。當我站在他們家外頭，很是詫異。眼前的這幢獨棟建築，相信不只是對我而言，對所有台北人來說，都會是令人憧憬，卻也感到有距離感的別墅。我知道劉駿光家裡的經濟狀況應該不錯，但沒料到他家原來是這麼的富裕。

「林德凱很有錢，但他有錢與我無關。」

突然，我又立刻想起劉駿光曾經對我說過的這句話。他總是將自己和繼父之間，劃分得好清楚。

「快跟我進來吧！我真的害怕劉駿光會被我爸給打死了。」

林采如邊開門邊說，要我趕快跟著她進去。

穿過碩大的庭園，我跟在林采如身後踏進她家裡。她還未推開門，我已經聽見從屋內傳來林德凱的暴怒叱責。我突然心跳加速，甚至冒出冷汗來。

腳步繼續向前，沿著樓梯走上二樓，林德凱的怒吼愈來愈大聲。我的情緒也愈來愈緊繃。終於抵達二樓時，撞進眼裡的畫面，令我怵目驚心。

「你再過來，我就跳下去！」

劉駿光坐在敞開的窗台上，搖搖欲墜的身軀，好像只要突然吹來一陣強風，他真的就會掉下去。他裸著上半身，原本漂亮的身體，此刻竟披著一條又一條透著血紅的傷。

他的繼父林德凱手上緊緊握著一根藤條，而一個女人，我想應該是劉駿光的母親，她哭花了臉，癱坐在地，緊抓著林德凱的雙腿。他們三個人完全沒有注意到我的出現。

「我就來看看，你是不是真的敢跳下去！你摔死了，別以為會氣到我。真正倒霉的會是你媽。」

林德凱怒吼，緊接著，他試圖用力甩開劉駿光的母親，準備要往窗台衝去。劉駿光見狀，一隻腳踏出窗外，整個人更往外頭傾斜，彷彿下一秒他就要跳下去。

天啊！絕對不可以！地球要是失去了劉駿光，豈還有自轉的動力？太陽系都會瞬間黯淡無光，無心再管任何一顆星球的公轉。劉駿光要是被林德凱害死，從此「帥哥」兩字將成為永遠的抽象名詞，宇宙秩序會大亂的。

為了宇宙和平著想，說時遲那時快，我不顧一切後果，倏地衝向林德凱。

「住手！」我嚎叫。

突然，所有人終於注意到我的存在了。

就在那一秒，我化身成神風特攻隊似的，來個自殺式攻擊，整個人猛烈撞向林德凱。林德凱來不及反應過來，重心不穩往後退好幾步。

我趁勝追擊追上去，準備來個右勾拳，再奉上一記左勾拳，準備把林德凱打到整個人跌坐在地上，爬也爬不起來。

遺憾的是，以上全為想像。事實上是林德凱比我更快一步站好戰備位置，我的拳頭都還沒握緊呢，他便使勁地將我整個人給架住，動彈不得。

「劉駿光，你快下來！」

我轉身對劉駿光說，看見他總算把腳伸回室內。他步下高高的窗台，一副很驚恐的表情。大概是沒料到我會出現，並且還做出這種舉動。

林德凱根本沒把我放在眼裡，他狠狠地把我甩開，轉瞬間，我突然感覺自己被一道強大的離心力給甩出地球表面，整個世界扭曲傾斜起來。

「何晉合！小心你的頭！」

劉駿光一邊喊著，一邊衝向我，頓時，我整個人倒在他的懷裡，眼前一片空白。

等我回神過來，人已躺在醫院的病床上。我睜開眼睛，一片模糊。即使如此，我還是能感覺到眼前模糊的輪廓，絕對是劉駿光無誤。劉駿光將眼鏡遞給我，我終於看清楚他板著臉，非常嚴肅的表情。

「發生了什麼事？」我問。

「我覺得你真是瘋了！你根本不是能打架的料，居然這樣衝向林德凱。而且你才剛開過刀，怎麼可以做出這麼激烈的行為？」

「你生氣了？」我問他。

「當然生氣。你太不珍惜自己身體。還好沒怎麼樣，萬一傷口迸開，或者又氣胸了，該怎麼辦？」

「你比我更不珍惜自己吧？居然想從窗戶跳出去？還有，林德凱要打你，你就應該立刻跑走，怎麼能讓他把你的身體打成這樣！」

劉駿光無話可說。

還好彼此最終沒有發生什麼無可挽回的結果。我基本上並無大礙，在醫院裡休息一個多小時後就辦理了出院。原來只是因為一時過度激動而驟失體力。我到底是有多虛弱啊？連自己都感到震驚。

出院以後，劉駿光陪在我身旁，鬱鬱寡歡。顯然他此刻並不想回家。我問他，晚上回學校前想去哪裡走走嗎？或者去做些什麼足以轉換心情，會稍微開心的事情呢？

他思索半晌，回答我：「去會讓你開心的地方吧。」

去會讓我開心的地方，他就會開心了嗎？什麼時候，不只是我會因為劉駿光而開心，劉駿光也會因為我而開心了呢？我多希望這不是我一相情願的想像。

我們去了中華路上的佳佳唱片行，又到西門町的淘兒音樂城逛。唱片行是會讓我開心的地方。發現新的音樂，或是聽見唱片行正在播放我喜歡的歌，都會莫名地開心。當然更開心的是還能跟喜歡的人一起邊逛邊聊天。要是我和劉駿光能再早幾年認識，中華商場還在的時候，還有新新、哥倫比亞、米高梅、環球和遠東等唱片行能一次逛個夠。

然而，逛唱片行再怎麼開心，今天的狀況還是讓人愉悅不起來。因為剛才發生的事，還有不知道接下來該如何收拾的困境。

「我有點擔心，把林采如留在你家裡，不會有狀況嗎？」

雖然說是來散心，但我還是忍不住提起了不得不正視的事。

「林德凱不會打他親生女兒的。」劉駿光回答。

「我真沒想到你繼父林德凱會是一個這麼暴力的人。」

劉駿光抽出一張CD看，但他的眼神很空洞，根本沒在看手上的唱片。

「你不是說，不知道為什麼每次週末看見我的時候，我都很累？」

他忽然開啟這個一直令我感到不解，卻總找不到恰當時機深究的問題。

「是的。到底是為什麼呢？」我問。

「林德凱揍過我的母親。不只一次，已經成了慣性。」

又是另一件令我詫異到無語的事。於是，我忽然想起劉駿光曾在提到邱鴻澤時，說過「性騷擾、家暴，這些為了逞欲而有的行為都是變態」的話。當時不知為何他會突然冒出家暴字眼，如今終於明白。

「不知道從什麼時候開始，每個星期六我回家，就會發現我媽媽手上多了幾塊瘀青。先前我一直沒注意到，因為在家，她總是穿著長褲長袖。有一回，正好瞥見在家裡的工作室替客人精油按摩的她，捲起衣袖的剎那，才發現她手上有奇怪的瘀青。後來那些瘀青，甚至出現在脖子和臉上。問她，她只說不小心跌倒。幾個月以後，我讀到一本關於家暴的小說，恍然大悟。那個週末回家，趁林德凱不在，我要媽媽褪下長袖衣服，才發現她身上遍布紅紅紫紫的瘀血，一看就是被打的痕跡。林德凱只有在平時，我跟采如都住校的時候，才會打我媽。他要在女兒面前經營一個好爸爸的假象。但是他會破功，有幾次，他忍不住又打人，但打的是我。有一晚，他半夜喝得醉醺醺的回家，你知道他做的第一件事情是什麼嗎？是來我房間把我揍醒。原因只是他在應酬的飯局上受氣了，需要找個宣洩的方式。他還威脅我，不准向我媽告狀，否則就會把氣轉嫁到我媽身上。」

「他真的太過分了！」我好心疼劉駿光。

「從那次以後，我回家睡覺，都睡得心驚膽跳。只要聽到一點聲音，我就會立刻醒來，全身緊繃。後來即使他沒有出現在我房裡，我也開始難以入眠。我和林采如的房間在二樓，他和我媽的房間在一樓，隔得很遠，我如果夜半聽到什麼聲音，會懷疑他是不是正在房裡虐待我媽？我寧願他來揍我。他揍我，我會反擊，但是如果他揍我媽，我媽只會乖乖挨揍而已。」

「難怪每次星期天在殷非凡英文課上看見你時，你都好失魂落魄。」

「就是這個原因。之前我不想多說什麼，是因為連抱怨的力氣也沒有。」

「你的母親為什麼這麼逆來順受？」我不懂。

劉駿光搖頭說：「她每次都說，林德凱已經向她向下跪道歉了，說保證絕對不會有下一次，請求她原諒。可是我反問她：『他每次都說不會有下一次，但還是發生了。他的道歉根本很廉價，妳還願意相信他、原諒他？』我媽竟然說：『至少他願意養這個家；至少他不會丟下我跑走；至少他會說他離不開我。』那時我才知道，她對林德凱有著多麼畸形自虐的愛，並且也明白我的生父給了她很大的打擊。突然間，我覺得很抱歉。因為我身上流的血，有一半也來自於拋棄她的那個男人。而現在，面對另一個對她這麼壞、令她無法清醒的男人，我卻束手無策。」

「你不要這麼想。你沒有什麼需要感到抱歉的，錯的人不是你。」

「我當然覺得抱歉，因為我甚至無法反駁我媽說的話。她說，要是林德凱走了，丟下我和林采如，她要怎麼一個人養活三個人？即使她努力工作，按摩到手都斷了，也難以負擔我和林采如兩個人的學費及生活開銷。其實我可以不要念學費這麼貴的地方，甚至不念書了去工作也行，但是我媽說，她就是不希望我因為她而犧牲自己。」

「可是，她卻犧牲了她自己？」

「我感謝母親對孩子的愛，但她的犧牲並不是正確的，是不值得的犧牲。」

「這件事情真的不能繼續下去。現在失去理事資格的林德凱，要是確定捲入邱鴻澤的性侵害事件的話，情緒一定會更不穩定。他會揍你，你不在家時，很有可能會因為想出氣揍你母親。」

「我知道。我得想想辦法才行。」

「是『我們』得想想辦法。」

我強調「我們」兩個字，就像過去劉駿光曾說「我們」要努力惡補數學一樣，在這個節骨眼上，我也希望他能夠感覺到他並不孤獨，我們是一起的。

「哎，說是來開心的地方散散心，結果還是很憂鬱。」劉駿光強顏歡笑。

我跟著他走到歐美流行樂專區，他抽出一卷架上的錄音帶，轉換話題。

「我很少聽歐美歌曲，不過我前陣子開始聽，因為這張去年出的專輯。」

接過手看，是一個我不認識的女歌手，瑪麗亞．凱莉的《Music Box》。

「好聽嗎？我對歐美歌曲很不熟。」

「這張我送你吧。是一張聽了會讓人愉悅的專輯。」

語畢，劉駿光拿著錄音帶去櫃檯結帳。我本想阻止他，因為明明去其他唱片行買會比較便宜的，但我想，今天或許是個應該順著他的一天。

晚上回到學校宿舍，在半夜起床看書以前，我窩在被窩裡聽了那卷卡帶。劉駿光說得一點兒也沒錯，這是一張聽了會讓人愉悅的專輯，每一首歌都很好聽。那天是我第一次聽到瑪麗亞．凱莉的歌。我想，日後我會繼續追這個歌手了。不只因為悅耳動聽，更因為那是劉駿光送給我的歌曲。

回想起一整天發生的事，對劉駿光感到心疼，但同時也產生更多的崇拜。明明是生長在如此令人沮喪的家庭環境中，要是換做別人，恐怕白暴自棄，變成一個厭世悲觀的人了，但劉駿光卻沒有壞掉，在我面前總是散放出正面能量，積極鼓勵我不放棄希望。相較之下，我能為他做的事情實在太少了。

聽著瑪麗亞．凱莉唱著〈HERO〉之際，忽然希望也有一個英雄出現，拯救劉駿光，並且為我們收拾現在面對的殘局。

那一晚，我睡在瑪麗亞．凱莉的歌曲裡。沒有人叫我起床看書，因為疲憊的劉駿光也難得地沒有起床。回到宿舍以後的他，終於得以好好地沉沉睡去。

28

有時候，許多事情看似簡單，實際上卻萬分複雜；但也有時候，某些事情以為複雜難解，卻意外地有著簡單的發展。

萬萬沒有想到，這個學校還有比理事會和校長更高一層級的人物，那個人就是平常鮮少露臉的董事長兼創辦人。

根據福利社老闆強哥的可靠消息指出，我們罷考模擬考和在餐廳裡播放錄音帶的事，創辦人不知透過何種管道，居然都知道了，於是才以空降部隊的姿態，以最快的速度個別約談了理事會的成員，做出暫停邱鴻澤教職，並開除理事長與成員林德凱的決定。

三人同時遭到懲處，代表他們都與性侵學妹的事情有關嗎？我們不確定，創辦人到底最後知道了多少事實？但想起學妹留給林采如的書信和筆記本，推定邱鴻澤當起性仲介逼迫學妹跟「他們」發生關係，現在看來所謂的「他們」極可能就是理事長和林德凱。

幾天以後的晚自習下課，我和劉駿光、蔡思明、徐彥和賽亞人聚在福利社，聽強哥一邊喝著啤酒，一邊娓娓道來這些幕後祕辛。

「邱鴻澤那個禽獸，根本應該被革職的吧？只是暫停教職而已？」我忿忿不平。

「我猜他之後會自己請辭吧，畢竟很難在學校混下去了。這圈子那麼小，他在補習班的行徑，雖然沒被新聞報導，也早在補教界傳開來，以後他恐怕連補習班都很難開下去。」強哥說。

「所以這件事情給他們的懲罰，僅止於此嗎？」我問強哥：「我的意思是，只是把他們趕出校園而已，沒有真正公開惡行，也沒有法律的制裁？」

「那就要看創辦人他決定做到什麼地步了。他雖然挺身而出，但畢竟還是會考慮到學校名譽的事吧。事情鬧大，對他沒太多好處。能止血就好，或許是他的想法？我真的不知道。而且，話說回來……」

強哥話說到一半，停下來看向劉駿光，像是謹慎思考用字遣詞後才開口：

「劉駿光同學，這樣沒問題嗎？本來只是想抖出邱鴻澤的事情，結果抽絲剝繭以後，萬一發現你的繼父真的也有關係，不是很好受吧？對家裡的影響，沒問題嗎？」

劉駿光搖頭，說：「他本來就不是個好東西，現在只是原形畢露。」

「要是你們問強哥的意見，我會覺得再過幾週你們就要聯考了，還是先好好專心把聯考考完再說吧。你們一定會覺得我這像是老人家的發言吧？但是，上想上的大學，想念的科系，是關係到你們自己的未來，要是被那些壞傢伙給搞砸了，真的不值得。等你們畢業，聯考考完，算是真正跟這個學校脫離關係了，到時候如果你們還是想把狼師惡行公諸於世，還是可以去做的。對吧？」

我們點點頭。被強哥一提點，突然驚覺時間真的逼近七月的聯考了。

「強哥，你真的是個有頭腦的大人。」賽亞人讚歎。

強哥一臉驕傲，滿足地笑起來說：「還好、還好啦！」

「而且強哥你真的很強，到底從哪裡獲得這麼多祕密的情報？」蔡思明問。

「小意思啦！我有線民，不能輕易透露！」被吹捧的強哥整個人像是飛上天一樣，起身從冰箱裡翻出一瓶啤酒，擺出杯子，興奮地說：「來來來，這瓶算強哥我的，大家一起

劉駿光瞪大眼睛，脹紅了臉。

「你明明就聽見了。」

見他那副尷尬的模樣，我又忍俊不住。

再過兩週，六月十八日星期六就是霞中的畢業典禮了。在那之後，我們不會再來學校。那意味著我就要告別住校生活，告別福利社的吃吃喝喝與祕辛八卦，告別那些走操場的夜晚，以及我和劉駿光朝夕相處的日子。

雖然終於可以脫離有如集中營的生活，大部分的霞中人都覺得高興，但是我卻愈來愈徬徨，沒有那麼期待和開心。

過了幾天，我們看見學校的公布欄上，正式公告邱鴻澤辭職。

真的如強哥所料，他主動辭去了教職。他的補習班「邱鴻數學」也一直沒有再開，原來在那兒補習的學生，為了準備聯考，全轉去「陳思豪數學」接續衝刺。

從補習班一躍而下的學妹，已經清醒。經過幾週的休養，除了多處骨折以外，很幸運的沒有生命的危險。學妹的家長決定替她辦理休學，這一年好好在家休養，看看恢復的狀況，再決定明年復學的事。

固定去醫院看她的林采如說，她很堅強，心情比想像中來得穩定。當她一睜開眼，看見身旁的爸媽和林采如時，大家什麼話也沒說，四個人抱著彼此哭了好久、好久。

「我無時無刻都覺得自己被羞辱，而且充滿恐懼，甚至不敢相信任何人了。」

她這麼告訴林采如。

「我這樣也算是死過一次了。我突然覺得，既然老天爺沒讓我死，大概代表我還有活下去的價值？」

林采如轉述那個學妹的話，她覺得自己應該該好好活著，告訴大家這世界上有太多黑暗的角落，存在著看不見的骯髒。就算無法將邱鴻澤繩之以法，她也應該讓更多的人、更多的同志知道，即使身為弱勢，也有不被踐踏的權利。

我跟劉駿光和林采如一致決定，只要學妹願意挺身而出的話，就像是強哥建議的那樣，等到聯考結束，我們一定會再聚在一起，好好想辦法尋求法律途徑，不讓邱鴻澤逍遙法外，荼害更多無辜的學子。

星期日早上，去殷非凡英文補習時，從劉駿光口中知道了林德凱的後續狀況。

「那天在家裡大鬧一場以後，林德凱突然像是變了一個人，對於被理事會除名和邱鴻澤的事，竟隻字未提。」

「難道真的被你想跳樓的舉動給嚇到？」我好奇。

「不可能。我猜想，是他自己覺得應該跟邱鴻澤切割清楚，否則事情要是鬧大了，會影響到他的律師工作。丟了理事會成員沒什麼了不起，但要是丟了飯碗，那他真的就完了。」

「總之很意外。看他那天發了這麼大的脾氣，以為不會善罷甘休的。」

「我也很意外。昨天回家，看見他比過去都更沉默。我問我媽，我和采如不在家的這一個星期呢？我媽說，林德凱都很沉默寡言。」

「先別管林德凱了。你媽媽呢？你是不是有跟她說，林德凱很可能是邱鴻澤性侵事件的共犯？她還是能夠忍受嗎？」

「是的，我說了。我媽也做出了一個令我意外的決定。她說她過兩天準備去她妹妹家，也就是我阿姨家，暫住一段時間。神奇的是，林德凱居然沒跪著求她原諒，默默答應了。」

「他們兩個真的好特別。」

「是很怪吧。不過，不夠怪的話，也不會湊在一起了。」

「所以你下週六回家，家裡就只有你，林采如和他，三個人而已。」

「林采如說她打算去住朋友家。老實說，我也不想回去過夜。」

我突然靈光乍現，不作多想，鼓起勇氣開口。

「要不，來我家吧？星期六來我家住，星期天再一起回學校。上次有跟你提過我爸我媽，他們很好客，會很歡迎的。」

劉駿光的神情倏地變得木然，令我心臟一揪，感覺自己太大膽，似乎說錯話。

「好，下週六就去你家。」

沒想到他居然答應了。

上課了，殷非凡站上講台。我望著前方的白板，霎時覺得今天的白板顏色居然被染成了一片粉紅色。一個又一個的粉紅泡泡，從教室的座位上踴躍冒出。天花板的燈光似乎轉瞬間全成了七彩霓虹，一道道射向了我和劉駿光之間。

29

等待劉駿光週六晚上到我家住的這一週，每一天，我整個人都神清氣爽的，帶著一股節慶感的情緒，比迎接過年還慎重。

星期六中午放學回到市區，我去補陳思豪數學時，劉駿光就在南陽街附近的麥當勞K書等我下課。等一個人下課，然後一起回家，怎麼想都感覺有點小浪漫。整個下午，陳思豪在黑板上寫的數學公式，從我眼裡看過去，都變成愛的符號。

前一天，我和蔡思明偷偷說了這個小祕密，蔡思明頓時情緒高漲。

「你們家又沒有多一個房間，不是嗎？」

「當然沒。多一個房間的話，我就不會邀約了。」我邪惡地笑著。

「天啊，所以他要睡你房間了。你的床是單人床耶！」

「單人床也可以擠兩個人。」
「太過分了啦你。」
「不是啦，開玩笑的。我家有睡袋，他會在我房間打地鋪。」
「是嗎？其實睡袋也可以擠兩個人喔。」
「你不要再亂說，會害我緊張起來。我只是聽到他說不想回家睡覺，直接的反應就是問他要不要來我家而已。很單純的。」
「最好是。」蔡思明翻了個白眼。
星期六中午等校車時，蔡思明從書包裡掏出一個正方形紙盒給我。
「給你。今天晚上用得到的。」他說。
我看都未看，臉立刻燥熱起來。
「哎喲，你怎麼會有這種東西！我們真的不會怎樣啦。」
「你有病啊？這是香水試用包啦。」他用力打我的頭，解釋道：「睡同一個房間，讓自己香香的，給人家留下好印象啊。」
「喔。」我說不出究竟是失望還是開心地收下了。
補習結束後，我去麥當勞找劉駿光，然後搭公車一起回家。事前已經跟爸媽說過了，他們確實如我所料，非常期待他的到訪。一回到家，我媽就在門口迎接，堅持要替我和劉駿光拿書包進房。走到飯廳，看見我爸已經準備好了一桌熱騰騰的菜。

看到那一桌菜，有如除夕年菜的大排場，我驚詫無比。

「劉駿光，你的面子真的很大。托你的福，我今年吃到兩頓年夜飯。」

「謝謝何爸爸何媽媽，真的好豐盛。」

劉駿光超有禮貌地鞠躬道謝，爸媽簡直樂不可支。當然開心啊，能被這麼帥的男生稱讚，任何長輩都會有如被聖靈充滿的喜悅吧。

「想起來了，你跟我說過，家裡都是爸爸負責煮菜的。」劉駿光湊在我耳邊說。

「是啊，別看他那個樣子，廚藝不錯，意外地好吃喔。」

結果被我爸媽聽到了，兩個人又笑得合不攏嘴。

「餓壞了吧，快去洗個手，我們就來吃飯吧！」我爸說。

四個人圍桌吃飯，想來是這個家裡難得的風景。劉駿光胃口非常好，連盛三碗白飯，桌上的菜也一直夾不停。

「我很少見到你這麼會吃。」我說。

「啊，不好意思。因為真的很好吃。」

他尷尬起來，放慢動作。

「晉合，你怎麼這樣說人家，真是的！」我媽瞪了我一眼，又轉而為笑顏，對劉駿光說：「別理他，多吃一點是對的。很好，何媽媽就是喜歡小孩多吃。像我們家晉合，要他多吃點，每次就說怕胖。」

「是啊是啊，」接下來我爸也加入，跟我媽一起唱雙簧，說：「男生現在正值發育，多吃點是應該的。你們學校的伙食我知道，實在不怎麼好，沒什麼營養，所以每個週末晉合回家時，我們就會盡量煮豐盛一點，讓他補一補。偏偏他就是忌口。」

「聽到了沒，你爸用心良苦。你身體不是很好，要多吃一點營養的，然後好好鍛鍊身體，去運動，練壯一點。」我媽說。

「哎喲，我沒有在追求走猛男路線的啦。」我說。

「你看你同學，人家身材看起來就是愛運動，感覺人精神抖擻，多好看。你要像這樣，以後才交得到男朋友啊！」我媽說。

「媽！」我超尷尬的即刻阻止：「好了啦，不要說這個。」

「啊，他不知道嗎？」我媽也尷尬起來。

我沒有跟劉駿光提過爸媽其實知道我喜歡男生，而且也都接受。因為我和他從來沒正面觸及性向的話題。

我知道，不是每個父母都這麼開明的。去年生日，當我跟他們出櫃時，原本以為會上演一齣你死我活，哭哭啼啼的劇碼，怎料和平溫馨得很，他們起初只是愣了一下，沒說什麼，過了一晚以後就告訴我，身體健康，活得快樂最重要。我想，那是因為我的母親曾經歷過一場大病，讓他們對於生死觀和生活態度都有了不同的看法吧。

「好啦，不要一直說，他都覺得害羞了。讓我們安靜好好吃飯！」我說。

這一串你來我往的對話，劉駿光大概是覺得不好意思，一直低頭猛吃飯。

「也是，我們太多話了，駿光你繼續多吃點，我去把湯再加熱一下。來來來，這盤放太遠了，你都沒拿到，多吃點。喜歡何爸爸煮的菜的話，以後歡迎你常來吃飯啊！真的不要客氣。」我爸說。

我媽則舀了一大匙麻婆豆腐到劉駿光的碗裡，只見他還是低著頭，把麻婆豆腐給送進嘴中。突然間，他竟然抽泣起來，把我們都給嚇了一大跳。

他抬頭，紅著鼻子和眼眶，想說什麼但又哽咽得說不出口。

「一定是太辣了吧，麻婆豆腐。先別急著說話，喝點水吧。」

我媽試著打圓場，語畢，用手肘輕推了一下，暗示我爸。機靈的我爸，趕緊舀了一匙麻婆豆腐吃下去，還故意咳了好幾聲。

「真的是有點辣，看我很能吃辣的，都有點辣出淚來了。駿光，沒關係，休息一下，等等喝湯。我們先拿去再加熱一下。」

沒想到這話一說完，劉駿光反而放聲大哭。他哭得好傷心，彷彿是把從我認識他以來，所有累積的憂傷都一次宣洩出來。麻婆豆腐其實一點也不辣，而且劉駿光根本很能吃辣。他的嚎啕大哭，當然不是因為辣的關係。

爸媽覺得他們在場會讓劉駿光感覺不自在，趕緊起身端著湯走進廚房。途中還回過頭給了我一個眼神，意思是要我好好安撫一下他。

從未見過他這個樣子，令我有點手足無措。不知道該怎麼開口安慰他的我，只能繼續遞給他面紙，然後撫拍他的肩膀。

各自洗完澡以後，我和劉駿光兩個人窩在我的小房間裡看書。

「喂，你剛才還好嗎？」

觀察著他的情緒比較平靜以後，我開口問他。

「抱歉，把你們給嚇到了。」他回答。

「沒事就好。」

「嗯，沒事了。」劉駿光停頓一下，說：「你有這樣的家庭真的很令人羨慕。剛才吃晚飯的場景，對我來說只存在於電影裡。我沒想到這輩子能夠身歷其境。所以，不知道為什麼，聽著你們的對話，我吃著吃著就變成那樣……」

「以後常來啊！我爸媽真的很希望多一個兒子的。」

「以後如果去念南部的大學，想常來也不能常來了。」

「你不是說過，要是我們在南部同一座城市念大學，要一起租房子嗎？如果是這樣的話，你放心，到時候我爸媽一定會一天到晚跑去玩的，你照樣能吃到一桌好菜。況且，以後再也不是被關在學校裡了，只要你是喜歡，你就會想辦法做到你要的生活吧？」

「是嗎？」他笑笑。

劉駿光語多保留，讓我感覺他滿懷心事。

手提音響裡流洩出萬芳的〈試著了解〉，我們專注在各自的教科書上，好長一段時間，誰都沒說話。我偷瞄劉駿光，發現他好幾分鐘，根本都在看同一頁，想必是還陷在方才的情緒裡。

一晃眼，已經十點多。我在地上鋪好睡袋。

「你睡床，睡袋給我睡。」我說。

「可是，我沒睡過睡袋，已經期待了一星期。」

想不到他祭出這招。話都說到這地步了，我只好答應。

熄燈前，在地板上準備鑽進睡袋中的劉駿光，突然低頭看著自己身上穿的T恤。那是我借他穿的睡衣，穿在他結實的胸膛上，顯得有點緊，卻突顯了他的身軀曲線。

「我不知道你原來喜歡史努比？」他問。

我身上穿的這件也印著史努比，甚至房間內還有史努比玩偶。

「那你知道我除了史努比以外，更喜歡誰嗎？」我順勢刻意問。

他不假思索地回答：「張清芳不是嗎？」

「我是喜歡張清芳，但我現在說的更喜歡，並不是這種喜歡。」

「你喜歡，然後又不是這種喜歡？……我不懂。」

我沒回話，把房間的燈給熄滅，空間陷入浩瀚的漆黑。

「你怎麼了？」劉駿光問。

我忿忿地沉默不語，而他也不再追問。忽地，房間鼓脹起莫名的緊繃氣氛。

聽到他剛才的回答，我突然感到一陣莫名的孤單。劉駿光他不理解我嗎？他是真的木訥到不知道我話中有話，還是其實只是在裝蒜呢？如果他不喜歡男生，為什麼要對我那麼溫柔那麼好？假使我感受到他對我超越朋友的曖昧情愫，一切只是我想太多的誤會，那麼這些日子以來的喜悅，就將幻化成加倍的孤單。想到這兒，讓我情緒變得有點激動。

抱著賭氣的心態，我突然抓起床上的一個史努比玩偶，朝著床下的他丟過去。

「幹嘛丟我？」

黑暗中，我感覺到劉駿光從地板上坐起來，朝著我的方向說話。

「他自己衝過去的。」我沒好氣地說。

下一秒，史努比飛落在我臉上。換我嚇一跳。

「他自己衝回去的。」劉駿光說。

很故意。我氣得又把史努比給丟下床，不到兩秒，史努比又飛回床上。我們簡直就像小學生一樣，把怨氣出在史努比身上，讓他在我們之間撞來撞去，起碼持續了五分鐘，而且雙方力道愈來愈強。

史努比再次回到我的手上。我從床上坐起來，正當我做好準備，高高舉起，打算用更大的力氣把史努比丟回去時，揮到一半的手，在空中被劉駿光使勁攔截。黑暗中我可以看見劉駿光模糊的臉靠近我，我們的距離，兩張臉，只隔著一個史努比。

「可以了。不要再虐待動物，史努比會生氣的。」劉駿光說。

「他不會。」

「你怎麼知道？」

史努比的脖子上掛著一個項圈，那是一個能夠發光的小燈，我開啟它。微弱的光芒突然閃爍起來，照在史努比的臉上，也讓原本漆黑的房間有了一絲光源。

「你看，他還是保持笑容。」

我指著史努比的臉，注視著劉駿光說。現在我可以隱約看到劉駿光的表情了。紅色、紫色和藍色的光交錯閃爍著，映在他的臉上，黑暗中竟有股魅惑的氛圍。

「原來有燈？」劉駿光說。

「還有香味。你靠近項圈聞聞看，聞得出什麼味道嗎？」

握著史努比的我們，一起把鼻子湊到項圈，臉埋在布娃娃的毛中，同時深呼吸了一口氣。安靜的房裡，那一陣深呼吸的聲音顯得特別明顯。

「好特別，有依蘭依蘭精油的味道，淡淡的。」他說。

「我不知道這香味的名字。我很喜歡。」

兩個人又同時把頭給埋在史努比的脖子上。這時候，我抓著玩偶的手指觸碰到劉駿光的手，接著，我更進一步把手掌放在他的手背上，他沒有躲開。我的心跳變得快速，忽然聽見急促的呼吸聲也變得很大聲，但下一秒我發現，那不是我的呼吸聲，是劉駿光的。

「你也喜歡嗎？」我問他。

「……嗯。」

他仍把頭埋在史努比的身上繼續嗅聞。我的臉，緩緩地滑過史努比的身體，貼到他的右臉頰上，同時兩隻手游移到他的後頸，在他的髮梢和肩膀之間來回撫摸。

霓虹般的光澤互換著，房間中只剩下呼吸聲，心跳聲和體溫。

「有多喜歡？」

他不置可否。

「我現在說的喜歡，是哪一種喜歡？你其實懂吧？」我暗示他。

劉駿光仍不說話，我感覺他陷入一種掙扎的情緒裡。我從床上坐到地板，側身依偎在他的肩膀上，就這樣靜靜地度過好幾分鐘。

靜謐中，彼此的呼吸聲像是被擴音器放大似的，起伏得好明顯。愈來愈快，愈來愈亂。紊亂的呼吸節奏，簡直快要超速失控。這樣下去會出問題的吧。

我恢復理智，控制自己，從地板上站起身準備回到床上。不料，就在我起身的那一剎那，突然間有一股巨大的力量，將我整個人往後拉回。

劉駿光把我拉進了他的懷裡。

他的雙手從我的身後環抱住我。我的背脊緊貼在他溫熱的胸膛上，清清楚楚地感覺著他的心跳，但一切又好不真實。

我試圖轉過身，只再差一點點的角度，就能吻上他了。

「劉駿光，我可以嗎？」

我鼓起勇氣，輕聲詢問。

他沒有回覆我，卻用更大的力氣抱住我，使我無法轉身。

他將臉頰湊進我的頸間，這一次嗅聞的不是史努比，是我。我們倒在睡袋上，他的手伸進我的衣服裡，此刻，在他厚實的掌心與我的肌膚之間，再無其他的阻礙。

劉駿光不說話，我也繼續緘默。我深怕再多一點任何動作，就會破壞此刻的狀態，一切戛然而止。

一整夜，我窩在他懷裡感到安心。劉駿光就這樣一直環抱著我睡去，彷彿像是怕生命中丟卻什麼似的，始終不願放手。縱使我心底明白，他真正想牢牢抓住的，也許並不是我，但此時此刻，這樣就夠了。

清晨轉醒，我懊悔前一晚睡前，居然忘記搽上蔡思明送我的香水了。

30

星期日早上，劉駿光從我家出門，跟我一起去殷非凡補英文。一路上，他變得有點冷淡，始終保持沉默。

對於前一晚發生的事，他做何感想？他不知道該如何面對我，因為究竟只不過是一時衝動，現在感到非常後悔，想要逃避一切？

想到過不久以後，我們就要畢業，再看見劉駿光這個模樣，我突然變得焦慮。

「我去游泳。」

下課後，劉駿光告訴我，看似準備跟我道再見。

「可以告訴我，今天去游泳，是為了哪一件讓你鬱悶的事嗎？」我問。

我想起他說過，游泳讓他療癒，心情不好時就想浸在水池。

他愣了一下，搖頭說沒有，但一臉就是撒謊功力很差的樣子。

「我跟你一起去。」我不是請求，而是宣布的口吻。

劉駿光沒有拒絕我，讓我跟著他去。

我本來就不太會游，想當然耳在泳池中注意他的時間，多過於自己練習。過不久，我決定先離開游池。盥洗好以後，穿回衣服，在池畔的看台坐著等他游完。

看著他來來回回奮力地游，像是想把所有氣力用盡，我覺得劉駿光又恢復成向來只把心事壓在心底的那個他。等他去沖澡時，我跟著走進去，站在他那一格淋浴間外頭。隔著一片塑膠浴簾，傳來嘩啦啦的水聲。

「你是因為昨晚的事情悶悶不樂吧？」

我加大聲量說。剛才已注意過整層淋浴間，恰好沒有別人。

「你睡一覺起來，是不是後悔你做的事情？發現兩個男生抱著睡覺很變態？還是覺得都是因為我害你的、我引誘你的，是我讓你有了罪惡感？」

他始終沒回話，令我忍不住咄咄逼人。

「你不要每次到了關鍵時刻就不說話。你告訴我你在想什麼？這幾個月來，我已經猜得夠久了。你如果討厭我，為什麼要一直對我好？你如果不喜歡我，為什麼要把我拉進你懷裡？你明明是喜歡我的，可是你的行為卻跟那些歧視男生喜歡男生的人一樣，認為這種事很丟臉。對不對？你骨子裡是不是認為我很噁心？」

「我沒有！我沒有！」

隔著浴簾，劉駿光一反常態，大聲吼著。

「那你就大方承認，其實你也喜歡我呀！」我回話。

「對不起，真的很對不起！我不能，我說不出口。」

劉駿光哽咽的字句，混雜在蓮蓬頭的水聲裡。

「何晉合，請你相信我，跟你在一起的時候，我真的很快樂，是真的。我從來沒有遇過像你這樣的男生，我沒有過這樣的經驗。我真的很謝謝你喜歡我，可是……我可能還是沒有準備好。現在的我，很難開口說喜歡你。對不起！」

「說了半天，其實你就是不喜歡我。」

「不是這樣！我活到現在，凡是我真正喜歡的、想要去做的事，都會被搶走，最後都會失去。我想讀理組，偏偏被迫轉到文組。我想念醫科，卻被逼著放棄要去考法律系。我喜歡游泳，也想學精油按摩，但是我媽就反對。我喜歡我媽，偏偏她整個人就得遭到林德凱的欺負，被他牽著鼻子走。我從小就想要擁有一個像你父親一樣的爸爸，可是他卻拋棄了我。然後，我喜歡上男生了，卻發現整個世界剝奪一個人喜歡另一個人的權利。你聽懂了嗎？我喜歡的，我都得不到。所以，我真的不能，說不出口喜歡你……」

劉駿光前所未有的心情告白，令我感到震撼。

「何晉合，不想說出喜歡你，只是因為，我不想失去你。」

我拉開淋浴間的浴簾，看見全身濕搭搭的劉駿光紅著眼，哭到抽搐顫抖。管不著自己還穿著衣服，我整個人衝上前，抱住他。

「沒關係，不要說。你不要喜歡我了，真的不要。」

我不想讓劉駿光失去我，我想要一直成為他的擁有。

兩個人在蓮蓬頭的水柱下，緊緊相擁，哭得、濕得都很澈底。

然而，接下來的後續更令我想哭。

我終於知道愛情小說的進展，經常是不考慮下一個場景的。現實生活中的我，做了太衝動的事，結果把自己搞到全身濕透，面臨如何回家的困境。就算把衣服脫下來，在更衣室用吹風機吹了很久，也難以把內衣褲和整套衣服都烘乾。

「你只好裸體回家。我的內褲可以借你穿，反正我有長褲。」劉駿光說。

「明天報上就會刊出，某高三考生聯考前已發瘋。」我推了推眼鏡。

最後，劉駿光跑去外頭，在距離泳池不遠處找到一間香港連鎖成衣店，買下一套內衣褲和運動服給我，解決了難題。

晚上搭校車回學校時，突然意識到這一趟回程，就是三年來最後一次搭校車回學校，心內突然百感交集。

「常常開玩笑說星期天回學校的這條路，是前往地獄的黃泉路，真不知道以後會不會想念？」我問坐在身旁的蔡思明。

「有什麼好想念的，走完最後一里黃泉路，終於可以投胎展開新人生了。」

「放榜以後，這個暑假，你打算做什麼？」我問。

「我看到一個新秀徵選的歌唱比賽，我要去參加。不過，還是必須先看考得怎麼樣才行吧？萬一落榜或成績很差，就得去『夜大衝刺班』好好準備一下夜間部大學了。反正無論如何，我不要重考。」

「我也不願意。隨便有哪間大學可念就好。」

比起我想當廣播DJ來說，蔡思明想成為歌手的意念實在強大太多。

我瞥見坐在校車最前面第一排的劉駿光，忽然意識到，要是我隨便有哪間大學可念都好的話，那麼大概就真會和他分隔兩地了。

校車遠離市區，窗外陷入漆黑。三年來一直是同樣的景致，今天卻感覺更黑了一些。

我和劉駿光沒有再提起泳池淋浴間的事，當然也沒有再聊到在我房間的那一個晚上。

可是，我知道我們心底依然介意，只是把問題暫時擱置而已。

畢業前的最後一週，聯考迫在眉睫，整個霞中流動著一股表面上全心全意衝刺，但其實每個人心底都顯得躁動的氣氛。每個班級從早到晚都在努力讀書，而三年七班的我們更辛苦，因為我們要看的書比人家還要多了幾本。那就是即使聯考逼近也不能中斷閱讀的《熱門少年TOP》漫畫週刊。

強哥告假福利社的那段期間，我們得到保健室裝病請假出校買週刊，後來多虧強哥回來了，每星期他會幫我們買回來，輕鬆太多。不料畢業前的最後一週，強哥因為家裡有事又不在福利社，意味著我們若要看漫畫，就必須故技重施。

我自告奮勇，但劉駿光阻止我，說我開過刀，還要為了裝發高燒做激烈運動，太危險，於是決定替代我。可是自從邱鴻澤的事情爆發後，全班都知道劉駿光的繼父大有來頭，所以當大家聽到他要去時，都覺得不好意思。

「沒事啊，你們在顧忌什麼？況且，他也被理事會除名了。」

劉駿光看出大家的疑慮，自己主動解釋。

「是沒錯啦，但後來每次都是你出錢，我們都看免費的，現在還要叫你去裝病，總覺得這樣你太委屈了。而且是要成績優異的模範生做這種事……」賽亞人尷尬笑著。

「別說了，就這樣決定吧！」

於是，晚餐過後，劉駿光便在我們的裝病標準流程指導下，進入該有的步驟。

我、蔡思明和賽亞人陪著劉駿光去保健室，香香阿姨見到我們，露出一抹不懷好意的笑，讓我突然有種大勢不妙的預感。

「這次是誰生病了呀？」香香阿姨放下手邊看到一半的《大成報》。

劉駿光刻意虛弱地舉起手。

「過來讓香香阿姨好好看一看。」

我們攙扶著劉駿光，走到她的面前。這時候，香香阿姨突然站起來，用力捏了捏我們四個人的臉頰。

「到底有多好看？再過幾天就畢業了，也忍不住要今天就看到才行喔？每次都這麼費力裝病，可是你們的演技卻一點都沒有進步耶！」香香阿姨說。

我們瞠目結舌，罪惡感上身。原來香香阿姨一直都是知道的。

「對不起，請不要告訴教官。」我央求。

怎料更勁爆的還在後頭。香香阿姨從抽屜裡拿出一個大塑膠袋遞給我，我納悶地接過手，一看，老天，居然是今天出刊的《熱門少年TOP》。等等，而且不只這一本。

「你們強哥打電話給我，請我今天到學校時買進來的，但是我搞不清楚是哪本，什麼《熱門少年TOP》、《少年快報》還有《寶島少年》，所以全買了。名字都這麼像！」

我們四個人不約而同，大展笑靨。

「香香阿姨，謝謝你！我們給你錢。」我說。

「不用了，算是香香阿姨送你們的畢業小禮物。」

是不是太感人了？我們捧著那三本漫畫週刊，比拿到畢業證書還感動。

「對了，邱鴻澤的事情，董事長大概只能處理到這個階段了。剩下的，就像是你們強哥說的，等到你們畢業以後，再繼續加油吧！到時候如果需要香香阿姨給你們任何意見的話，歡迎回學校來找我。」

踏出保健室前，香香阿姨突然這麼說，令我感到萬分意外。

「香香阿姨，謝謝妳告訴我們。我沒想到妳也有在關心這件事。而且一路聽下來，其實有點想問妳，原來你和強哥、董事長都很熟嗎？」

「咦，」香香阿姨一臉驚訝地說：「你們不知道嗎？對喔，沒說的話，應該大家也不會知道。你們強哥是我的外甥，董事長是我父親啊！」

「什麼！這也太令人意外了吧！」

「不然你們覺得，董事長他怎麼會知道你們在學生餐廳搞的事情？那天中午，我實在覺得你們這些小孩很厲害，比我想像的還有辦法，隔天就跟我父親說了。」

原來如此。這也終於解釋了，為何強哥總是能獲得校內各種祕辛。香香阿姨年輕時在醫院當護士，一直獨身的她，後來嫌醫院的工作太累，本來想改行了，但發現自己還是熱愛護理，於是決定來霞中工作。保健室的工作不忙，但又能滿足她的興趣。

「來了以後真是離不開了，因為發現你們這些臭男生，真的又笨又好笑。」

香香阿姨的結論，讓我們啞口無言。一個晚上到底要驚喜幾次？真沒想到畢業前，香香阿姨會有如此「彩蛋級」程度的演出。

這一週，學校要我們請家長開車來，在週六的畢業典禮前，將我們在宿舍和教室裡的個人用品都載回家。其實大家的東西並不多，宿舍的寢具是學校的，剩下的主要是書和衣物。大多數的人在最近幾次回家時，已經陸續將一些東西帶回去了，真的不好帶的，才請家長來載。星期五傍晚，算是該清的東西都已經清光了。書櫃清空以後的教室和寢室裡整理完畢的置物櫃，變得空空蕩蕩的，看了好不習慣。

班上同學把冬天的長袖制服留在手邊，因為要請同學互相簽名留念。最後一天的晚自習，學校當然還是要我們在教室裡乖乖看書，但所有三年級的班級，都鼓動著不安分的氣氛。我們忙著在制服上替彼此簽名，也忙著寫彼此的畢業留言本。

教官真的很殺風景，都到最後一晚了，還堅持晚自習巡堂管秩序。

「別以為明天畢業典禮，我今天不能給你們記大過！」

真的很好笑。就算今天被記大過，又怎麼樣呢？反正明天就畢業了。果然，只有教官到場的教室才安靜，他不在的班級，大家根本就沒理會，吵得很。

「各位親愛的聽眾朋友，霞中三年級的最後一夜，我要為所有同學點播一首歌曲。那當然不是蔡琴悲情的〈最後一夜〉，而是庾澄慶的〈管不住自己〉。這一晚，就讓我們忘記聯考，放縱一回，一起『管不住自己』吧！」

一邊寫著同學的畢業留言本，一邊腦海中又浮現自己當起DJ的內心劇場。

每個人都準備了畢業留言本，偏偏只有劉駿光沒有。不僅如此，他也沒有替班上的其他同學留言。

「你為什麼沒買留言本，而且也不幫大家寫？」我問他。

「我沒想到有這樣的事，也不知道該寫什麼。」

「我給你一本空白的筆記本吧，我要寫給你。」

我從抽屜抽出一本筆記本，同時也把我自己的那本畢業留言本塞給他。

「你至少也要寫給我。隨便寫點什麼都好。」我說。

劉駿光的表情害我差點失笑。他好像很怕我生氣似的，不敢拒絕。

然而，真的要動筆時，千言萬語，我卻不知道該寫給劉駿光什麼好。想了很久，我決定抄一首我們都喜歡的張清芳的歌詞給他。

萬萬沒想到，當我拿回我的那本留言本時，看見劉駿光竟然那麼巧，也抄了一首張清芳的歌詞給我。同時翻看各自筆記本的彼此，看著對方，頓時笑出來。

「希望你未來〈天天年輕〉，一直帥下去囉！」我說。

「哪有這麼好的事。我抄的那首比較實際一點吧！」是收錄在《加州陽光》倒數第二首歌曲，〈相信夢想〉。

「超級勵志的好嗎！但是說真的，這首歌其實也適合你自己吧。你不要每次只會鼓勵我，拜託你自私一點，也鼓勵一下你自己好嗎？」

劉駿光尷尬地抓抓頭，微笑起來。

張清芳高昂地唱著：「生活本是快樂悲傷的衝擊，別在陰霾中失去自信，馴服於打擊。你有一顆困難也不易打得贏的心，請相信你自己……別說你缺乏好運氣，是你忘記常祝福你自己好運。」

我確實忘記常祝福自己好運，不過能夠遇見劉駿光，我想我就是擁有好運氣的。

第二天早上十點，畢業典禮在禮堂正式舉行。這一刻，終於來了。

典禮開始，奏樂，主席就位，全體肅立，唱國歌，向國旗暨國父遺像行三鞠躬禮，頒發畢業證書，頒獎，主席致詞，創辦人暨董事長致詞，理事會會長致詞，在校生代表致歡送詞，畢業生代表致謝詞，畢業生在校生相互敬禮，唱校歌，奏樂，禮成。

儀式的每一個步驟，按部就班進行，或許太制式化了，沒什麼感傷的氣氛，反倒是在禮成以後，整個禮堂放出張學友的〈祝福〉時，內心突然感到一陣悸動。

廣播社建議教務處，在典禮結束散場時，播放這首歌曲。

「哇，歌是誰挑的？也太令人起雞皮疙瘩了。」蔡思明問。

「當然是我呀。」我推了推眼鏡，自豪地說。

就像是每個星期六中午一樣，校車如常在十二點過後，陸續駛進校園，把我們一批批從地獄載回人間，我們回到教室等候，大約還有一個小時的空檔時間。昨晚簽名或留言還未完成的同學，繼續埋頭苦幹，其他人則拿著相機，四處拍照或合影留念。

「何晉合、劉駿光，到走廊上去，我替你們兩個人拍張合照吧！」

有帶傻瓜相機來學校的蔡思明提議。

於是，我和劉駿光在走廊上並肩站著，留下了唯一的一張合照。

劉駿光有笑嗎？會不會沒拍好？是否背光？照片沒洗出來以前都不知道。本想叫蔡思明再幫忙拍一張比較保險，他已經人來瘋地不曉得跑去哪裡。

「回教室吧！」我說。

「還有一點時間，我們去走操場？一直都是晚自習下課時去走操場，從來沒在這個時間去過。走吧！」劉駿光提議。

我笑起來，用力點點頭。

六月的太陽已令人感到炙熱。晴空下的操場沒有其他人，只有我和劉駿光。我們從司今台出發，走跑道的最外圈，順時針方向緩緩前行。

「真沒想到就這樣畢業了耶。」我說。

「畢業了，好像會改變什麼，但仔細想想現在也沒什麼改變。」他說。

「你提醒了我，等一下校車回到市區，我還是一如過往地得去陳思豪補數學。」

「好好衝刺一下吧！記得我說的那幾個題型和公式，一定必考的。」

半晌，我雖然覺得劉駿光可能會拒絕，還是決定開口問他。

「今天也來我家嗎？」

「今天要回家住了。」

他果然拒絕我。他可能發現我的落寞，趕緊又開口補充說明。

「因為我媽今天會回去，我得看看家裡會有什麼狀況。」他說。

我點點頭，不知道是真的，還是他善意的謊言。

我轉移話題，說：「昨天在寫畢業留言本時，才意識到我們的名字有一個『光』還有一個『合』，如果要組團出道的話，團名就可以叫做『光合作用』了。」

「滿好的。就這麼決定吧。」

「你還真配合我。」

我突然停下腳步，擋在劉駿光的面前。

我靠近他，抬頭看他，並且將兩隻手高高地攀在他的肩膀上。

「喂，這裡是大庭廣眾的操場。」劉駿光讀破我的心思。

我作勢要吻他，但是沒有，只是這樣默默地注視著他。

劉駿光起初顯得有些納悶，但很快的，他的眼神就轉而變成充滿理解的溫暖。

「我在進行『光合作用』。」我笑笑。

「那很厲害。人和人之間也能光合作用，可以準備拿諾貝爾獎了。」

就像綠葉吸收光芒，把二氧化碳和水轉化成氧氣一樣的光合作用，只要劉駿光在我的身邊，就是可以讓我產生新鮮空氣，大口呼吸的能量。

明天以後，我們會變成怎麼樣呢？我好想知道，卻又害怕知道。

親愛的劉駿光，我不吻你，而你也不用說喜歡我。

如果真的有那麼一天，請你別忘記，你說過以後想要繼續跟我生活在一起。到了那時候，你將會明白，你喜歡的，終於也有不會失去的。

我願意等待那一天，你會忍不住說喜歡我。

要是兩個男生有朝一日能夠結婚的話，我就會向你求婚。

「我們繼續走吧！把這一圈操場走完。」

劉駿光微笑著說，我點點頭。

熱風從操場的草坪上徐徐吹來，遠方的樹擺動著枝葉，一株株都像是站在原地，低調卻又按捺不住歡欣的跳舞。

十二點的鐘聲揚起，我們踏在走回教室的階梯上。

一個轉角，回首恰好能夠俯瞰到校園禮堂前的廣場，一台準備將我們載走的校車正在倒車，不偏不倚停在一直以來的地方。

（第一部　全文終）

第二部

等待

0

我的故鄉，古稱福爾摩沙，一座位於東亞、太平洋西側的島嶼。這世界上大部分的人都稱呼這裡為台灣，不過在我們的身分證和護照上，卻有一個正式但如今不常提起的名字。

在不得不的情況下，因應各種環境，這個名字會替換成許多不可思議的排列組合。多變到像是繞口令，經常連自己都難以解釋到底是什麼意思。

我們經常遭人忽視，甚至被霸凌歧視。他們不願承認我們的存在，但其實偏偏又知道我們一直都在。這樣的命運，照道理說會讓人變得悲情，不過，弱勢的我們早就學會察言觀色。夾縫中求生存，倒也擁有了自得其樂的本事。

很小的時候，當我意識到自己的性向和台灣的處境時，就一直覺得這樣的我生在這裡，實在是太適得其所了。台灣和同志，根本是孿生兄弟的命運共同體。在所謂的「主流」世界中，我們不被看好，是邊陲的弱勢，然而我們始終沒有放棄，努力活出特殊的樣式。

誰能想到這樣的一座小島，在二〇一九年五月二十四日，發生了一件驚天動地的事呢？我們成為全亞洲第一個承認同性婚姻合法的國度。不管你到底想稱呼這塊島嶼什麼名字，都無法抹滅他創下的奇蹟。

對於長期倡議、爭取婚姻平權的人來說，這條路應該走得很漫長，但很不好意思的是我得坦承，這一天的到來，比我想像中來得快。

快到我從未想過，有一天，同婚合法後，我竟然會陷入始料未及的矛盾和困擾。

一直以來，我以為「逼婚」這件事只會發生在異性戀情侶身上，但現在同性也能夠結婚了，逼婚這兩個字終於也像緊箍咒一樣，降臨在同志的身上。

是的，就是我本人。我被逼婚到快要喘不過氣來了。

同溫層的朋友都知道我有開明的雙親，常常說很羨慕我。可是，只有我的好友明白，我的壓力超大。我的爸媽很支持我，但支持過了頭。他們一天到晚都在念我，已經年過四十了，快定下來，現在同志已經可以結婚，趕緊找個適合的伴，白頭偕老。

從以前就要我出國去同婚合法的國家結婚，現在，台灣終於合法了，他們居然比我還開心，歡欣鼓舞地說我不用「遠嫁」到國外，在台灣組家庭還可以不必與他們分離。

我坦誠我夠幸運，擁有接納我的雙親，很多人得不到家裡的支持，在外也飽受偏見，處處必須隱藏自己。所以我不好多抱怨，以免讓人認為得了便宜還賣乖。

但是，結婚總要有對象吧？我是要跟誰結婚呢？

無論同性婚或異性婚，你找不到可以共結連理的人，那麼婚姻就是與你無關。

每當我對我媽這麼說的時候，她就會反射動作似地翻出陳年往事。

「怎麼沒有對象？你二十多年前就遇到了，只是不懂得好好把握！」

她說的是劉駿光。

大概是心裡的坎過不去，只要當我媽一提起高中往事時，我就會按捺不住發脾氣。這時候，我爸在一旁總會跟我媽唱起雙簧來：「別跟你媽生氣。你媽跟我只是希望有個對你好的人，願意跟你相扶相持。爸媽老了，不可能陪你一輩子。劉駿光這孩子，我們都很喜歡他，感覺他很照顧你嘛。你不是對他也有好感嗎？」

「別老是說這些事了！都過了這麼久，早就不一樣了。」我說。

都不一樣了。當初的我，對愛情憧憬，懷抱著粉紅色泡泡般的夢幻想像，用青春無敵的勇氣勾勒著我和劉駿光的未來。而現在的我，年過四十，縱使不可否認心底偶爾仍暗湧著粉紅泡泡的少女心，但已經懂得壓抑。因為我早已明白那些甜美的泡泡飛到空中後，每一次，終將在現實設限的高度中殘忍破滅。

我跟劉駿光失去聯絡，已經超過二十多年。近一、兩年來，我輾轉聽到他的近況。蔡思明曾經傳來他的臉書帳號給我，但是好幾個夜裡，我多次盯著手機螢幕，終究無法按下「加好友」。曾經想試著傳私訊問候，但打不到五個字，就按下退回鍵一一刪除。

這麼久都沒有聯繫了，還稱得上好友嗎？

看著劉駿光的臉書大頭貼，那唯一沒有上鎖，可以點開來看的照片，我覺得照片中的這個人既熟悉又陌生。他還是很帥，褪去大男孩的氣味，是個很成熟的男人了。站在鏡頭前的他，絲毫不覺得已有四十多歲。我該慶幸他沒有發福，而且身材看起來比過往更結實，皮膚變得更黝黑。最令我意外的是，過去不太笑的他，照片中的他竟掛著很陽光的微笑，整個人散發著從容自在的氣質，眼神中飽滿自信。

在加州生活多年的他，大概已經找到能夠相扶相持一輩子的對象了吧。

劉駿光，你好嗎？

一封封沒有傳出的私訊，其實只是想問一句，現在的你過得怎麼樣？

1

KTV包廂裡，史黛西閉著眼，拿著麥克風，忘我高唱著張惠妹的〈我最親愛的〉。她好投入，表情不知道是演到了那一齣，大家都笑得東倒西歪，只有我保持木然。因為螢幕上不斷重複的幾段歌詞，正像是隕石一樣沉重地撞擊在我的心上。

那不正是我想起劉駿光時的感受嗎？

大學畢業開始就業後，我從家裡搬出來，一個人在台北市郊租了一間小公寓。雖然老家也在台北，說真的不搬也無所謂，甚至還能省錢，但是總覺得搬出來住是一種儀式，提醒自己從此以後應該獨立自主，別再靠爸媽。不過，每週我還是會抽一天回老家吃晚飯，算是陪陪他們。雖然只要每次一回去，就要再遭逢一次逼婚的攻擊。

昨天晚上在老家吃完飯，我回到房間整理一些要帶走的衣服時，從衣櫃裡翻出從前的相簿，看見在高中畢業典禮當天，蔡思明用底片相機替我和劉駿光拍下的合影，忍不住失笑。

那年代每一回拍照，就是一次冒險。相片中面無表情的劉駿光和帶著笑容的我，兩個人都閉上了眼。最蠢的是蔡思明的手指頭還入鏡了，疊在劉駿光的胯下，看起來有夠猥褻。畢業後蔡思明把洗出來的相片拿給我，向我道歉時，我真的氣壞了。要是那時候已經有數位相機或智慧型手機的話，一定能留下完美的合影。

KTV包廂裡迴繞的歌，令我想起前一晚看見的相片和往事，整個人出神。

「何晉合，你是靈魂出竅喔？幹嘛一直鐵青著一張臉？今天聚在一起，是來補辦你的生日會，不是你的生前告別式耶！」

史黛西沒等結尾音樂結束就按下切歌鍵，拿著麥克風廣播她的不悅。

同事習慣用大學時取的英文名字呼喚彼此，並且音譯成中文來念，可是我大學念日文系，暱稱向來用的是日文，音譯成中文時，大家念起來都不習慣。叫了三天後，史黛西自己也感到彆扭，最後說與其這樣，那不如還是叫我的本名就好。於是，整個部門人人都有洋名，卻唯獨我沒有，成為全部門的特例。

我苦笑，替她斟杯酒，說：「拜託，我的生日都過了兩個月，提前慶祝妳的生日還差不多吧，明明今天距離妳的生日比較近。」

「哎呀，我不管啦！我說今天是慶祝你的生日，那就是慶祝你的生日！」

七月下旬的週五夜晚，我的上司史黛西號召全小組八個人，一起到星聚點唱歌。她堅持請客，說是為了幫我補辦生日會。這句話一出來，我們大家心照不宣都懂了，默默取消各自原有的約，知道這一晚又將是「史黛西之夜」。

史黛西一定又是失戀了。每次她一失戀，就想拉人陪她去KTV買醉瘋唱一整夜。小組中誰的生日比較靠近那一天，就會自動成為她聚會的藉口，要為他慶生。要是恰好那個月都沒人過生日的話，生日最靠近的那個人就會「被補辦」生日會。

沒有人敢拒絕史黛西。因為唯有讓她開心一點，我們的日子才會好過些。

史黛西比我大一歲，年輕時有過一次短暫的婚姻，之後一直很積極地希望找到真命天子再婚，可惜男朋友源源不絕，但只要論及婚嫁，最後就事與願違。

她是個好女人，為什麼異性戀男人都不願意和她結婚呢？我不知道。還是說她遇見的那些直男，其實心態跟我一樣，談戀愛可以，但其實都害怕走進婚姻？

「何晉合，大家都唱過兩輪了，就你一首歌都沒唱。快點歌！」史黛西催促我。

「你們唱就好了，我唱歌不好聽。」

「不行不行，大家都要唱！告訴你喔，你這樣，我不開心！」

身旁的同事用手肘推我，對我使眼神，意思是要我別忤逆。

「好吧，那就唱一首。」我推了推眼鏡。

音樂一下，畫面一出來，本小組當中一個年紀最小、才二十三歲的男生史提立刻開口。

「哇！果然是前輩！唱民歌喔？」

「什麼民歌！」我拍他的頭，糾正他：「這是當年大賣五十萬張以上的流行歌好嗎！」張清芳的〈想你到心慌〉。真想不到一晃眼，已經是快三十年前的歌。

結果，這會兒拿著麥克風過度投入的人變成我。人到了一個年紀以後，新歌記不住，老歌卻只要前奏一下，閉著眼睛都能唱完。人的大腦構造真是詭異極了。

「晉合哥，第一次聽到這首歌，滿好聽的耶。」史提說。

「拜託回去聽一下原唱好嗎！好聽到嚇死你。」我說。

「晉合哥唱得那麼投入，肯定是代入自己的戀愛經驗。」另一個不到三十歲的女生潔西卡打趣地說。

「對啊對啊，晉合哥的感情生活一直很神祕的樣子，到底現在有沒有交往的男朋友？」

「同志都可以結婚了，我們什麼時候能喝到晉合哥的喜酒呀？」

大家突然把話題聚在我身上。

「幹嘛啊你們！」我尷尬地笑起來說：「你們快繼續點歌唱歌！不要連你們都來逼婚

好嗎？怎麼不說說你們自己，你們都有對象了嗎？都可以結婚了嗎？」

除了史黛西和年紀小我十二歲的吉米以外，居然大家都同時點頭，我頓時無語。

「晉合哥條件不錯，應該從學生時代開始就很受歡迎吧?!其實我們都很好奇，你喜歡的男生是什麼類型？」史提問。

「我喜歡什麼類型並不重要。」我說。

「很重要好嗎！」

始終保持沉默的吉米，突然間冒出這句話來，而且竟是帶著怒氣的。

所有人感到吃驚，瞬間安靜下來。

「你幹嘛那麼氣啊？」潔西卡小心翼翼地問。

只見吉米一臉尷尬，吞吞吐吐說：

「呃，我的意思是，很重要啊，因為，知道的話，我們才可以幫晉合哥介紹對象。」

大家點頭如搗蒜。敏感的我卻瞥見吉米的神情，知道那不是他的真心話。

性向這件事在敝公司不是禁忌。或者更準確地說，同志在我們這一小組根本是強勢。八個成員當中，包括我和史提、吉米在內，有三個男同志，另外包括潔西卡在內，又有三個女同志。剩下一男一女「自稱」是異性戀，但我們都說他們離被扳彎的那一天，只剩最後一哩路。員工全是史黛西面試進來的，她說她愛跟同志共事，其實只是因為跟她同年齡的女性好友都有家室有小孩了，怎麼可能一天到晚陪她呢？我們都懷疑她努力創造業績，保住我們這一個團隊的用意，只是為了有人可以訴苦。

「謝謝你們的關心，但我對結婚真的沒興趣。」

我以為這句話能澆熄大家一片熱情，但顯然沒有。

「說不吃甜食的人，並不是對甜點沒興趣，其實是害怕胖而已。」史提說：「說不想結婚的晉合哥，其實不是真的對結婚沒興趣吧？是不是害怕什麼呢？」

現在的小朋友真是犀利，一針見血。我緘默，不願承認。

「是晉合哥太挑，標準太高了吧？」潔西卡看向坐我身旁的吉米，繼續說下去：「吉米還單身喔，勉為其難一下，不要太嚴格的話，我們吉米不錯喔！吉米，你應該也覺得晉合哥不錯吧？要不要也考慮一下呢？」

吉米面有難色，我試圖替他解圍。

「別為難人了。」我說。

史黛西把麥克風搶了過去，突然間站起來，並且高舉酒杯。

「各位，請注意！我決定了。就算史黛西我本人現在找不到好的歸宿，也要替何晉合找到好對象。所謂助人為快樂之本，做好事會有好報，搞不好我促成一段好姻緣以後，自己的緣分也會到來！所以，以明年為終極目標，我要讓何晉合『脫單』嫁出去！大家要不要一起來加入這個結婚作戰計畫？」

「好耶！明年，我們要喝到晉合哥的喜酒！我加入！」

「我也加入！從來沒參加過同志朋友的婚禮，超期待的！」

史黛西登高一呼，全部的人都拿起酒杯，站起來圍著我敬酒。

加入什麼鬼啦?!別鬧了。我不敢相信這一刻，又多了好幾個逼婚的爸媽。

唱完歌，已經深夜兩點。捷運早就收班，我們在KTV一樓入口解散，準備各自搭乘計程車回家。我忽然口渴，想去便利商店買水喝，於是和大家道別。結果走進超商，卻買了瓶沙瓦酒，一回神人已坐在靠落地窗的長桌前。才剛拉開易開罐，氣泡聲都還未落盡，突然看見有個人拿了一瓶啤酒放到我隔壁，坐下來。

「剛剛在KTV還喝不夠嗎？借酒澆愁愁更愁喔！」

我轉過頭一看，居然是吉米。

「我以為你搭車走了。怎麼還在這裡？」我詫異地問。

「剛剛你回答潔西卡說『別為難人』，指的是為難你，還是為難我？」

吉米問。但是他沒等我回答，就逕自說下去：

「要跟你在一起的話，我是完全不會感到為難。你知道的。」

吉米其實在幾年前就向我告白過了。我們曖昧過一段時間，然後短暫交往了一個月，但很快地，我踩了煞車。公司裡無人知曉這件事。我們約法三章，不要讓私事模糊工作的焦點，所以彼此都沒向公司裡的任何人透露。

「我剛剛也舉杯，一起加入了結婚作戰計畫。」他說。

我笑出來：「所以呢？」

「我會讓你跟我復合，明年，他們會喝到我們的喜酒。」

吉米面不改色地說完，把啤酒很快喝光，頭也不回，瀟脫地離開了，留我一個人獨坐在深夜的便利商店。

下一秒鐘，我的手機畫面突然亮起。臉書提醒我有人將我加為好友，詢問是否同意。

我滑開手機，看見傳來邀請的人，竟然是劉駿光。

2

第二天晚上，約了蔡思明去吃鼎泰豐。在捷運中山站出口等他時，身旁站著兩個看起來也在等人的年輕女生。她們湊在一起共看著一支手機，其中一個女生開口問另一個女生，平常都有在看《女人我最大》嗎？對方聽了回答，偶爾會上網看一看，有時候一些美容彩妝或衣飾搭配的內容還不錯。

「可是妳不覺得，藍心湄有嬸味了嗎？以時尚節目主持人來說。」

那女生竟然這麼說。我聽到了忍不住看她一下，看她到底又長得、穿得怎樣。她年紀很小，可能才二十歲出頭，穿著打扮跟大嬸也沒有多大差別。她身上那件洋裝的花樣，我三年前丟掉用了五年的廁所踏墊都比較好看。她還好意思說別人？

「會嗎？她不是本來就這個樣子嗎？」她朋友回答她。

不是!!我頓時雙眼火冒金星，看見眼前浮現出兩個巨大且加粗的綜藝體字型，寫著「不是」並附加大大的驚歎號，開始急速往她們頭上墜落。

「何晉合同學，你一個人在生什麼悶氣？遠遠的就看到你一張憤世嫉俗的臉，好可怕！你沒跟人吵架就這麼兇，難怪到現在交不到男朋友！」

不知道什麼時候，蔡思明已站在我的面前。他笑到合不攏嘴。

我們往餐廳的方向移動，蔡思明問我剛才到底想到什麼事，我告訴他聽到那兩個女生的對話，忿忿不平。

「你很好笑。你覺得她們幾歲？」他問。

「二十出頭吧？」

「你還記得藍心湄最近的一張正規專輯，是哪一年發行的？」

「我們大學時候吧，哪一年我忘了。」說完，我立刻拿出手機上網查詢，結果讓我嚇了一大跳：「老天！是〈狂奔〉、〈不怕付出〉的那一張《你開心了湄？》，二〇〇〇年出的，居然明年就滿二十年。」

「是囉，那兩個女生，才剛出生呢！」

我突然感覺一陣難以言說的落寞。

進到餐廳點完菜，等待上菜的同時，我拉著蔡思明把〈狂奔〉的MV重看了一次。影片中的藍心湄真美，屈指算算當年她才三十四歲而已，如今我和蔡思明的年紀都快到了得把那兩個數字給倒過來的歲數。

彷彿還能聽到在霞中的洗澡時間，蔡思明在浴室中高唱著當時的「新歌」〈一見鍾情〉，一晃眼，浴室的熱氣散了，人去樓空，歌聲卻還飄盪在耳邊，但已是二十多年前的往事。

「別再戀舊啦！我們人活著就是要往前看。」蔡思明說。

「我真該跟你學習，活得這麼正向，大概才能交到好對象。」

我和蔡思明兩個人像是餓死鬼似地點了一大堆菜。

「昨晚收到你發的訊息，說劉駿光主動加了你。後續如何？」蔡思明一臉期待。

「結果你馬上回我，我嚇一跳。你這麼晚還沒睡？」

「最近晚上都常加班，有個專案要趕在暑假八月上，只剩幾天的後製期，全公司都人仰馬翻。」

「真是太辛苦了。要不要換個輕鬆一點的工作啊？」

「怎麼換？中年轉業哪有這麼容易？你又不是不知道。好啦，別說我了，快告訴我你後來到底加劉駿光了沒？我猜你一定還是沒加。」

「沒加。」我搖頭，塞了一塊炸排骨進嘴裡嚼。

「到底為什麼？你之前不是也猶豫好久，不好意思自己加。現在人家主動來加你了，你卻又不回加？」

「感覺有點奇怪。這麼久沒聯絡，忽然又聯絡起來，不知道一開始該聊什麼。」

「你想太多了。就順其自然啊！」

「我跟他當初不就因為順其自然，才變成形同陌路的嗎？一開始信跟卡片互寄幾次，後來我再寄，他都沒回音。他從沒想到再主動聯絡我，然後突然又出現，不怪嗎？」

我說完，蔡思明癟嘴，無法反駁。

「也不能說是形同陌路吧，」他試圖緩頰說：「畢竟台北和洛杉磯距離這麼遙遠，本來聯絡上就比較困難，而且以前那年代沒臉書又沒LINE，只能靠寫信，很容易一不小心就會因為什麼誤會而失去聯絡。」

「你別忘記後來有ICQ、MSN，至少，也有email信箱吧。」

「可是你們沒有彼此的電子郵件帳號啊！不是嗎？」

「我有寫信跟他說，但那封信石沉大海。他也沒有主動寫信告訴我他的帳號，擺明就是不想聯絡，我也就順其自然算了。而且後來，他就從此過著幸福快樂的日子了。」

蔡思明驚訝地問：「你怎麼知道？」

我拿出 iPhone 秀出劉駿光的臉書大頭照。

「不跟你一樣嗎？有相親相愛的男友，每天都會笑得很開心。你自己看，他相片上笑得那麼幸福美滿的模樣。」

「你又不是『寵物溝通師』，看一眼狗的相片就能知道狗的心事？不過就是看了他一張笑得開心的相片，就知道他幸福美滿？」

我聽了大笑，嘴裡的茶差點噴出口。

小籠包和牛肉麵同時上桌，就在我把麵給分裝成兩小碗的同時，聽見蔡思明說，其實劉駿光臉書上根本沒發什麼文，都是轉貼新聞。我正納悶他怎麼曉得的同時，一轉頭看，竟看見蔡思明正拿著我的手機在滑劉駿光的臉書。

「喂！你，你不會給我按下加好友了吧？」我緊張地問。

「不然怎麼能看到他臉書的內容。他又沒『開地球』。」

蔡思明一副淡定的樣子。我詫異又焦急地把手機給搶回來，本想取消加好友的，但卻被劉駿光臉書上的那些轉貼新聞給吸住了目光。

「全是LGBT相關的新聞。有英文的也有中文的。」我邊滑螢幕邊說：「他什麼時候變成那麼關心同志議題的人？很少自己有寫什麼。喔，這幾則有，用英文寫的。好像也是跟爭取什麼同志權益有關的樣子。這真的是他的臉書嗎？跟高中時代的他差太多。以前他連自己性向都搞不清楚，不太願意面對的。」

「終於認清楚自己了吧？是好事啊。你應該開心，至少他沒選擇躲在衣櫃，走上假扮直男這條路。」

「那很難說。熱中關心同志議題，跟性向也沒有絕對的關係。」

我還陷入沉思當中，同時在想是否要為了避免尷尬，在劉駿光還未發現以前，趕緊先取消好友關係，但是蔡思明把我的 iPhone 從手上抽走，塞進我的背包裡，要我現在應該專注眼前更重要的事，就是吃小籠包。他打開蒸籠蓋，小籠包冒出蒸騰的熱氣。

「你昨晚不是跟我說，忽然超想吃小籠包的嗎？一直想要的，現在送到你面前，近在咫尺了你卻不要，你到底是在跟誰過不去？」

「你話中有話喔。」我笑著，夾起美味的小籠包送入口中。

「年過四十，頭腦還是轉得很快，我放心了。」蔡思明說。

曾經那麼喜歡劉駿光，那麼想要他，現在他主動出現了，我卻退縮。我是在跟誰過不去呢？也許過不去的不是誰，而是這二十年來的空白歲月。

飯後，我問蔡思明要不要去無印良品逛逛，想不到竟慘遭拒絕。

「我在『光點』的咖啡店還有個約。我們公司想開原創的音樂節目，關於主持人現在正在選角，等等跟一個屬意的藝人經紀公司約了要談談。」

「哇噻蔡思明，你真的很認真！跟十幾年前的你，差太多。」

「就因為遇見『他』才開始慢慢改的嘛，你也知道的。」他尷尬地笑著。

「快去吧！你還是要注意一下健康，不要因為工作把身體搞壞了！」

「我知道啦，謝謝。改天再來我們家吃飯吧！他最近又研發出一些新菜色。」

「你們約我去，我當然不會客氣。他廚藝實在太高超了。回去替我向他問好。」

蔡思明點點頭，轉身揚長而去。看著他漸漸消失的背影，知道他有一份願意投入熱情的工作（縱使不是高中時的夢想），還有一個我爸媽口中足以相互扶持的對象，真的很替他感到開心。

蔡思明在三十五歲左右時，認識了現在一起同居的男友阿勝。他們正式交往在一起，差不多已經有五年。我第一次見到他男友時，有點詫異，因為那個男人長得跟過去高中時代，蔡思明念茲在茲的徐彥，從裡到外都很不同。講白一點，就是個很「台」的男生。要是下一秒他褪下襯衫，只穿件吊嘎，衝去廟裡抬轎，我一點兒都不意外。

這樣的阿勝，其實是個在知名西餐廳工作的主廚，煮得一手好菜，常找我去他們家吃飯。如果換做別人，在一對情人家裡吃飯，我可能會覺得像是當電燈泡而拒絕，但因為是蔡思明，我們彼此都不會有這樣的芥蒂。這些年我交過幾任男友，當時蔡思明單身，逢年過節的，我常找他一起來，他也不會介意。這種交情的老朋友，真的值得珍惜。

蔡思明是個主見很強的男生，但有時想法過度極端，需要有一個包容他、體貼他，懂得如何讓他接受別人意見的人，有技巧地將他拉回來，才不會愈來愈誇張。阿勝就是這樣的存在。阿勝總可以在表面上看似很聽蔡思明的話，先接受蔡思明的想法，但事後在恰當的時機，都能以適當的魄力，說服蔡思明反省，重做決定。

「以前你那麼在乎外表的，現在無所謂了嗎？」我曾這麼問蔡思明。

「當然我還是喜歡長得帥的男生啊，但現在覺得交往的對象是另一回事了。人帥救不了國，人個性好卻可以拯救一個人！」

他簡直像是對我曉以大義，令我自慚形穢。

不過那一天，我終於釋懷。這些年來看到人再帥，世界也沒有因此而和平，二十一世紀變得愈來愈亂。這足以證明ＩＧ上縱使有這麼多後浪推前浪、衣服總穿不上去的帥哥，但跟我這個土包子活在同一顆星球上，不過就是殊途同歸。地球毀滅時，帥哥並不會比較晚死。

蔡思明一直夢想出道當歌手，台灣選秀節目熱門的年代，他也報名參加過，可惜都進不到二十強就被淘汰。他嘗試自己寫歌，自費去錄歌，好幾次確實有唱片公司或經紀公司的人找他面試，似乎有那麼一點兒希望了，但最後都成泡影。

大學畢業後的二十年來，他輾轉進了唱片公司當企劃宣傳，也當過雜誌的影劇線採編、網站採編，還有在藝人經紀公司做公關。這些工作都繞著他從前的夢想，但他卻離自己能夠實現那夢想的距離，愈來愈遠。他有好幾年變得有點自暴自棄，對什麼都沒興趣，有時也憤世嫉俗。直到認識了阿勝，他才終於改變。透過阿勝的人脈，介紹蔡思明進到一間串流音樂公司 ORANGE MUSIC 上班。恰好裡面的主管之一，是他過去在唱片公司的上司，很賞識他，於是很給他空間發揮。現在，蔡思明專門負責企劃工作的部分，大獲好評，最近準備開設串流音樂節目的影音直播頻道，突然就變成一個熱中工作的大忙人。

在回家的捷運上，收到蔡思明傳來訊息，說他剛剛忘記講一件事。

「你們同事發起關於你明年的『脫單』計畫，我也正式加入！」他寫道。

真受不了。連他也來參一腳。我笑著搖頭，要回覆他時，臉書的私訊跳出收到一封新訊息。啊，不會吧！我心裡一驚。一看，果然是劉駿光。

我膽戰心驚滑開臉書的 Messenger，看到內容，卻滿是疑問。

「好久不見！想要問你，如果你不排斥的話，大後天開完會以後，我們可以私下約去喝一杯嗎？當然要是不方便的話也沒關係。不要有壓力。」

什麼意思？他是不是傳錯人了？大後天要開什麼會？而且，他不是人在洛杉磯嗎？難道他現在其實是在台北？

一大堆問號塞在捷運車廂裡，滿到像是一開車門，就會全部溢出去似的，拉著我的思緒一起被掏空，傻愣愣的不知道這訊息到底怎麼回事。

3

隔天上班時，我問史黛西後天有排什麼我沒聽說的會議嗎？史黛西打開電腦的行事曆看，驚呼一聲，問我，難道忘了說嗎？說是總監湯瑪斯來請我們幫忙，他有一個多年好友代理引進了一間「FINE LINE」瑜伽會館，希望看看能否跟我們公司合作一些案子。因為是湯瑪斯拜託的，半公半私，難以推卻，希望我一起出席。

「我真的忘了跟你說？真是抱歉。你後天晚上有事嗎？拜託空下來一起去。約的是晚餐時間，對方請客，湯瑪斯也會去。說是開會，應該就只是先碰個面，邊吃邊輕鬆聊聊吧？如果氣氛融洽，之後才會正式考慮合作狀況。」

瑜伽會館？我很納悶。劉駿光說的是這件事嗎？

「妳知道對方來開會的人，會是誰嗎？」我問史黛西。

「我不知道。因為都是跟湯瑪斯聯絡的。要不要我去問問他？」

「沒關係，不用了。」

走進茶水間沖茶時拿出手機，打開劉駿光傳來的那封我遲遲未回覆的訊息。深呼吸了一口氣，終於決定問個清楚。

「你人在台北？」我傳出訊息。

不一會兒，劉駿光就回覆說「是」，並追問我後天開完會後有沒有事。

「是瑜伽會館的餐會嗎？」我問他。

「對。在那之後，你有空嗎？」

「我沒事。不過，你怎麼知道我在這間公司上班？」

螢幕上閃爍著正在輸入中的小黑點，但不久又消失，沒有傳出任何訊息。劉駿光可能打了什麼又刪除。三、四秒以後，他才傳出另外一句話來。

「我們當天再詳聊吧！」

我回丟了個「OK」的貼圖，但劉駿光沒再回傳，螢幕只顯示了「已讀」。

劉駿光言簡意賅的訊息風格，倒是和二十多年前寡言的性格相當一致。

到了餐會的那一天，我居然一整天都變得緊張。我傳LINE跟蔡思明說晚上會見到劉駿光的事，害我莫名其妙地緊張起來，蔡思明覺得好笑，說又不是見從未謀面的網友。

當晚的用餐地點，是一間位於東區巷子裡的粵菜館，出席的人有我、史黛西和湯瑪斯。我們到餐館時，對方已經有兩個人坐在位子上了，但是沒有劉駿光。我以為他會晚點到，可是直到我們快吃完，他都沒有現身。

我當然不可能唐突地問對方，是不是還有一個人沒來呢？那樣太奇怪了。只好默默把疑問吞下肚。我不太高興，覺得劉駿光這個人很莫名其妙。他以為自己還是個高中生，到現在還喜歡耍神祕嗎？又想到二十年前，他也是這樣上演一齣消失的戲碼，就覺得心中沉睡已久的一座火山，忽然又被搖醒。

上廁所時，我忍不住傳訊息給他，問他怎麼沒來，但是他一直沒讀取。我抱著疑問和不滿吃完這一餐，隱忍著不要失態，別讓火山爆發，並暗自決定，等一會兒踏出這間餐廳時，就立刻拿出手機解除跟劉駿光的臉書朋友關係。

我們步出餐廳，正準備解散之際，瑜伽會館公司其中一個姓陳的男人，就是今晚促成這場飯局的湯瑪斯的舊識，他突然將目光投向我的身後，並且猛揮手說：

「我們都吃完了，你才來！」

「抱歉抱歉！總公司那裡臨時有些事情，希望開視訊會議處理。」

熟悉的聲音從我背後傳來。我知道，那就是劉駿光。即使這麼多年沒見面，我以為幾乎都快忘記他的聲音，但此刻所有的回憶卻一秒湧上心頭。像前奏一下就能唱完整首老歌似的，劉駿光的聲音也是記憶的旋律，在心底迴盪不去。

「湯瑪斯、史黛西、晉合兄，跟你們介紹一下，這是我同事，劉駿光。他在洛杉磯總公司工作，最近因為台北要開店，派過來支援。」

那位陳先生將劉駿光給拉到我和史黛西的面前。

我和劉駿光四目交會的剎那，他的嘴角微揚起來，反倒是我怔忡了，臉上沒有任何表情。我覺得一切都好不真實。

就是眼前的這個男人，二十多年前，曾經讓我如此迷戀。這些年發生了什麼事，讓他終於學會了自在的笑呢？現在的他笑起來時，雖然眼角多出幾條魚尾紋，卻感覺增加不少親切感。他依然全身散發出一股魅力，從前是青春男孩的，帶點神祕的憂鬱氣質，現在則是混合著陽光氣息的大人味。

心裡點播起五月天的歌〈如果我們不曾相遇〉。我在想，要是我們從未相遇，此時此刻在街上迎面而來，我仍會忍不住多看他兩眼吧？但或許也就只能這樣錯身而去，永遠不會認識彼此。還好我們曾經相遇了，並且有幸重逢。

「不好意思，」劉駿光對著史黛西、湯瑪斯和我說：「本來打算要來一起吃飯的，結果有事情耽擱了。這次跟貴公司的提案，最初是我這裡的企劃，後來就交給了這兩位我的同事來負責執行，希望大家能夠有合作的機會，請多多指教！」

「你沒來我們也相談甚歡啦，就是少一個人無法點太多菜吃！這點比較遺憾。哈哈哈！」陳先生大笑。

「你們的合作想法都挺有趣的，我覺得沒什麼問題，」湯瑪斯對劉駿光說：「後續就請直接跟史黛西、晉合他們聯繫就行。」

「謝謝！我這兩位同事比起我有能力多了，整個案子我只算拋磚引玉而已，所以你們若有什麼疑問也請別客氣，他們一定會配合解決的。」

劉駿光說話的方式，變得跟以前好不同了。從前他的話總是少，常常心裡像藏著什麼想法都不說，甚至獨來獨往不太與人往來，而今客氣到讓我突然感到有點生疏。

「咦，對了，我想起來，你是不是跟我說過，你跟湯瑪斯他們公司裡的誰是舊識？還是我記錯了？」陳先生問劉駿光。

「對。就是何晉合，我跟他是高中同班同學。」

「什麼呀！明明就是高中同班同學，講話還那麼客套！」

陳先生左右兩手，分別拍了一下我和劉駿光的肩膀。湯瑪斯和史黛西顯得詫異，驚歎居然世界這麼小。

「結果你們兩個老同學，錯過一場共餐的飯局。太可惜了吧？」史黛西說。

「其實我們已經事先約好了，會在餐後去喝一杯。」

劉駿光露出靦腆的笑。

史黛西使給我一個詭異的眼神和笑容，好像覺得我有鬼，故意瞞她。她湊到我耳邊悄悄地說，沒想到不靠她就能脫單。我瞪了她一眼。

一夥人於是就地解散，只留下我和劉駿光。店門前的招牌，燈管似乎壞了，忽然一明一亮的，還發出奇怪的滋滋聲。我們誰也沒說話，空氣中飄盪出一股尷尬的氣氛。

4

「所以，我們現在該去哪裡？」

我向來害怕人跟人之間沉默的死寂，趕緊主動開口。

「你是不是覺得有點尷尬？」劉駿光笑著問。

「你怎麼知道？」我嚇一跳。

「因為你都沒變。那張臉，心裡想什麼，就會百分百顯露出來。」

我推了推眼鏡，只能傻笑，不知該反駁什麼。心裡忽然想，如果我都沒變，那麼你以前曾經覺得我可愛，忍不住摸我的頭，現在是否仍以為已不青春的我還可愛呢？

「你還真可愛。只要陷入沉思就會推眼鏡，這個小癖好也沒改。」

我傻眼。他是不是變成國師唐綺陽的入門弟子？老是知道我在想什麼的功力，似乎比以前更厲害了。我告訴自己從現在開始放空，不要亂想，不然都被看穿。

「你想喝酒嗎？」他問我。

「我不太能喝，一喝就會過敏，全身紅得像煮熟的蝦子。」

「是喔？這我不知道。以前我們認識時還不能喝酒，所以也不知道你的酒量。」

「也是。你，很能喝？」

「嗯，還不錯喔！」他笑起來：「算是我的優點之一，怎麼混酒也不醉。可能是在美國被開發出來的潛能。」

「以為你只會喝麥香紅茶呢！」我打趣說。

「你居然還記得！」他搖頭猛笑。

當然記得。我們之間像是被按下一個暫停鍵，我牢牢記住關於他的一切，都停在二十多年前。然而同時，二十年間的空白，也有太多彼此未知的改變與發現，令人不曉得該從哪裡接續下去。大概正因如此，我才顯得有點尷尬吧。

不會喝酒，一天也不能超過兩杯咖啡，四十歲的我們，每天要顧及的事情真是太多了。回想起以前經常在宿舍裡熬夜看書吃泡麵的日子，實在覺得放縱。現在有時候半夜肚子餓了想吃碗泡麵，翻到包裝後面看到驚人的熱量顯示表以後，就會默默地放回去。

結果，我們最後去星巴克外帶了兩杯無咖啡因的花草茶，邊走邊喝。

「很唐突地出現，忽然加你好友，又沒多解釋就說要約你喝一杯，結果竟然只是請你喝了杯星巴克，而且還是外帶。」劉駿光一臉抱歉。

「無所謂，反正坐了一整天，剛好散散步運動一下也好。你不要叫我『忠孝東路走九遍』就好，現在腳很容易痠。」

「很冷的笑話，好久以前的歌了！」

「但是你笑啦！果然這種老笑話還是要同年紀的人才懂。上次我跟公司裡小我們二十歲的小朋友說，他反問我為何要走九遍，又為何不是信義區走九遍？原來他根本不知道這首歌。我當下覺得自己真老。」

「說起來我們上一次這樣喝著飲料，在夜裡散步，是多少年以前的事？該不會就是在霞中的操場吧？」

「不是。最後一次是在西門町。我的『夜大』成績公布隔天，跟你約去西門町吃冰。本來那天想好好跟你討論，以後什麼時間要去台南找你玩，結果話都還沒說，你就告訴我，你不去念城宮大學了，全家要搬去洛杉磯。」

「你也記得太清楚！」

「當然，你不知道那天晚上我驚訝到下巴都快掉下來。」我翻了個白眼。

劉駿光失笑，拍拍我的肩膀，說我記恨太深。

我們從大安路巷口沿著忠孝東路往市政府的方向走。途經頂好市場，跨過敦化南路口，很多年沒住在台灣的劉駿光詫異忠孝東路四段全變了個樣，店家倒很多，變得好寂寥。

「我也很詫異你怎麼全變了個樣。」我糗他。

「是嗎？」他喃喃自語道：「嗯，是吧。」

「現在可以好好告訴我，你什麼時候回來台灣的？是暫時呢，還是搬回來了？還有你怎麼知道我的臉書又怎樣曉得我在這間公司上班？最後希望你能解釋一下，為什麼當年突然音訊全無，消聲匿跡？當然那也不是很重要了，所以如果你不想說也沒關係。」

我連珠炮地說，自己也驚訝二十年來的懸念，只不過就是濃縮在這幾十秒的句子裡。

「先從近的事情開始說起吧，」劉駿光深呼吸了一口氣後，娓娓道來：「我一直不知道你的臉書帳號，事實上我很少用臉書，你看了也曉得，多半只是轉貼新聞。前陣子決定要和你們公司談合作時，我的同事，也就是剛才和你一起吃飯的那位陳先生，把你的上司湯瑪斯的臉書轉給了我看。他們本來就是老朋友。因為湯瑪斯臉書權限是開放的，所以從貼文內容到朋友清單都一目瞭然。於是，我就在他的臉書上，很偶然地看見了你。我也才知道，這麼巧，你就在這間公司上班。」

「看到你的訊息真的是嚇我一跳。怎麼不先說清楚？」

「就是想讓你嚇一跳啊！」他笑著說。

「你怎麼會跑去瑜伽會館的公司上班？我記得最後一次通信時，你說你在洛杉磯半工半讀，有時候幫忙你媽媽在一間芳療SPA打工。」

「對。那間SPA後來被一間連鎖健身俱樂部併購，所以我後來有段時間就去那間健身房打工，還當了教練，主要是教游泳。健身房幾年後成立瑜伽會館，大學畢業後我一時不知道該做什麼工作，外國人找工作也不容易，有點徬徨。恰好健身房裡有個移民過去的台灣長輩，對我很照顧，他被調去瑜伽會館工作，就把我找進去做行銷公關，沒想到一做就是這麼多年。現在公司計畫拓展到海外，台灣地區理所當然就是我和那位前輩負責了。」

「原來如此。既然在瑜伽會館工作，所以你瑜伽很厲害囉？也有教瑜伽？」

「沒啦！」他大笑兩聲說：「我在那兒不是教瑜伽，只負責公關行銷而已。你還記得我後來去洛杉磯，大學念的是跟市場行銷相關的吧？也算學以致用。啊，對了，我前些年在那裡考到芳療師執照，所以雖然不會教瑜伽，但是偶爾會在瑜伽會館附設的芳療SPA兼差，幫客人做芳療課程。」

「哇！行銷高手，身兼游泳教練，又是芳療師，你才華爆棚了吧！」

我想起來劉駿光在高中時，就對芳療按摩很有興趣，但是當時他的爸媽都反對。我偷瞄了一下他，忍不住想像衣服底下他的身材。記得以前，他的身材就比同儕的我們更成熟，非常勻稱，肌色又漂亮，如今經歷過健身房教練的他，真不曉得進化成什麼樣？目光又游移到他變得粗壯的手臂，心想若能被這手臂的力道做芳療推拿一定很舒服吧？危險、危險！我突然感覺粉紅色泡泡開始飄散，擋在我前面。

「你幹嘛一直揮手？你前面有什麼嗎？臉變好紅，很熱嗎？」劉駿光問我。

「蛤？我，我有嗎？」

天啊，我在幹嘛？整個人突然燥熱起來。

不知不覺我們走到國父紀念館。既然到了，就決定繞進去晃晃。星巴克花茶已經喝完，劉駿光在入口的販賣機投了兩罐飲料，拿了一罐給我。

天有些陰霾，遠方的台北101大樓在夜裡亮著的光，呈現一股迷濛，像往事墜入時間的霧裡，明知道許多東西就身在其中，但漸漸地只感覺到淡淡的輪廓，說不清真正的模樣。

「你問我，為什麼我後來突然消聲匿跡，」劉駿光終於開始解釋：「其實，我剛才聽到時，有點詫異。因為，那本來是我打算問你的。」

「問我？什麼意思？我後來寄信給你，你都沒回了，不是嗎？」我不解。

「你最後一次寄信給我是什麼時候？其實我從一九九五年以後，就沒有再收到你的信。我記得你最後一封寄來的信，是九五那年的耶誕卡片。我還有回你信，但是從那次以後，你就再也沒寄信給我。」

「怎麼會？我有啊！」我眼睛瞪得好大，努力澄清：「我記得我有收到你的回信，已經是過了跨年，也就是一九九六年一月下旬。我趕著農曆年前又回你一封信，那時候，我家終於裝網路了，我還在回信中跟你說這件事，附上我的電子郵件信箱，但是一直沒收到你寄來 Email，而且也沒有再收到你任何的卡片或信件。我還想說你怎麼了呢！但是除了你家地址以外，我沒有任何其他的聯絡方式。雖然沒收到你回信，那一年，你的生日和年底的耶誕節，我還是有寄卡片給你，但就是石沉大海了。」

劉駿光突然陷入沉思，半晌，他像想起了什麼似地說：

「有一陣子我們那裡很多行業罷工。郵差罷工，後來又是航空貨運罷工，聽說很多郵件都不翼而飛。我有點印象模糊了，該不會恰好就是那段時間吧？」

「真假？」我又驚訝又遺憾。

劉駿光點頭。我覺得不可置信，追問他：

「就算你沒收到我的信，不會覺得納悶，多寫幾封信來問嗎？」

「當時我一直覺得你很生氣我離開台灣，所以可能情緒累積到一個極點，終於決定不想再跟我聯絡了吧？又在想，或者你遇到了其他喜歡的對象……」他說。

「一開始我知道你要遠走高飛時，我的確是有點氣，但即使這樣子，我還是跟你通信了一年啊！再說你這些年來也是有回台灣吧？」

「有，但很少，每次都匆匆來去，畢竟家人全在那裡了。」

「當初沒收到信，回來台灣時居然也沒想要試著找我，問清楚是怎麼回事嗎？正常人都會想要搞清楚的吧？你以為我突然音訊全無，難道不擔心我其實是遭遇了什麼狀況，是生還是死嗎？真是有夠冷漠的。」

「我不是冷漠，」他急著辯解：「因為我知道你過得好好的。」

「你知道？你怎麼知道？」我詫異。

劉駿光面有難色，一副欲言又止的樣子，過了半晌才吞吞吐吐解釋。

「呃……就是……我猜的。對不起，總之，請你不要介意。」

他彷彿不小心露出什麼祕密的尾巴，但很快發現了又決定妥善藏好。

「你真的很怪。」我帶著一點抱怨的口吻。

他傻笑起來，說：「我本來就怪啊，你以前就常說了。況且我那時候，還沒完全認清楚自己的性向狀況，心情很複雜，情緒也不是太穩定。再加上林德凱和我媽之間，那時候又剛好出了點狀況，我被搞得很煩，也是賭氣吧，就沒再繼續試圖聯絡你了。」

「還賭氣勒！真的很幼稚。」

「你敢說你後來不也有賭氣的成分在嗎？」

「當然賭氣。準備考夜大的那段日子，我還以為我們關係不錯了，結果最後你卻落跑。老實說跟你通信的那一年，我氣也沒消，後來特地告訴你 Email 帳號，但每天晚上回家收信，都沒有看到你寄來郵件，熱臉貼冷屁股，多掃興。你不知道那時候上網多麻煩嗎？撥接上網，家裡的電話就占線，老是被我爸念。」

「哈哈哈！撥接上網，好久沒聽到這名詞。數據機嘎嘎嘎叫，真吵。」

「吵死了，而且還經常斷線！然後就一直連不上，馬的。」

劉駿光和我想到共通經驗的往事，笑成一團。

就像是蔡思明說的吧，在那個年代，還沒有社群網站，光靠信件維繫海內外的友人，其實很容易情誼就會淡了。正值血氣方剛的青春時代，彼此過著迴異的生活，開始結交新的朋友，擁有不同的交際圈，於是交集的價值觀逐漸愈來愈小。漸漸的，不再熱絡地聯繫彼此也不是太意外的事。兩個人分隔在海洋的兩端，雖然明明是在同一個星球上，但現實卻將我們的距離，拉得像是地球和冥王星一樣的遙遠。

「你剛說那段時間，還沒認清楚自己的性向——所以意思是後來終於明白，自己是喜歡男生的吧？」我單刀直入地問。

「多虧你的開導。認清以後，馬上在大學社團交了男朋友。」他笑著說。

「我老早就知道你是了。你還在茫然什麼鬼！」

「你真的是走在時代的尖端，雷達好準確。」

「是被我們那個神祕的霞中給培育出來的。」

我以為劉駿光這次回台是為了「FINE LINE」瑜伽會館成立台灣分店，從此將搬回台灣負責這裡的業務，但他說只是暫時回來協助初期的成立和營運，待上個半年，然後就會回洛杉磯。

「現在是七月，所以會到跨年以後，明年一月才回去？」我問。

他搖頭，說：「耶誕節以前就會回去了。我的『室友』說想換一間大一點的房子，他已經看好了，對方租期到十二月上旬，所以決定在耶誕節前搬過去。」

「是喔……原來如此。」

我若無其事地回應。因為我撿到了一個關鍵詞，室友。大抵不太喜歡張揚自己情感狀態的男同志，提到「室友」時，有八成暗指的就是同居男友。就算不是名義上的男友，可能也曾經上過床。而且我忽然想到，劉駿光也完全不好奇我現在的感情狀況。重逢到現在，他沒過問我是否單身，可能是怕我反問他，而他會說出令我難過的答案。

我忽然感覺一陣悵然若失。但是，我更對自己竟有如此的反應感到意外。我有什麼資格有什麼理由滋生任何情緒呢？我和劉駿光本來就是走在不同的人生道路上了。

「這幾個月我在台北，有機會再約出來吃飯吧。」劉駿光邀約。

「那當然。這幾年台北開了很多好吃的店，應該帶你去吃吃。」我說。

久別重逢的我們，在蓋了很久也蓋不好，被荒置的體育館工地前道別，不知怎麼總覺得有點蒼涼。我要搭捷運，他說他走路回去就好。公司替他在基隆路租了一間商務型的酒店公寓。臨走前，劉駿光突然從背包拿出一張傳單給我。

「同志遊行？」我詫異。

「十月底的台灣同志遊行。好多年前我在洛杉磯認識一個台灣男生，他後來回到台灣工作，很積極在推動婚姻平權，之前也參與同婚合法化的遊說活動。他今年跟朋友會在現場參與『彩虹市集』攤位，我答應他會去幫忙。有興趣的話，一起來玩吧！」

「這麼特別。什麼樣的攤位？」

「交友社團的宣傳。在攤位上幫忙介紹社團性質，招募會員。有點像同志版的婚姻仲介？就是幫同志『脫單』的意思。」

我聽了一陣雞皮疙瘩。我怎麼總是跟「脫單」牽連在一起啦！

明明我一點也不想結婚，不相信婚姻有什麼保障，甚至更難以想像自己要跟另一個人，開始在同一個空間裡朝夕相處，但此刻卻受邀去鼓吹大家交友結婚，實在太諷刺了。

我心裡這麼想著，卻心口不一。當劉駿光又補上一句「不勉強喔，有興趣再來！」並且用他厚實的手掌，溫柔地輕撫著我的頭時，我已被他這犯規的動作給收服。

有如反射動作，我居然點頭，默默答應了他。

回到家，剛洗完澡，蔡思明打電話來，像是追劇一樣，迫不及待想知道今晚我和劉駿光的情節發展。

「何晉合你一定要去。這是老天的安排。即使你跟劉駿光沒有什麼發展可言了，卻也有可能在攤位上認識人。不對，你應該自己先加入那個婚友社。多少錢？我替你出。」

「你太積極了吧！到底把我嫁掉，你有什麼好處？真像是人口販賣。」

「我其實不該說的。但既然你這麼問，我就偷偷告訴你吧。你爸媽最近老是傳LINE給我，一直問我有沒有幫你介紹好對象。他們甚至開了一個我們三個人的群組。群組名稱是『晉合的結婚ing』，三個月前開始的。我業績壓力超大！」

「什麼？真假！太誇張了吧。你怎麼一直都沒跟我說？早知道我不教他們怎麼用LINE了。我下次回家要跟他們說，不要這樣煩你。」

「不要說，我答應他們不跟你說的。那個聊天室的存在，讓他們兩老有一種默默關心兒子，並且從旁獲得兒子消息的喜悅。」

掛去電話以後，我覺得又好氣又好笑。

關掉房間的燈，躺在床上，想起劉駿光。他真的變得好不同了。現在的他，話變得好多，說話也懂得搞笑，能夠輕鬆討論性向，並且比我還熱中於同志議題。

相較於他，雖然我早在高中就已經對同志身分開竅，但是同志遊行辦了這麼多年，我卻一次也沒參加過。同婚議題吵得沸沸湯湯，我支持合法，也恭喜別人結婚，心底卻又覺得與我無關。是的，我也變得好不同。以前高中時代的熱情，天不怕地不怕的衝勁，都不知道竄逃去了哪裡。每天就是上班下班，以為把一個人的生活過好，那就是好。

我像是替自己在盎然的森林中打造一幢壯麗的城堡，卻又在周圍掘開一圈河，並且把整座建築套上玻璃罩，以為最好的維護，就是不受打擾。

扭開床邊小檯燈，我把劉駿光遞給我的那張傳單攤開來，又仔細看了一次。

忽然覺得劉駿光雖然變了，但我還滿喜歡他這樣的改變。

5

從雙溪大學日文系畢業以後，班上找不到工作又不想去當兵的男生，幾乎都去報考了研究所，而我卻早在升上大四時，決定一畢業就先去當兵。我真的認為不該再為難自己。我不是塊念書的料。好不容易硬著頭皮把大學給讀完，我不能再跳進另一個火坑。

退伍後，我找到一份在日語補習班做教務的工作。這當然不是我的志願，只是因為我沒有更好的選擇。每天幫忙老師準備教材，替老師排課，在櫃檯負責幫學生登記上課，同時為還無法用日文跟日本老師溝通的新生充當翻譯。這些工作對我來說，其實不用花什麼大腦，每個月就能按時領錢（即使不多），算是輕鬆，但老實說日子過得枯燥乏味。

有時候我要負責招生。有興趣想要學日文的人，如果直接來補習班詢問時，我要負責解說課程內容，想辦法吸引他們付錢入學。我本來覺得那是一件很簡單的事，反正只是把課程介紹一下，被師資和教材吸引的人若想來就會來。後來我才知道，同事們相當欽佩我。原來幾乎每個被我遇到的人，他們都會在當天立刻繳交註冊費，命中率百分之百。至於我的同事們，他們的成功率皆不到三成。

基於滿足同事的好奇心，有一回我應他們的要求，重現一次招生的實際過程。講完以後，他們都很詫異，我怎麼能夠一開口就停不下來，天花亂墜，把補習班的一切講得如此生動有趣，連他們都想掏錢上課了。

「到底為什麼這麼會講？」

他們覺得不可置信。我聽了內心偷笑。拜託！那有什麼嗎？殊不知我一天到晚都在自己的內心小劇場，主持一場又一場的廣播節目。從高中到現在，算是長青節目了吧！我真的不好意思說，本人最大的人生困境，從來不是說話，而是不說話。

因為太會講話推銷了，後來我離開日語補習班，去到一間日語雜誌社當業務。當然，這也不是我真正愛的工作，只能說得心應手而已。每個月領薪水時，我仍不免想到自己最想做的事情，就是成為廣播主持人。可是，就像是蔡思明離自己的歌手夢愈來愈遠一樣，當我大學沒考上廣電相關科系時，我想，我也就跟廣播人的夢想漸行漸遠。

沒想到的是，因為雜誌業務需要在廣播節目下廣告的關係，我間接地跟廣播電台搭上線，在那裡認識了新朋友。結果，在對方的介紹下，我辭去雜誌社工作，進到那間廣播電台當業務。

我本來以為近水樓台先得月，既然待在電台裡工作，就會距離我的夢想近一點。只要等待恰當的時機來臨，就極有可能成為播音間裡音控機和麥克風前坐著的那個人。然而，就像是蔡思明一樣，曾在經紀公司和唱片公司工作許多年卻終究無緣成為歌手，幾年下來，我每天在公司裡經過錄音室，明明只跟主持人隔了一層隔音玻璃而已，卻自知我跟那個位置的中間，像拱起一座座的山巒疊嶂，已經愈隔愈遠。

蔡思明的工作一帆風順以後，感覺我在職場中載浮載沉，這會兒換他看不下去。他打聽到一間「OTT」串流媒體平台即將成立，裡面恰好有他過去在電視台認識的朋友，於是推薦我去應徵。我之前做過的工作跟影視圈毫無瓜葛，本以為沒有機會，想不到對方看中我的日語能力，於是找我進去做版權交易，也就是跟日本的OTT和電視台商談購買節目版權，同時也向他們推銷我們原創的自製節目。除了版權購買的工作以外，我因為過去有行銷的經驗，所以也同時身兼公司的行銷企劃。

有如一直升不起火的柴堆，終於找到煽風點火的正確方向，沒料到我在這間公司如魚得水，找到久違的工作熱情，成果獲得回饋，而且還遇到一群有趣的人。那時候我並不知道，不久以後，吉米就會闖進我的森林，跨過城堡外的護城河，還差點敲碎我的防護罩。

蔡思明見到我工作順心如意，比我爸媽還要滿意。

「夢想這種東西，跟宗教信仰差不多。」有一次，蔡思明對我說：「你信了就有，你不信就沒有。」

「沒錯。夢想也好信仰也好，都只是現實生活的心靈寄託。重要的是怎麼更實際地快樂生活。」我振振有詞地說。

「反正廣播和唱片業現在都是夕陽產業，我們沒實現當年的夢想，也只是剛好。至少現在咱們倆都在串流媒體工作，還算是走在時代的浪潮上。」

「是的。感謝老天的慈悲安排。」

劉駿光的公司找上我們的公司談合作，是希望在我們的平台上，開設瑜伽健身頻道。不過，因為節目多半是洛杉磯那裡製作的，若是原封不動只是加上翻譯字幕，就直接在平台上線的話，總覺得少了一些本土化，受到注目的效果不會太大。因此希望能跟我們討論，可否出資讓我們企劃一檔自製節目，邀請一些IG上的俊男美女參與瑜伽節目的拍攝，當然最終是希望等到瑜伽教室在台開幕後，誘導收看的觀眾群能夠前往報名。

「也有打算製作Podcast節目。最近好像在台灣漸漸熱門起來。只是不太熟悉這一塊領域，不曉得該從何開始。」

那天夜裡，跟劉駿光在東區街頭散步時，他提到這個想法。

「你知道蔡思明在一間叫ORANGE MUSIC串流音樂平台的公司上班嗎？」我問他。

「真的？我不知道。規模很大的一間外商公司呢！」

「他們平台上有Podcast，而且也有自製節目，或許改天可以找他聊聊。」

「那太好了。其實就算不是因為公事，我也有想說找你跟他，下次一起吃個飯。我和他更久沒見面了。」

劉駿光他們公司的這個案子，在那場飯局的幾天以後，當天出席的那兩位特地到我們公司開會，雙方的合作算是正式拍板定案。

公司內主要負責這案子的人，由史提、吉米和潔西卡接手，而我和史黛西則從旁協助。但史黛西畢竟是主管，雖然表面上說是我們兩個人一起監工，但我知道史提、吉米和潔西卡的年紀都太小，縱使做事能力是有的，仍有許多大方向及細節，需要我這種擔心很多的老人來跟著，所以實際上最後一定就是我會跟著跳下去一起做。

這一天下班時，我和吉米一起搭電梯下樓。電梯裡只有我和他兩個人。我有預感，在這個僅有我和他的密閉空間中，那氣氛肯定會促發他做些什麼。果然，本來只是與我並排的他，突然更換位置，站到我面前來，相當靠近。

「你等一下要去哪裡？」吉米問。

「沒去哪裡。回家吃飯。」我回答。

「我去你家。」

「為什麼？不是說好了，我們不要再到彼此的家，會比較好嗎？而且，今天上班一整天夠累的了……」

我還未說完，吉米就搶話，模仿我的語氣接著說下去：

「回到家我想要一個人的空間，好好休息。只要家裡有另一個人在，我就不可能不顧慮到對方。對吧，你是不是又想這麼說？」

「你都知道了還問我？」

「我真的不懂，到底一個人的空間對你有多重要？你怎麼不搬去青海？『青海的草原一眼看不完』，你可以一個人擁有一望無際的空間。」

「我在峰峰相連的喜馬拉雅山上找不到工作，不然就去了。」

「你放心，我只是故意說說的。我不會真的要去你家。」

「說吧，你到底想要說什麼？」

我還是有點了解吉米的。我知道他其實有真正想說的事。

「聽說那個劉駿光是你高中同學？」他眼神中充滿好奇。

電梯到一樓了，外面有等著進來的人，我沒回答他，趕緊先步出電梯。離開辦公大樓，我們跟著人流走向捷運站。

「他『是』嗎？」吉米追問。

「這是個人隱私，我怎麼可以亂透露。」

「那一定就是了。不然按照常理就會回答——他不是啦！」

「人家是或不是，跟你接這個案子做有什麼關係嗎？」

「那他長得帥嗎？」吉米根本沒管我在說什麼。

我被問得有點煩，口氣敷衍地回答：「超帥的。從以前帥到現在。不過他不是你的菜啦，你不用這麼關心他帥不帥。」

口氣是敷衍的，但陳述關於劉駿光帥的事實，我卻是認真的。

「我才不在乎他是不是我的菜。我關心他帥不帥，只是在意我的情敵是不是多了一個人而已。你說他從以前帥到現在，就代表有危險了。還是你們根本曾經在一起過？或是其實你一直暗戀著他？」

「不要再亂說了。」我有點心虛。

「我只是要提醒你，我不覺得你有辦法再跟人在一起了。」

吉米這句話狠狠刺中我的要害。我必須坦承，他也是有點了解我的。否則，我們不會曾經墜入情網，只交往了一個月。

刷卡進站後，我停下腳步看著吉米說：「既然是這樣，你又何苦跟他們加入『脫單』計畫，說我會重新愛上你？」

「我有信心讓你再次愛上我，但是我沒說我們有辦法在一起。我指的是同住屋簷下，他們希望你結婚的那種『在一起』。但沒關係，只要你再愛上我，就算脫單。」

吉米突然讓我的內心深處受到一股莫名的觸動。我想我當初就是受到他偶爾稚氣、偶爾成熟、偶爾受傷惹人心疼的態度，才會不自覺地喜歡上他。只是後來我才發現，我墜入的不是情網，而是一個生命中一直荒置在那裡沒有彌補好的缺口。

「又在裝大人。」

我歎氣搖搖頭，告訴自己思緒回到理智點上。

「我本來就是大人，已經三十一歲了。」

「算了吧，在我面前你永遠也像小孩。」

我不知道這句話是褒是貶，只是忽然這麼想就說出口來。吉米聽著，起初神情變得很憂傷且嚴肅，但不到幾秒鐘，他瞬間改變了，突然微笑起來。

果然是很吉米的反應。我知道他明白這句話聽起來可以是好也可以是壞。原先他感受到壞的部分，但是很快地卻選擇去自我詮釋，那是我對他的疼愛。雖然，我其實沒有。

6

在手機記事本列了一張清單，是這幾年台北風評很不錯的新餐廳和咖啡館，準備下回跟劉駿光約見面時能夠派得上用場，結果沒想到當我們再次見面時，他主動說他想去的地方是我也很久沒去的西門町。

這十年來我去西門町的機會愈來愈少。早年還會因為看電影而專程去，後來電影院開得愈來愈多了，也沒有非去那裡不可的必要。想不起來上一次踏進週六晚上的西門町是什麼時候，我一從捷運站出來，在前往餐廳的路上，穿越過四周盡是十幾二十歲的年輕人，嘈雜的音量立刻令我感覺快溺斃在青春的浪潮中。

劉駿光說想去吃好久沒吃的「美觀園」，讓我很意外。想吃日本料理，信義區有好幾間氣氛優雅，口味正宗又道地的名店，他卻說出一間這麼老派台式的日本餐廳。

「記得以前我們來西門町，有來這裡吃過蛋包飯，覺得很好吃嗎？」劉駿光說。

劉駿光原來是一個那麼懷舊的人嗎？我不知道。我跟他最熟的時候，是彼此正值青春之際，那時候，只會仰望看不盡的未來，還輪不到懷舊。

「我記得啊。但我怕你只是記憶的美化，等一下吃了會失望。如果你很想吃美味的蛋包飯，還是我們去別的日本料理店吧？有一間信義區的店，廚師是日本人，會做非常好吃的蛋包飯。」

「今天就吃美觀園吧！如果我一個人來，我想大概真的吃了會覺得失望。但是今天不同，是跟你來。既然是跟你一起來吃，我已經相信會是美好的回味。」

「切！你哪裡學的變得那麼會撩人？」

我笑著瞪了他一眼，心底卻甜甜的。劉駿光你如果是整張臉變了，我還可以解釋你去韓國整形過，但你像是整個靈魂都被換過了。我懷疑你真的沒被附身嗎？到底怎麼會變得如此熱情，懂得說甜言蜜語？如果是二十多年前，我還是高三畢業前的那個小男生，聽到這番話肯定會樂到天女散花，但現在的我卻變得矛盾不已。有一個充滿情感的我，知道對於他的殷勤會難以招架，但同時又有另一個理智的我會拉住自己，要我維持現狀。

「還是一樣都點蛋包飯囉？」劉駿光問我。

回神過來時，我們已經坐在餐廳內拿著菜單點餐。我點頭說好。

年輕的時候沒吃過什麼好吃的餐廳，連日本也沒去過，當時覺得美觀園就已經是很不錯的日本料理，如今再吃，雖然還是不難吃，但已經不是會特地想要來的地方。我沒問劉駿光還是覺得一樣好吃嗎？但是他確實一口接一口，吃得很開心的樣子。還是說其實是因為他一直在跟我分享住在洛杉磯和公司裡的事情，同時不斷穿插著高中的回憶，說得眉飛色舞的樣子，所以感覺他咀嚼的飯也是好吃的呢？

離開餐廳，我問他接下來想去哪裡？如果沒特別想去的，就隨意晃晃走走。

他點頭，說：「好。可惜，要是淘兒唱片城還在的話，我們就可以去逛了。」

「已經倒閉非常久了。」我說。

「真的以為那麼大間的唱片行，會一直開下去的。」

「現在連CD都沒人買了。很多唱片行都改賣手機殼和行動電源。」

「不過，」他突然樂觀起來：「黑膠唱片不又流行起來了嗎？所以還是有老舊的東西，是不會被淘汰的，只是換了一種形式活起來。」

「只有人老了，肯定是會被淘汰的。」

「別這樣。年紀大也有年紀大的好處。」他說。

我點點頭，看著劉駿光臉上綻放出好看的微笑。

年紀大的好處是什麼呢？大概就是像現在這樣，經常可以在一段對話中跳脫出來，像是一個旁觀者似的，審視今昔的對照。然後懂得感受，多年以後還可以健健康康地重逢彼此，不帶著怨恨，那就是平凡中的大幸運。確實，這是年紀小的人不會明白的。

西門町繞了一大圈，最後我們走進紅樓旁的酒吧區。剛在吃飯時，蔡思明發訊息問我在做什麼，他說晚一點阿勝跟他要去西門町紅樓。阿勝有個朋友投資的夜店今天開幕，問我沒事的話要不要去看看，幫他們充場面。我回他說，我跟劉駿光恰好就在西門町。

「也太巧。既然都在西門町，那就一起來吧！好久沒見到他。」

我轉告劉駿光，他欣然接受，說本來就想找蔡思明碰個面，擇日不如撞日。

九點多，還不是夜店最多人聚集的時候，但戶外已經人潮熙攘。令我驚訝的是，我們都還未見到蔡思明和阿勝，只是從紅樓入口處走到約定集合店門的這一小段路上，居然就有三個人迎面和劉駿光打招呼。

「我懷疑你這些年真的是住洛杉磯嗎？不是台北？」我狐疑。

劉駿光笑著搖頭說：「湊巧啦。記得上回有跟你提過的同志遊行『彩虹市集』攤位嗎？剛剛打招呼的那些人，都是我那個朋友的朋友。上星期才剛認識。」

結果話才說完，又一個男的，遠遠地靠在一張高腳桌，拿著酒，喚著劉駿光的名字叫他過去。他露出邪門的笑容，一副想要把劉駿光整個吃掉的欲望，令我毛骨悚然。

「不好意思，我去跟他打個招呼，馬上回來。」

「你簡直是酒國名媛，太紅了。」我揶揄他。

劉駿光聳聳肩，給我一個尷尬的微笑：

「等下再解釋。去一下馬上回來，抱歉喔！」

我一個人走到跟蔡思明約好的店門前，不到一會兒，終於看到蔡思明和阿勝現身。

「劉駿光呢？」蔡思明問。

我指著他在的位置。蔡思明和阿勝瞇著眼望，笑著說跟天菜朋友來到這種地方，就是得有被冷落的覺悟。半晌，劉駿光終於回到我們面前。

「蔡思明，好久不見。」

劉駿光的目光把蔡思明從頭到尾掃過一遍，欲言又止。

「別用這種眼神看我喔，想說什麼就說吧！還是我幫你說，對，沒錯，如你所見，我現在是個在業界小有『分量』的人了。」蔡思明自嘲。

蔡思明最近這一年胖了不少，穿襯衫時如果將下襬塞進褲襠，腹部就會隆起一座小山丘。不過他其實是真的一點也不在意的。那是幸福肥。令人稱羨的幸福肥，首先的必要條件，是必須要有一個像阿勝這樣的大廚做為男友才行。

「要怪就怪他吧！常常晚上說要試做新菜色，需要有人幫忙試吃給意見。老是睡前被迫上演『深夜食堂』你說我能不胖嗎？」蔡思明邊說邊指著身旁的阿勝：「喔，劉駿光跟你介紹一下，他是我男友，叫他阿勝就行。在餐廳當主廚。」

「嗨，阿勝你好，我叫劉駿光，是蔡思明跟何晉合的高中同學。」

「你好！之前有稍微聽他們聊過。聽說當年是『校草』，很受歡迎。」

我插話，糗劉駿光說：「他現在還是很受歡迎啊，沒看到剛剛只是想要從門口走到這兒都很困難，一直被人攔下。」

「偷偷說，最後打招呼的那一位，我不是太喜歡他。」劉駿光解釋：「跟人相處時，他常有種高高在上的態度。可是沒辦法，因為聽說他每年都捐很多錢，給我那個在做同志平權運動朋友的團體。我朋友私下跟我說過，其實也沒那麼喜歡他，不過別跟錢過不去。人家願意資助，我們只是熱情打個招呼也算值得的投資。所以我擔心如果他叫我，我態度不積極的話，會連累到我朋友。」

「做人很難。劉駿光你什麼時候變得那麼隨和又懂人情世故？以前你我行我素的。」蔡思明難以置信地說。

「看吧，不是只有我在說而已。」我附和。

劉駿光傻笑著，不置可否。

看著他，瞬間，我有股奇怪的感受湧上心頭。跟劉駿光久別重逢，我本來覺得他變了非常多，變得比較容易理解，不像以前許多心事悶在心中，神神祕祕。然而此刻，我忽地感覺他其實還是不改神祕的。只不過以前的神祕，是他的悶悶不樂，因為一開始搞不清楚，他為何平日在學校跟假日在補習班判若兩人；而現在的神祕，則是他太過陽光樂觀，整個人像是軟體重灌一樣，載入截然不同的作業系統，變得那麼外向，積極主動，懂得跟人交際，而且與人為善。比起抑鬱寡歡，憤世嫉俗來說，這當然是件好事。只不過同時也令我愈發好奇，我和他空白的二十年之間，他到底怎麼了？今天在西門町閒晃時，我幾度曾想要開口問得更詳細，但話卡在喉頭終究未說。

別問太多，別知道太多！我的心底冒出這樣的聲音。我們不過只是恰好重逢，幾個月後，他又要回洛杉磯過他的日子，而我也有我自己的生活，我們也不會再有交集。正像是我不會主動告訴他吉米的事情一樣，他也沒必要告訴我他的祕密。

知道彼此太多祕密，就是負擔了，我們誰也不一定能保證，有能力處理對方累積二十年來的情緒。懂得保持現狀，就是通向大人的途徑。

7

一群人在酒吧停留一會兒，蔡思明的男友阿勝看起來有點坐立難安。我問他是不是人不舒服，他說不是，只是不習慣夜店的感覺。

「我也是。」我說。劉駿光聽到也點頭，但我不相信他，玩笑似地說：「不會吧？看你剛才一副很自然的樣子。走進夜店，很熟練地逢人就打招呼。外國人不是很愛上酒吧的嗎？你上次說你的酒量就是因此訓練出來。」

「我哪有很熟練？都是別人主動來招呼的嘛。至於酒量，確實是在洛杉磯被訓練出來的。不過洛杉磯的小酒吧，跟這種夜店氣氛差很多的。該怎麼說呢，比較沒有壓力吧。」劉駿光一副委屈的模樣解釋道。

「沒錯，太有壓力了。四個四十歲的大叔，在這裡顯得好突兀。」我說。

「既然這樣，那我們走吧！」蔡思明說。

「只待了半小時就走，可以嗎？不是來捧你朋友的場嗎？」我問。

「是啊，但差不多啦。花籃都事先送過來了，而且剛剛也都跟我朋友打過招呼了。說實在我也不喜歡同志夜店的氣氛。算一算，我們已經多久沒來了？我只記得最後一次一起來，是某一年的端午節，後來我們還去附近吃了粽子，對吧？那多久以前啦？」

蔡思明問我，我想了想，回答：「大概有兩、三百年吧。」

「靠腰，我們是青蛇白蛇來的嗎？還好夜店沒賣雄黃酒。」蔡思明說。

「還沒黃湯下肚你就原形畢露，喝了還得了？」

「喝了會把每個男人都當雷峰塔，對他們大叫拜託快上！快點來壓我！」

我和蔡思明兩個人捧腹大笑，沒辦法再開口說話。

「呃，他們兩個還好嗎？」劉駿光抓抓頭。

「以前高中不會這樣嗎？他們兩個經常笑點很低，而且是連動式的，常常一發不可收拾。習慣就好。」

「這麼一說，好像以前就是這樣。」劉駿光笑著搖頭說。

「你太久沒見到我們合體了啦！」我說。

離開紅樓旁的酒吧，還不到十點，蔡思明問我們肚子餓嗎？要不要去吃個消夜。我和劉駿光晚餐只吃了蛋包飯而已，一被問到要吃消夜時，確實感覺有點餓。

「如果你們不會覺得太晚的話，要不要來我們家坐坐？反正明天放假，我今天剛好買了一些新鮮的食材，可以簡單煮點下酒菜吃。」

阿勝盛情邀約。蔡思明馬上拉著我說：「對，拜託來吧！他今天又想試新菜色了，你們不來，我又要吃掉好多東西。是不是朋友就看現在了！要肥一起肥。」

「我當然樂意。但不會太打擾嗎？何晉合你OK嗎？」劉駿光問。

我點頭說可以。其實有一陣子，我經常週六晚上去他們家吃飯，然後聊得太晚，就乾脆睡在他們家，大家都夠熟了，也沒什麼不自在的。

招了台計程車，我們前往蔡思明和阿勝的家。那間公寓是阿勝和蔡思明一起買的，不過決定買在哪兒，甚至屋內裝潢，阿勝全權交給蔡思明決定。阿勝自嘲說，他欠缺美感，所以讓蔡思明決定比較妥當。看阿勝本人的外形和穿著，確實知道他沒什麼美感，他的美感只停留在食物擺盤上，不過我知道，他那麼說，是對蔡思明的一種信任與疼愛。

劉駿光很稱讚他們的房子，非常懂得善用空間，家具的挑選也簡單俐落，特別是照明的部分，一看就是經過巧思設計的。

我問劉駿光：「每次來他們家，我就會興起好像也該努力買間房子，打造出自己的空間。畢竟租房子還是有很多限制的，無法隨心所欲改造室內設計。你會不會也有這種感覺？想要買間屬於自己的房子？」

問完以後，我才驚覺自己似乎開啟了一個敏感的話題。

「確實會。我現在在洛杉磯跟『室友』住的那裡，除了因為空間太小以外，也是因為房東很囉唆，這不能掛那不能弄的，所以才決定搬走。」

劉駿光仔細解釋，但我的重點卻只停留在最初的「室友」那兩個關鍵字。再一次出現了，洛杉磯的室友。

熱心的阿勝聽了以後，立刻開口給出建議：

「所以還是租的嗎？如果關係穩定，又會一直留在那裡的話，可以考慮買房比較划算。現在每個月繳租金，等於以後是繳貸款，但房子就是自己的了。買房子，一個人的話比較吃力，像是我和蔡思明這樣會好一點。你跟他『一起』買的話，就會輕鬆一點了。你們應該也會想要有自己的房子吧？還是不會呢？在洛杉磯，外國人買房的狀況是怎麼樣？還是他是本地的美國人？」

阿勝雖算貼心，但比起我和蔡思明來說，他還是神經比較大條的。他隨口落落長的提議，結果突然把場面搞得一片鴉雀無聲。蔡思明見到我的表情有異狀，似乎立刻明白什麼，趕緊用手肘低調地推撞了阿勝一下。阿勝竟還回過頭開口問：「幹嘛推我？」直到看到蔡思明擠眉弄眼的暗示，才喔喔兩聲，尷尬得不再說話。

「啊，你誤會了，」劉駿光搔頭說：「他不是我另一半。只是室友。而且從現在住的地方搬走以後，我跟他也不會再合租房子。」

我無法形容此刻我的心情。又是驚訝，又是竊喜，混雜在我詭異的聲音中。

「你不是會趕著耶誕前回去幫忙搬家嗎？」我問。

「沒錯啊，房子會退租，我得搬家，不過不是幫忙搬家，是他搬他的，我搬我的。我室友要跟女友結婚了，所以打算換一間比較大的房子。至於我，現在住的地方，如果只有一個人住的話太大也太貴，再加上剛才說的，覺得房東太囉唆，所以也會趁此搬到另外一間比較合適的單人公寓。」

劉駿光解答了我沒問出口的疑問。原來他的室友，真的只是純粹的室友。但我在竊喜什麼呢？無論他現在有沒有男友，我知道答案了也沒什麼意義吧。

阿勝明明說只是隨便弄點下酒菜當消夜，結果卻變出一桌豐盛的菜肴來，把我和劉駿光都嚇到。

「消夜煮那麼豐盛，是準備一過十二點要『拜天公』喔？」我打趣。

阿勝笑著，一臉誠懇地說：「對蔡思明來說，能同時把你們兩位找來我們家，大概是跟迎神同等級重要的吧？我當然不能怠慢。」

「沒錯沒錯，你很懂。」蔡思明溫柔地拍了拍阿勝的肩膀。

不知道東南西北閒扯多久，大概把整個霞中的同班同學和老師們的往事全都細數了一遍。一晃眼，阿勝煮的菜全被我們給吃完了。

吃飽喝足以後，我和劉駿光離開蔡思明家時已經快要半夜一點。在樓下巷口想招計程車，可是怎麼等都攔不到車，我們決定往前走到大馬路上試試看，但神奇的是出現的計程車幾乎都是載人的。最後，我和劉駿光乾脆坐在人行道的椅子上等，不過似乎也沒怎麼用心看來往的車，兩個人又不自覺聊起天來。

8

「看到蔡思明和阿勝的互動，覺得滿好的。」劉駿光突然開口說。

我點點頭，回應他：「是啊。雖然阿勝不是金城武，但對蔡思明真的很好，算是個真正的『標準情人』了。」

「因為年底要搬家，又要重回一個人住的狀態，剛才看到他們，不免就會想其實有人作伴一起住，是還不錯的吧？不覺得嗎？」

劉駿光一邊抬頭看著沒有星星的台北夜空，一邊低聲說道。

我很詫異。劉駿光原來羨慕蔡思明和阿勝。如果是從前的他，我很難想像「找個伴同居」會是他口中說出來的話。那反而比較像是從前的我，會說出來的想法。

經過二十多年，我們兩個人怎麼好像被交換了似的？

「那也得有適合作伴的人才行，不然個性不合反而撕破臉。」我理智地說。

當然，我沒透露能爬梳出這樣的理智，源自於我的經驗談。過去幾年，我已經累積太多因為同居，最後卻撕破臉的不堪回憶。正是因為那些經驗，我才和吉米只交往一個月，當他提出同居的請求時就急踩煞車。因為我知道那結果，很可能就是最後連朋友都做不成。

「也是。」劉駿光話鋒一轉，單刀直入問：「你現在沒有這樣適合的人選嗎？」

沒料到他突然這麼問，我一時愣住，半晌才回答他。

「現在沒有。」

「現在沒有，代表以前有過囉？」

我顧左右而言他，聳聳肩，推著眼鏡說：「反正就是都沒有了。」

「會想要有嗎？現在同志都能結婚了，要是有機會，想過要結婚嗎？」

「拜託不要喔，不會連你都來逼婚吧？」

「居然會被逼婚？」他大笑。

「我爸媽啊，蔡思明，還有我們公司的人。以前沒透露同志身分，被逼著要跟異性結婚，沒想到公開出櫃了，同婚通過以後，現在他們就名正言順逼我和同性結婚！」

我翻了一個白眼，猛搖頭。

「哈，是有這麼無奈嗎？你要努力說服他們，只是還沒等到好對象呀。」

「我其實沒有考慮過結婚。」我解釋。

「結婚不好嗎？我以為你會很嚮往的。那麼不結婚，同居也是可以吧。蔡思明和阿勝他們有去登記結婚嗎？」

「他們很好笑。同婚通過前，一直嚷嚷著說通過後就要馬上去戶政事務所註冊。結果同婚通過以後，兩個人工作都忙得要命，拖到現在都還沒去登記。」

「像他們這樣也很好呀，法律上沒結婚，但其實是老夫老妻的同居日常了。如果跟喜歡的人不結婚只同居，也沒有考慮過嗎？」

「結婚，不就是個社會化的形式嗎？如果真的相愛的話，其實不必特地用這個儀式來證明什麼吧？而且也有很多結婚的人最後空有形式，根本彼此不相愛。至於同居，就像我剛才說的，得有適合作伴的人才行，不然個性不合反而撕破臉。你不覺得人到了四十歲以後，自己的生活方式和習慣都定下來了，突然要跟另外一個人二十四小時共處，價值觀重新磨合或退讓，是一件非常困難且累人的事嗎？」

我義正辭嚴解釋完一大段話以後，想不到竟換來劉駿光的噗哧一笑。

「你笑什麼？」我瞪大眼睛問。

「你什麼時候變得那麼會講道理？頭頭是道假裝認真說理的樣子，太有趣！」

「喂，我哪是假裝認真？我真心說出想法耶！」

我口氣有點衝，劉駿光大概以為我生氣。

「好啦好啦，別皺眉嘟嘴，」他又犯規地用大手掌輕撫我的頭，笑著說：「生氣臉上細紋會變多！」

我放鬆下來，見他好心勸說的溫柔模樣，搖頭失笑。

真神奇。從以前到現在，每次只要劉駿光這樣一摸我，我就像被馴服似的。明明是他長得像討拍的犬系臉，卻變得我才像是聽他話的小狗。

「總之，」我補充道：「我覺得我應該不太適合跟人朝夕相處。」

劉駿光突然認真注視我，令我感到一陣心慌。

「何晉合同學，你講了那麼多，都是理論。就像是你以前總是很會作文，反共復國的八股文都可以寫得像天方夜譚一樣。我啊，是覺得這事情很簡單。你別想太多，就是去做去試再說。還記得以前你對自己的考試成績很沒自信，應徵廣播主持人比賽也裹足不前嗎？後來硬著頭皮先去試過了，這樣不是很好嗎？」

「其實我也不是沒試過，但結果似乎都不太好。所以，就這樣吧，決定從此以後一個人能把生活過好就好，其實也沒什麼關係。」

我模模糊糊地帶過。其實，我不是很想跟他多說這方面的私事，一方面覺得難得重逢，不該造成對方的情緒負擔；另一方面因為他是我的初戀，跟他談這些事情，總覺得很奇怪也有些難堪。也許我害怕因為那分難堪，印證了我一直沒有放下他。雖然我知道，這話要是被蔡思明聽見了，他一定會笑到在地上翻滾說：「你有病啊！你本來就一直沒放下他啊！還需要懷疑嗎？」

劉駿光聽了以後，深呼吸一口氣，手放在我的肩上，說：

「一個人能過得好，當然很好。不過，哪怕心底只有一點點嚮往兩個人在一起的生活，都不應該只是因為害怕結果，就賭氣放棄。你有可能只是還沒碰到對的人。你要是遇到一個你夠愛也對你好的人，剛剛說的那些原則或道理都會灰飛煙滅。」

我啞口無言。不想承認，又被他看穿說中。

「搞什麼嘛，還敢說我，其實你比我更會講大道理。」我轉移話題糗他。

「但你說，是不是真的有點道理？」

我推了推眼鏡，嘴硬回答：「還行啦。」

「你以前還說，畢業以後，去念大學時要跟我租房子一起住呢！」

劉駿光重提往事。我忍不住又翻了個白眼，回他：

「你好意思說！是誰後來落跑去國外的？」

「在此再次向社會大眾道歉。」

他站起來向我彎腰，深深一鞠躬。起身，他一臉嚴肅地看著我。

「給我一個彌補的機會，你願意嗎？」他說。

「啊？什麼意思？」我以為聽錯，緊張地確認。

「以前本來要一起租房子住的，結果因為我的關係，從來沒有實現，怎麼想也是一個遺憾吧。所以，如果可以的話，請給我一個機會彌補，讓我跟你在一起同居試試看，你覺得怎麼樣？」

我瞠目結舌。劉駿光真的知道自己在說什麼嗎？

「你想跟我，在一起？要跟我同居？」我不自覺提高音量。

「別緊張！別誤會、別生氣，我的意思是，就像是以前我們高中宿舍住在一起那樣。因為剛才你說，沒有跟個性合得來的人同居過，又自己一個人住太久，怕不習慣跟別人朝夕相處，所以我才提議。畢竟我們以前在同一間寢室生活過嘛，生活習慣應該也都知道了，或許重新溫習一下跟其他人住在一起的感覺，以後你就不會這麼反感。搞不好，你從此敞開心房，就會迎來一段新的感情，跟喜歡的人同居甚至結婚呢！反正我最多就是到十二月中就會回洛杉磯了，如果你真的覺得我很煩，也不過就是這四個月而已囉。當然啦，要是你真的一星期就受不了，也可以直說。我們就提早結束在一起『類同居』的練習，你覺得我這個提案，是不是還滿有創意的？」

「呃，你真的不是開玩笑嗎？」

他搖頭，一臉誠懇，臉上寫滿等待我進一步回應的表情。

劉駿光，你以為在一起同居生活是挑相機來的嗎？單眼、類單眼？虧你想得出什麼「類同居」的詭異名詞。一個人長大成熟了，原來還是可以有這麼天真的想法。我感到一陣荒唐，但同時覺得他還像個大男孩似的衝勁，又有點可愛。

「我覺得茲事體大，需要一點時間想一想。」我故作鎮定說。

其實我心底想的是要趕緊找蔡思明商量這意外的發展，我該怎麼處理。

「當然、當然。」

他話還沒說完，就突然跳起來，衝向馬路，終於招到一台計程車停下來。

「上車吧，我請司機先繞到你家，然後我再回去。」他說。

「不順路吧，我自己叫一台就好。」

「那你會等到去總統府升旗。快來！先把你送回去，我比較安心。」

偶爾傻傻的，但總在關鍵時刻，他就是能夠如此聰穎貼心。

我點頭，心頭暖暖的，跟他上了車。

9

第二天下班後，立刻約蔡思明見面說了這件事，他反應非常淡定，毫無任何驚訝。

「我才不會笑倒在地上呢！我二十幾年來都這麼認為啊，所以一點都不是新鮮事。你本來就是從沒放下過他，只是不願意承認罷了。要不然，你以為你跟之前交往的對象，為什麼到頭來都分手？」

「就是個性不合啊。」我說。

「錯。是因為你心底總拿劉駿光去做比較。」

「才不是。」

「就是。我認識你二十多年了，你對劉駿光的感覺，我腦袋裡都儲存著大數據。只要你不轉性愛女人，就絕對沒有誤差。」

「你不要那麼專業好不好。」

「何晉合你這樣不行啦。對跟你交往的人不公平，也對你自己太折磨。」

「大師，那現在你覺得該怎麼處理？關於劉駿光的提議。」

「嗯，」蔡思明想了想說：「我覺得他只是開玩笑吧。他現在不是變得比較開朗風趣嗎？所以說玩笑話也是滿正常的。他明明拿公司的薪水，住在公司替他租的商務公寓裡，怎麼可能忽然說要跑去跟你住？而且他根本沒去過你家，又不知道你家狀況，這樣要求太突兀了。雖然說你家要住兩個人勉強可以，但還是有點辛苦吧？喔，不對，我要修正我最後一句。也許你不會覺得辛苦，因為他是劉駿光。愈擠愈能擠出蜜？」

「你好煩！」我翻他白眼：「但我有問他，真的不是開玩笑嗎？他說不是。」

「總之我聽起來就像玩笑話。他昨晚不是喝很多酒？喝完酒閒扯的話，我看你不要太認真比較好。都二十幾年沒見面，忽然重逢，就說要同居？」

「你也覺得，真的是太怪了對吧？」

「很怪啊，你不是從以前就一直說他是個怪人？不過，換另一個角度來看，台北的房租這麼貴，很多人只是朋友關係也會一起分租房子，這很正常。所謂同居就只是室友關係，又不是情人。這麼一想的話，他說要跟你一起住，就只是借住罷了，好像也很正常。」

「可是你剛說，他又不是沒地方住。而且，他的說法是，想要彌補他過去的失約，並幫我適應跟其他人一起住的感覺。」

「這聽起來就很像玩笑話呀！而且你說，他用了『重溫』這兩個字。」

「蔡思明你真的好煩。到底要我相信他是認真的，還是開玩笑？」

「誰都別信。相信你自然的生理反應，騙不了人。」

蔡思明指著我的褲襠笑著說。

「去你的。」我揮開他的手。

然而，那一晚過後，劉駿光已經過了三天沒有再跟我聯絡。在這個網路和智慧型手機不離手的年代，不聯絡比聯絡更難。要是跟一個朋友超過三天以上，都沒有互發過任何一則訊息，或互相按讚的話，那就證明你們根本沒那麼熟。

所以我漸漸覺得，那晚劉駿光說的話，大概真的只是酒後一時興起的玩笑。他沒有跟我聯絡，我能做到的就是也不要主動去聯絡他。唯有如此，我才能以一種生活中還沒有重逢他之前的速度，維持不慌不亂的腳步。

「FINE LINE」瑜伽會館的合作案，實際執行的人不是我和他，所以我們也沒有因公事而需要聯繫彼此。即便如此，這樁合作案仍如火如荼進行中。

吉米、史提和潔西卡去「FINE LINE」開完會的這天早上，回到公司以後，向我和史黛西報告進展。聽起來一切都很順利。他們決定台北會館的開幕日期在年底耶誕節前，而委託我們製作的影音內容，希望在開幕一個月前上線，也就是十一月下旬。扣掉內容的剪輯和修改，拍攝日大概會落在九月下旬。至於工作團隊和該找誰拍，大概就是最近必須決定了。

「另外，對方有提出，希望製作 Podcast 節目。」吉米說。

「可是我們是以影片為主的平台，沒做 Podcast 也沒有頻道可放。」史黛西說。

「是。他們希望把內容包給我們做，但上線露出的地方，會跟其他的串流音樂平台談合作。他們的主管劉駿光說，之前有和晉合哥聊過這件事。」

吉米說完，所有人都同時看向我。

「劉駿光今天有跟你們一起開會？」我有點意外，以為他不會參與。

「有，終於看到傳說中晉合哥的高中『好友』囉。他真的有四十多歲？完全看不出來。還以為只比我大一點，三十五歲左右而已。高中時代一定更帥吧？一定『有些人』到現在還無法抵擋他的魅力吧？」

吉米話中帶刺，令我覺得很不自在，趕緊轉移話題：

「Podcast 的事之前有聊到，我們有共同認識的朋友，在串流音樂平台公司 ORANGE MUSIC 工作。我建議劉駿光他們公司可以跟他合作。不過如果是跟 ORANGE 合作，其實 Podcast 內容的製作，直接交給他們就行了。我不知道為什麼他想包給我們做？吉米，你確定他是這麼說的嗎？不是說請我介紹給 ORANGE MUSIC 就好嗎？」

「很確定。因為他告訴我，Podcast 希望指定的主持人，是你。」

吉米斬釘截鐵地說。這答案令我好詫異。

史黛西很驚訝，望向我問：「你？主持人？為什麼會想要找你當主持人啊？你有經驗嗎？」

我還沒來得及開口解釋，吉米就搶話說：「劉駿光告訴我，晉合哥以前在高中是廣播社的，專門負責學生餐廳的廣播節目主持工作，而且以前還參加過廣播ＤＪ徵選，一直都想當廣播主持人，而且也對音樂非常熟悉。他說晉合哥從麥克風播放出來的聲音很好聽，是他們希望的調性。」

「真的還假的？何晉合你怎麼從來沒說過？」史黛西問。

「是這樣沒錯吧？感覺他很了解你呢，應該沒說錯吧？」吉米話中有話逼問我。

「呃，高中的事確實是這樣沒錯。」我推著眼鏡，尷尬解釋：「可是，我畢竟沒有真正成為廣播ＤＪ，我想我並不專業。況且他們要製作的是談瑜伽方面的內容，我根本不懂，怕會毀了他們的案子，更擔心節目放在串流音樂平台上顯得粗糙。」

「可是他卻指定要你主持，就代表你可以。畢竟，他們不會拿石頭砸自己的腳啊。吉米，你覺得劉駿光是很認真說這件事吧？」史黛西問吉米。

吉米點頭，語氣狠狠地對著我說：「他很認真，他要你，他說，他就是要你。」

「哇！這句話根本猛攻啊！他就是要你！天啊，我臉紅了！」史提笑著起鬨，潔西卡也附和說「我也是！」並兩手托起臉頰，裝出一副好害臊的模樣。

史黛西加入戰局，一拍桌子，很激動地站起來，大聲宣布：

「想不到我們都還未出手，老天就安排了命運的重逢，好一個『脫單計畫』的開始！做，要做，絕對要合作。吉米，等一下就立刻回覆劉駿光，告訴他們 Podcast 包給我們，他要何晉合，我們樂見其成，就給他。」

「好想問他，除了要晉合哥的聲音以外，還要不要晉合哥其他的部分？我們也舉雙手贊成全部給他喔！」潔西卡樂不可支，問史提：「我是不是該去挑婚宴的衣服了？」

「太快了吧！我還沒減肥！」史黛西大笑。

「各位！請問有問過當事人的感受嗎?!」我愁著一張臉。

「在乎你感受，還有可能把你給嫁出去嗎？」史黛西翻白眼說道。

老天，我的頭好痛。我兩手抱頭，趴在桌上，餘光瞥見吉米，在其他同事都玩成一團之際，他卻面無表情。我當然知道他現在很不爽。

劉駿光，你到底怎麼回事？為什麼沒跟我商量，就突然做這個決定，還跟吉米講出那麼奇怪的話。很討厭耶！我決定要找他，好好興師問罪一番。

10

吉米發 Email 回覆劉駿光的同時，我也拿起手機發訊息給他，想問清楚究竟怎麼回事。但劉駿光一直未讀取訊息，中午用餐休息時間，我直接打電話給他，也無人接聽。最後我撥了蔡思明的手機，跟他說這件事。

「太好啦！敝公司全力支援這個想法！你要用本名還是取藝名？叫何小雲嗎？」

蔡思明聽聞後興奮不已，完全不理會我的困擾，整個人向劉駿光倒戈。

「問題是我沒有打算做這件事啊，結果現在竟搞到箭在弦上。」我抱怨。

「我覺得這件事情很好啊，不只能幫劉駿光的忙，也是替公司做事，幫你的部門爭取多一筆業績收益，而且還能滿足你的廣播夢。現在 Podcast 愈來愈熱門，我們平台上的收聽率超高的。說不定你無心插柳，從此大紅特紅，到時候別忘了提拔我。你以前說過的，要在你主持的節目裡放我唱的歌。」蔡思明笑著說。

我以為蔡思明會站在我這裡，沒想到頓失盟友。這通電話沒打還好，一打以後蔡思明反而比誰都還積極，說他等一下就去預約公司的錄音室時間，等候我大駕光臨。

掛去電話後，我走進茶水間準備泡咖啡，遇到正在裡面的吉米。

「已經煮好一杯給你了。喏，拿去吧。」

吉米手上拿著兩杯熱咖啡，將一杯遞給我。我沒料到，愣了一下。

「怎麼知道我現在想喝咖啡？」我納悶。

「怎麼不知道？你今天肯定因為 Podcast 事情很心煩。你心煩的時候就會想要提早喝下午的這杯咖啡，差不多就是一點半。不然的話，一般就是四點。沒錯吧？」

我推了推眼鏡，點點頭。從吉米手上接過咖啡後喝了一口，像突然醒神似的，驚喜地問：「這咖啡豆該不會是……？」

「是。你上次喝過，說很喜歡的那款淺焙豆子。早上開完會，回公司時剛好經過那間咖啡店就買回來了。我多買兩包給你，拿去吧。那家店老闆超隨性，開門都沒固定日期，剛好今天碰到有開，算是幸運。你喜歡自己現磨豆子，不要磨成粉，我沒記錯吧？我自己這兩包是已經磨成粉了。還是你覺得磨豆麻煩，要粉的也可以。」

吉米語畢，從置物櫃裡拿出咖啡豆給我。他的貼心讓我心生愧疚，同時也不免感到有些困擾。他真的不需要再對我好了，我無法回報，壓力很大。

「我要咖啡豆，謝謝你。多少錢？我拿給你。」我說。

「不用了，這點小錢。以前常白吃白喝白住你的，現在就算貓的報恩吧。」

他帶著無奈又自嘲的表情，我跟著勉強擠出微笑附和。吉米看了看我，好像想繼續說些什麼，但開口時話題已變。

「咖啡好喝嗎？」

「還是一樣好喝。謝謝你。」我點頭。

「劉駿光不會知道你喜歡這款咖啡吧？」吉米忽然問。

「啊？喔，嗯，他不知道。」

「我想也是。他說他要你，但他要的你，不是現在的你。因為他知道關於你的事情，都停在二十年前。他沒辦法像我一樣對你這麼體貼，因為他根本不清楚現在的你。如果你想要一個貼心的對象，了解你生活，能夠照顧你的人，現在的我絕對強過他。」

「不管以前高中我們是什麼關係，但現在就是久別重逢的老朋友而已。」

「我很敏感的，我覺得他不只這麼單純地想。其實，你是不是早就知道他要回台灣，所以才決定跟我分手？」

「別瞎說，兩件事毫無關係。況且無論有沒有重逢劉駿光，我的答案都是一樣沒變。我跟你不可能在一起。你人很好，但我們真的不適合。不是你的問題，純粹是我個人因素。我已經打定主意不跟任何人在一起，不跟誰同居，當然也不會跟誰結婚。你應該去找跟你同世代的男生交往，年輕又有活力，也想結婚的，比我適合多了。」

「我從來都對同年齡或比我小的人沒興趣。我喜歡大我十歲的男人。」

「放開心胸，去嘗試交往看看，說不定就會接受了。」我好言相勸。

「你也放開心胸，嘗試再接受我一次，就會愛上我了。」

吉米用我的話來將我一軍，令我啞然，無力回擊。

11

下班前，劉駿光總算讀取了我的訊息。他約我晚上吃飯，準備好好向我解釋。結果，我根本無心思吃飯，一見到面，就將他拉到捷運站出口旁的小公園。這個小公園是個死角，外頭進出捷運站的人挺多，偏偏這裡總是人少。

我劈頭就問：「劉駿光，你為什麼沒跟我商量，就跟吉米說要找我去主持 Podcast 節目？直接找蔡思明的話，他們可以找到有名的DJ或藝人。」

「抱歉抱歉！讓我來解釋一下。我想在 ORANGE 的平台上做一系列節目，介紹適合放鬆身心的歌單。歌曲是用主題來分，比方工作一天後的放鬆歌單，失戀的放鬆歌單，去上瑜伽課前聽的歌單，上完瑜伽課當晚睡前聽的歌單……然後每個主題歌單中的歌曲年代希望橫跨二十年。要能夠熟悉這些歌曲、歌手，還可以講出一些專輯的往事，我實在想不到比你更適合的人選。不好意思，因為是開會當天早上我才突然想到的，所以還來不及徵求你同意，就直接在開會時，跟你的同事們說了。請原諒！拜託你一定要答應！」

他鉅細靡遺地解釋，因為表情實在太誠懇、太無辜，讓人難以怪罪和抗拒。

「可是我這些年來，根本就沒有對麥克風講過話了。我沒信心。」

「你一定沒問題的。我們可以租錄音室讓你練習，直到你覺得有把握了，我們再正式錄音。好嗎？」

「可是……」我還是很猶豫不決。

「你一定還是很想一圓廣播DJ的夢想吧？現在廣播的生態已經改變了，因為有 Podcast 的出現，聽 Podcast 的人反而比聽廣播電台的人多，我真的覺得這是一個非常好的契機。以前我沒有辦法幫你圓夢，但現在我可以了。公司恰好有這筆預算做這件事，我希望能夠找你來實現當年『我們』一起努力過的事。雖然相隔已久，但為時不晚。」

聽到劉駿光強調「我們」時，我眼眶一陣紅熱。天啊，那是睽違多久的感覺？高中時他鼓勵我去徵選電台DJ，又幫我補習數學，總是對我說這是「我們」的事，讓我覺得自己並不是孤軍奮戰。他根本不必把責任攬在身上的，卻總是熱心，如此感人。

此刻聽見他這席話，我突然深深懷疑，這二十多年來，我做什麼事情都變得欲振乏力，愈來愈失去嘗試新挑戰的動力，只求一個人好，逐漸懶得跟外界新鮮人事物互動，其實竟可能只是因為太久沒聽到他的鼓勵。

最後，我點頭答應，說願意試試看。

「謝謝你的幫忙。」他說。

「是我要謝謝你吧，給我製造圓夢機會，為我想這麼多。」

劉駿光露出滿足的微笑，但不到一秒，他又皺起眉來。

「怎麼了嗎？」我緊張地問。

「呃，事實上，我還有一件希望你能夠答應的事。」他說。

「說吧，什麼事情，我會盡量幫忙的。」

「那件事，其實，上次也有跟你提過。你說你要想一想，還記得嗎？」

「上次有提過？」我一回想，突然緊張起來，小心翼翼地避開敏感字詞，輕聲問他：

「你指的該不會是，要幫我『溫習』和『練習』的那個玩笑話吧？」

「我不是開玩笑。我是很認真的，希望可以給我一個彌補的機會，實現當年沒完成一起住的承諾。」劉駿光見我愣著沒回應，又說：「有困難對吧？我想也是。我又犯了太唐突的錯。忽然現身跟你聯絡，又忽然提出這個荒謬的請求。真是抱歉！忘記這些事吧。」

他一向我道歉，我看見他無辜的小狗臉，反而變成我愧疚。

「呃……不要這樣，別跟我道歉。問題出在我，其實我是擔心……」

我話說到一半，就鯁在喉頭沒說出口。我擔心的是一旦跟劉駿光朝夕相處，又會對他情不自禁。可是，他三、四個月後就走了，卻留下被搗亂平靜生活的我。二十多年我們都變了很多，生活習慣可能已經不同，突然要住在一起，我也擔心彼此個性不合，反而破壞良好印象。再說，過去這些年來，我早已習慣一個人的生活空間，每次認識新的男生時，只要他們一開口希望同居，就像被下了咒語，從此以後爭執的時間就逐漸多過甜蜜的片段。

然而，神祕的是這些想法，我在拒絕吉米時都能條理分明地說明，並堅持分手，可是現在面對劉駿光，我卻一個字也說不出口。

「你有注意過『擔心』這個詞嗎？」劉駿光突然這麼說。

「啊？沒有。怎麼了嗎？」

「擔，是用肩膀挑東西，引申為承擔和負責的意思對吧？所以『擔心』字面上看就是把心裡的想法和情緒，扛在肩膀上。」

「……嗯。」

我推了推眼鏡，一臉狐疑地點頭。他現在說這個幹嘛？

劉駿光突然將雙手放在我的肩膀上，整個人靠近我，幾乎快要貼上。我仰起頭看他，看見他用深邃的眼神靜靜注視我。接著他低頭，整張臉愈來愈靠近我的臉。喂，大庭廣眾之下，他該不會想吻我吧？我的心跳加速，腦海中播放起蔡依林的〈唇唇欲動〉。

在此同時我感覺到他的手掌，竟在我的雙肩上使出力氣，而且漸漸加大力道，我甚至覺得有點痛了。等等，現在這是哪一招？蔡依林換歌，在我耳邊唱起〈愛情三十六計〉和〈美人計〉組曲，但我實在忍不住切歌，換上周興哲的〈怎麼了〉。

「很痛！劉駿光，別再出力了。你怎麼了！」

我話一說完，劉駿光就鬆開手，溫柔地撫摸著我的肩膀。

「很痛，對吧？你看，你的肩膀這麼小，怎麼有力氣一個人挑起那麼多的煩惱？我的肩膀夠寬，你擔心的事，就放在我這裡！擔心，是要用肩膀挑起來的，但不用一個人自己去挑，我可以幫你承擔。」

這席話再度震懾到我。縱使我極力壓抑內心的粉紅泡泡冒出來，但取而代之的是，此刻整座公園彷彿施放起夢幻的七彩煙火。

雖然，劉駿光根本不知道我說擔心的事情是什麼，但被他這麼一說，我原本的那些擔心也顯得微不足道了。看著他，我忍不住笑起來，問：

「你老實說，洛杉磯是不是有霍格華茲魔法學院分校？學到這麼多撩人的技法？你真的跟以前太不同了。」

「我沒有撩你，我只是夠『瞭』你。」

「老天，這句也是！」

我承認我真的很沒用，最終，我還是答應了他。雖然還是想很多，很擔心，不過此刻肚子飢餓的程度已勝過其他的事。擔心的事，吃飽以後再說吧。喔，不對，擔心的事就丟到劉駿光寬闊的肩膀上。搞不好後悔的人是他，到時候就看看他有承擔多少的能耐。

坐進餐廳，一邊吃飯，一邊聽他聊公司的趣事，但我其實根本沒仔細在聽。我的目光忍不住落到他的肩膀。

吃飽飯離開餐廳後，我們去逛無印良品。我拿了一整套盥洗用品到購物籃裡，準備劉駿光來的時候可以用。

「我還是覺得你真的很妙，」我忍不住問他：「你怎麼知道我家夠大，可以多住一個人？說不定根本沒辦法呀。」

「臥房有一張單人床，客廳還有一張沙發床，對吧？」他反問我。

「你怎麼知道！我沒跟你說過。」

他眼神游移，像是幹了壞事似的表情，說：「呃，你爸媽跟我說的。」

「我爸媽？你什麼時候跟他們有聯絡？」

「就前幾天……我去你老家拜訪他們。想說很久沒見了，應該去打個招呼。你媽媽不是喜歡喝咖啡嗎？我從美國買了不錯的咖啡想給她。」

「居然沒人跟我說！你還記得我媽喜歡喝咖啡？厲害。我可以想見他們見到你是多開心。但是，他們一定跟你說了很多奇奇怪怪的話對吧？我的老天！」

「也沒有多奇怪啦。就是你之前跟我提過的，希望你快點結婚囉。」

「我就知道！尤其是在你面前，這個話題一定大爆炸。他們到底還說了什麼？」

「很多喔，」劉駿光笑起來：「我本來只打算待半小時，結果待了三個小時，連晚餐都吃了。你別管他們說了什麼，也不要去問他們啦。總之呢，他們連你家可以多住一個人都跟我說，甚至連你家的格局圖都畫給我了。」

我雙手抱頭，覺得苦惱。

「你現在住的商務公寓，打算什麼時候退掉？」我問。

「其實今天已經退房了。它們隔壁上週開始施工蓋大樓，好吵。早上好早就被吵起來，感覺睡眠不足。晚上樓下有夜店，進出的人也很吵。」

「居然已經退房了？那……你今天晚上……？」

劉駿光指著我手上提著的購物籃，對我傻笑。

「你今天晚上就要來？」我瞪大眼睛問。

「不方便也沒關係，我不想又製造一件唐突的事。我可以暫時先去住其他旅館喔。其實我本來就已經受不了那裡的嘈雜，準備今晚開始要去別的地方住。如果你覺得今天就去你家也無所謂的話，我就今晚開始打擾。但如果今天太趕不方便，我本來也就預定去住旅館的，請不要有壓力。」

「呃，今天就來是也沒關係啦，只是沒想到這麼快而已。那就今晚來我家吧，不要浪費旅館錢了。」

「真的很謝謝你。」

「那麼你要先回去旅館拿行李嗎？」

「其實已經寄放在這附近的百貨公司寄物櫃了。」

「你也太有效率了吧！」

劉駿光聽完我的話，聳聳肩，嘟起嘴來。

居然還給我裝可愛咧！可是，這招對我有用。原本一連串令我不知該如何面對的驚奇，都在這一瞬間退散而去。我搖搖頭，想到他的撩人話語，忍不住偷笑起來。

拖著小行李箱的他，走在我身旁，踏進我的公寓大樓裡，那身影令我掉入二十多年前的回憶中。那一年，十八歲的他，在我面前也是拖著行李，卻是飛往另一個國家。

12

一九九四年，七月盛夏。

當聯考一考完的那兩天，我知道我成為了一個「忠於自己」的傢伙。

我果然不會是什麼突然突破重圍的黑馬，我還是原原本本的那個夠笨的我。

不用等到拿到成績單，便已經知道將名落孫山。考數學的時候，我感覺自己像是被吸進一個宇宙，突然收到外星人拍來的電報，眼前所見全是難以解讀的密碼。

整場考試我要不是胡亂填寫一通，要不就是發呆。有一刻，我想起也正在考試的劉駿光，覺得安心卻也覺得抱歉。我知道聰明的他，此刻一定振筆疾書，會贏得跟他的臉孔一樣相得益彰的漂亮成績，但同時又好內疚，畢竟他那麼幫忙、鼓勵和相信我，最後我卻還是一樣傻，很對不起他。

考完試到七月下旬成績公布的這段期間，我整個人呈現一種茫然的狀態。考完聯考後，蔡思明找我出去，看見他一副春風得意的模樣，我知道他應該是考得不錯。

「忽然間週末不用去補習，星期日晚上也不用趕校車回學校了，感覺好不真實，甚至還有點不習慣。」他說。

「我從來沒有像是這星期一樣，那麼想念宿舍的床。」我說。

「你不是想念宿舍的床吧？你是想念有劉駿光睡在你下面的時光。」

「你懂我。那間宿舍真是讓人又愛又恨，很適合點播一首周華健的〈讓我歡喜讓我憂〉。明明宿舍窄小，床鋪又硬，每天為了考試也睡得不安穩，但是因為能跟劉駿光睡上下鋪，現在回想起來，居然覺得比我家裡那張床還舒適。」

「考完試以後，你和劉駿光有碰面嗎？」

「沒有碰面，但昨天他有打電話給我，約了明天見面。」

「他還好嗎？我不是指聯考，我說的是他繼父林德凱跟邱鴻澤的事。記得你上次說，他媽媽暫時搬去跟阿姨住？現在還是嗎？他們家的氣氛應該很差吧？」

「聯考前他媽媽已經回家，但家裡的氣氛不太好。他媽媽和林德凱都沒說過話，林德凱大多時間很沉默，偶爾情緒起伏很大，可能是擔心邱鴻澤如果吃上性騷擾的官司，會把他給抖出來。總之，他有時安靜有時暴怒，劉駿光跟林采如都很受不了。考試完這一週，不知道最新的狀況是怎麼樣？不過，昨天深夜十一點他打電話給我時，我聽到他是用外面的公共電話，我猜想應該家裡的狀況還是很不好，不方便用電話。」

「那你明天可要好好安慰他了。」

我愁眉苦臉地說：「可是我才需要被安慰。我現在不知道接下來該怎麼辦。大學肯定會落榜了。本來還夢想如果劉駿光去念南部的大學，我也要考到那裡的學校，就可以一起租房子住，看來也要夢想落空。好苦惱！」

「原來上大學跟上他是同一件事。一個沒上，等於兩個都上不了，真的苦惱！」

蔡思明總能妙語如珠，惹得我哈哈大笑，心情總算開朗了一點。

隔天，終於和劉駿光見面。自從今年二月以來，幾乎天天都見到彼此的我們，一週不見，讓我感到如隔三秋。

本來每個星期日上午，我們都會去殷非凡補英文，好笑的是明明現在不用去了，結果我們約吃午飯的地方，還是跑去補習班附近的光華商場周圍，去吃那間我們兩個人都很愛的「老德記」AB麵。

「會不會覺得我很無趣，特地約出來吃飯，結果還是來吃這個？」

劉駿光一邊吃麵一邊問我。我笑起來，搖頭否認。

「不會啊。跟你來吃，每天吃，吃十年，都很有趣。」我帶著甜甜的口吻說。

「誇張耶你。我才不信！」

劉駿光故作一副對我不信任的輕蔑表情，但是其實我瞄到了當他低下頭吃麵時，臉上忍不住偷偷揚起微笑。

「你應該考得不錯吧？」我問。

「有對了一下答案，應該還行。」他看著我，問：「你呢？」

我吃了一口麵，故意咀嚼很久拖延時間，因為不想面對。

「我喔？還用問嗎？不必去對答案都知道會很慘。反正一定落榜。」

「還沒放榜，不一定吧？」他安慰我。

「一定的啦！愈說我愈覺得很對不起你。你幫我那麼多，最後還是沒考好。」

「不要這麼說。幫你是我自願的，而且我知道你也很努力。如果你真的覺得對日大成績沒把握的話，還有『夜大』可以試試。」

「夜大？」

「對啊，夜間部大學聯招。不少學校的日間部和夜間部課程都是一樣的，只是上課時間一個在白天，一個在晚上。夜大聯招在八月中旬舉辦，我猜想你的日大成績有可能吊車尾，或者差一點點沒上的話，以你的程度來說去報考夜大，一定可以考到理想的學校。你不要現在就放棄！」

「所以意思是我們還有機會住在同一個城市上大學，一起租房子住囉？」

我的耳邊響起張雨生的〈我的未來不是夢〉，忽然又覺得應該認真度過每一分鐘。

「前提是你要好好準備夜大考試才行，懂嗎？」劉駿光說。

「好，我會的。」

劉駿光又一陣沉思後開口說：「我覺得不要等收到日大成績單了，應該從現在就開始準備夜大考試。這樣有將近一個多月的時間，可以再好好複習一次。」

「可是才剛剛考完，都還沒休息到又要開始看書……之前至少還有你一起，現在只有我一個人看書了，枯燥乏味，一定很快就放棄。」

「你不會一個人啊，我陪你一起念。現在我沒事了，每天能夠幫忙你複習的時間，比之前更多。」
「真假？你願意？你不會想出去玩嗎？考完了，還這麼可憐陪我看書？」
他聳聳肩，說：「跟誰去玩？我本來就沒有打算玩。」
劉駿光想不到可以跟誰去玩，卻願意成為我的伴讀，實在感人。
「找個地方，每天一起複習，再把之前學校的模擬考試題重做幾次。我在旁邊的話，你有什麼不懂的，馬上就能問。你覺得怎麼樣？雖然會很辛苦。」
我猛力搖頭，然後又認真點頭。
「又搖頭又點頭，到底是什麼意思？」他不解地問。
「不會辛苦，就照你說的，我明天就開始準備夜大考試。」
「很好。你要對自己有信心。」
我低下頭，窩心到想哭。好的，我會努力讓你看見我的付出。
「明天開始，我們要去哪裡念書？」我問。
「咖啡館或麥當勞？會不會太吵？去圖書館的話太安靜，又不能一直講解。」
「還是來我家？」我再次大膽提議。
劉駿光沉默半晌，思考了一下才再開口。
「嗯，也是可以。會不會吵到你爸媽，打擾到他們？」

「怎麼可能。自從他們生下我，容忍那麼多話的我以後，對他們來說，這世上再也沒有所謂很吵的事。」

劉駿光點頭答應。這一天，我突然覺得日大沒考好其實也還不賴嘛。

13

劉駿光履行了他的諾言，接下來的每一天，從早到晚都待在我家，陪我一起複習和讀書。午餐和晚餐，全由我爸媽包辦，他們樂於做這件事，覺得家裡變得熱鬧。晚上睡前熱烈討論明天要煮什麼給我們吃，然後精神飽滿地迎接第二天，簡直比準備考試的我還投入。週五和週末晚上，在我和爸媽的熱情邀約下，劉駿光甚至直接住在我家。我知道他沒有拒絕的一部分原因，或許不完全是因為我，而是他現在不想待在家而已。但不管怎麼說，這個結果令他和我皆大歡喜。

那幾天過得好夢幻。雖然過去在宿舍裡，我們也是在同個時間起床和就寢，但是離開校園，場景變成家，一切就變得浪漫滿屋。

一大清早起床，我在房間放起我們都喜歡的張清芳〈天天年輕〉，向世界說早安。聽著房間傳來「青春洋溢，神采奕奕」的歌詞，我們在浴室裡擠出黑人牙膏一起刷牙，錯覺自己在拍廣告。

劉駿光突然伸手，替我抹掉臉上的牙膏沫，側身看著我說：

「嘿，刷牙不睜開眼，整張臉都變成小花貓了！」

看到鏡子中睡眼惺忪的自己，刷牙不知道怎麼刷的，居然把牙膏沫弄得一整臉。一副超蠢的樣子，我忍不住笑出來。

「我好笨。」

「你不笨。」劉駿光說。

「我真的很笨。除了懂得欣賞你的帥以外，其他什麼事也做不好。」

「……都起床了還在說夢話。」

劉駿光霎時臉紅，忍俊不住，摸摸我的頭。

那一刻我很想抱住他，但終究是忍下來。這樣就好，這樣就夠了。想到之前在游泳池浴室裡，他哭著說喜歡的都會失去，我知道不該給他壓力，也不要再逼他。

劉駿光已經需要每天都刮鬍子了，我還不需要。以前在學校時，因為早上梳洗時間都超趕，回想起來我竟從未注意過他刮鬍的樣子。從男孩變成男人，踏入成長的玄關，就是這樣開始要每天刮鬍子吧？我一邊漱口一邊從鏡子的折射中，注視著專注於刮鬍的他，目不轉睛，覺得新鮮有趣。

一起吃早餐，一起午餐和晚餐，剩下的時間幾乎就是一直在做考古題，把科目重新複習一次。遇到國文和英文比較不需要他幫忙的科目時，劉駿光就會自己坐在床邊看他的精油芳療書。每過一個小時，他像是個鬧鐘似的，就會提醒我起來活動一下，走一走。

晚上，我想把床讓給他睡，但他堅持打地舖。當他睡在我房裡時，躺在床上的我，總會讓自己比他還晚睡著。側躺在床上的我，會偷偷俯瞄著打地舖的他，縱使房間是漆黑的，卻彷彿能夠看見他閉上雙眼的臉龐，那使我感到安心，感覺空氣中流淌著安穩的氣氛。偷偷妄想著，如果夜大聯招不那麼快來，這樣的日子是否可以繼續延續？

週日中午吃過飯，我提議今天的複習到此為止，畢竟一整個星期都待在家念書，也應該休息一下。劉駿光也認同，聽說明天又要下雨，趁著天氣好，出門走走。

我們去台北車站商圈的光南、玫瑰和佳佳唱片行逛，又去新光三越樓上打電動。結束後經過館前路口NOVA門口時，樓上的學儒補習班員工在一樓發傳單，劉駿光隨手拿了一張。坐進麥當勞喝飲料吃薯條時，劉駿光拿出那張傳單仔細研究。

「夜大衝刺保證班？」我湊過去看了一下。

「嗯。一個月的密集複習課程，號稱保證能考上，沒上就退錢。」他說：「我看了一下師資，好像還不錯。我在想，你要不要考慮報名？我當然還是會從旁協助，但是我畢竟不是專業的補習班老師。他們或許有特別的辦法，猜題的能力，也許會更好。」

「你覺得這樣比較好嗎？」

想到無法每天跟劉駿光朝夕相處，總有點遺憾。

「嗯。我覺得值得一試。」他很認真地說。

既然劉駿光是為了我著想，我當然相信他的建議，當天就立刻報名，從下週開始上課。

所謂為期一個月的夜大衝刺保證班，有點像魔鬼訓練營，除了午、晚餐時段可以離開教室之外，從早到晚，都得被關在補習班教室裡上課、複習和模擬考。這對我來說倒是習慣了，畢竟以前在霞中更嚴格。只是，補習班畢竟不是學校，沒有校園，沒有操場，沒有宿舍和福利社，少了轉換心情的空間，日復一日重複的生活更顯沉悶。

所幸劉駿光每天晚餐時間都會出現，成為我的救星。

「你怎麼會來？」

第一天，他沒跟我說，直接在補習班門口等我，我很驚訝。

「剛好路過附近，想說差不多是晚餐時間了，找你一起吃晚餐。」

第二天他又出現，說是下午跟人有約，結束後看差不多是晚餐時間，所以再過來找我。第三天他還是現身了，這天的說法是有東西要拿給我，結果只是一包隨處都能買到的餅乾。當我第四天再度看到他時，我不再問他。我知道他是刻意來找我的。

在一個月的補習期間中，每一天傍晚他都會現身樓下，陪我去附近吃晚餐。吃飯時，他肯定希望我放空緊繃的身心，所以從不過問我「今天課上得怎麼樣？」或「模擬考有進步嗎？」之類的問題，他總是會拿出隨身聽插上耳機，一耳給我，一耳自己聽，兩個人邊聽歌邊吃飯，說好笑的事，或閒聊那些歌曲與歌手的話題。

這段時間歌聽了很多，重複播放最多次的是張雨生。我的未來不是夢／和天一樣高／跟著我／帶我去月球，劉駿光總喜歡挑些澎湃激昂的樂曲，那確實振奮了日子過得苦悶的我。而我則回應了其他的抒情歌曲，天天想你／想念我／我不能一點一點愛你／是否真的愛我，偷渡著我暗藏的玄機。

吃完飯，買杯手搖杯，一起逛逛唱片行或書店，我再回去補習。晚餐時間雖然短，但卻是我那一整天最重要的時光。白天上課期待著晚餐時間的到來，疲憊的身心獲得撫慰，而見過劉駿光以後，彷彿又被充電完成，返回教室後有力氣繼續面對晚上的自習。

14

七月下旬，我和劉駿光、蔡思明一起回學校拿成績單，劉駿光和蔡思明的成績試算都可以考上日大，而我的分數則不意外的不可能填選上任何志願。

劉駿光好心鼓勵我，我的成績去考夜大一定能考上好學校，而且「我們」已經捷足先登，準備考試好幾週了，現在只要心無旁騖地繼續努力，以平常心迎接八月中旬的考試即可。七月下旬，劉駿光去世貿逛完大學博覽會以後，寄出選校志願卡。他依照他的希望，填選的都是南部的大學。

然而，就在這時候，我才發現一件噩耗。那就是夜大聯招是分區考試的。北中南三區，只能擇一選擇考試和填選志願，也就是如果我報考北區的大學，那麼就不可能去南部念書。有一度我想改去考南部的大學，但劉駿光理智地向我解釋，無論哪一區的夜大，都沒有我本來想念的大眾傳播系，所以比較適合我的文組科系，就是中文系、英文系和日文系。這些科系，比較好的學校，都集中在北部，因此他不建議我去考南部的夜大，認為我還是留在台北念更好。

「問題是你要去南部，這樣不就相隔兩地？」

我語畢，突然意識到自己說得好像我們已經是情侶，得談遠距離戀愛似的。其實我們根本只是朋友關係，甚至連曖昧也只存在於我的想像。

「週末或放假時，我還是會回台北呀，或是你可以南下來玩。台灣這麼小，很快就能見到面的。我只是覺得台北的大學更適合你。」

「其實我念哪裡都差不多，反正人很笨。」

「不一樣喔。我打聽過，只有台大和雙溪兩間大學，是不會在畢業證書上蓋上夜間部三個字的。這對你的履歷，以後找工作有很大的影響。」

「你還特地幫我調查過喔？會不會太感人。」

「所以不是亂說。覺得對你好，才敢建議你。」他安撫著我說道。

雖然失落，但明白劉駿光處處為我著想，也就感到欣慰了。

八月上旬日大放榜，劉駿光的志願落到台南的城宮大學，蔡思明則是台北的中鑫大學。知道他們都有好學校可念，加深了我必須好好應戰的決心。

終於，迎來了八月中旬的夜大聯招。我想我考得不算差，事後試算落點分析，台大夜間部雖然上不了，但排序在後的志願應該都沒問題。九月上旬，夜大放榜，我考上了雙溪大學夜間部的日文系。

夜大考完到放榜這段期間，雖然我已經沒事了，但我和劉駿光反而見面的次數比之前少很多。一來是我和他忙著準備開學，彼此的時間很難湊在一塊兒，二來是邱鴻澤性騷擾學生的事，似乎真的扯上了他的繼父林德凱。

林德凱的律師工作受到影響，不再每天去上班。控制欲強烈的他心情差，要求劉駿光和他的母親及妹妹都得待在家。我問過劉駿光，待在家是為了處理什麼事情嗎？劉駿光又陷入鬱鬱寡歡的情緒，說了一些我聽不太懂的理由，最後就說他也不清楚。我已經漸漸愈來愈瞭解他了，我知道他不一定是不清楚，而似乎是隱瞞了什麼，暫時無法對我說出口。

夜大放榜隔天，我和劉駿光約去西門町吃冰，本來是開開心心見面，結果卻愕然地獲知他不在台灣念大學了。我怎麼樣都沒料到，這一、兩個星期，讓他又變得陰鬱的祕密，原來，竟然是決定舉家搬去美國加州。

林德凱和邱鴻澤的性騷擾事件，事情傳到了林德凱任職的律師事務所，客戶在乎名譽及公信力，逐一辭退或拒絕委託他們。林德凱表面上被勸導留職停薪，但實際上已被律師事務所冷凍，無法接案。律師圈子小，他不可能自己獨立出來接案，等於就是在台灣失業。林德凱的哥哥也是律師，長年在加州洛杉磯工作，專接當地華人案件，似乎來頭不小。他告訴林德凱能利用專業技術移民方法，幫他申請到當地居留工作證，要他過去避避風頭，免得真的進入法律程序後被限制出境，想逃都逃不了。劉駿光的母親可以依親居留，至於劉駿光和林采如，就先以留學簽證過去，之後看情況再說。

「我跟采如都不想去，可是我媽她還是放不下林德凱。我不可能不理我媽，讓她一個人過去。」劉駿光說。

「沒想到是這種發展。早知道……」

我話說到一半，被劉駿光打斷，他說：

「早知道會變成這樣，我們還是會舉發他們的惡行。對吧？我們都不是那種只為了自己，就睜一隻眼閉一隻眼，犧牲別人，姑息養奸的人。是不是？」

這不是我的答案，但我也只能默默地點頭。

早知道事情會變成這樣，如果我們什麼都不做，是否我們就不會分離？但劉駿光不是那種人；而喜歡他的我，也不應該成為那種人。

我唯一可以確信的是，早知道那麼快就要分離，我還是會想要遇見他。

時序進入初秋，我還在適應大學裡的一切，比想像中來得繁重的課業，壓得我喘不過氣，但是真正讓我感覺窒息的，是劉駿光的告別。

劉駿光離開的那一天，我和蔡思明一起去機場為他送行。出境前，他破天荒主動給了我一個擁抱，湊在我耳邊輕聲地對我說了三個字：「對不起。」

為了什麼而對不起呢？短短的三個字卻意味深長。

我不免想，劉駿光舉家離台的決定，是否對他而言，也是一種巧合卻完美的逃避？如果他不離開，很快的還是得面對我，處理我們的關係。這個短短的夏天，我以為漸漸的，我們會自然而然解決問題，然而他可能還是沒準備好，或者永遠不想準備好。所以他說了對不起？想到這兒，我竟有了被辜負的情緒，雖然從來並不存在承諾。

縱使說好要保持聯繫，要寫信給彼此，然而當我看著他拖著行李箱，向我揮手轉身離去時，我憂傷地預感，從此以後在遙遠的地球兩端，我們無可避免地就要走在迴異的路上，成為兩種不同的大人。

15

「對不起。」

當我再一次聽到劉駿光對我說出這三個字時，是二十多年後的今天清晨。

我在床上坐了起來，扭開床頭燈，揉揉雙眼，把一旁插著電源線的 iPhone 拿過來看，螢幕上顯示清晨四點五十五分。

喔買尬，還這麼早。我好想一覺睡到八點再起床，可是真的沒辦法了。我甚至懷疑整個晚上，其實根本都沒睡。翻來覆去地輾轉難眠，搞得我現在還是好睏。打了個大呵欠，無奈地抓抓頭髮，我兩手抱頭，把臉埋在被子裡，然後聽見了房門口傳來的聲音。

「對不起。」

是劉駿光站在我房門前。

「你怎麼也起來了？還那麼早。」我問。

「對不起，」他說：「一定是我吵到你了。有時候狀況還好，但有時候鼻子過敏，那天晚上就會特別嚴重。」

「我真的不記得你以前會打鼾，而且這麼大聲？」

「以前不會。去洛杉磯以後，不知道為什麼體質改變了，開始容易鼻塞。最初是采如跟我說我有時睡覺打鼾很嚴重，我才知道。可是我自己不曉得到底有多誇張。今天看到你被我吵得睡不好，我想真的情況是很嚴重。對不起。」

「別道歉，」我無奈笑起來：「但真的很大聲，我有點嚇到。」

「還是，我去住飯店吧！」他說。

「我今天會去買抗噪耳機，效果最好的那一款。」我揶揄他，又補充道：「可能只是不習慣而已。以前再怎麼吵，什麼環境都無所謂，閉上眼三秒就能睡著，最近這一、兩年，變得很敏感，不好入睡。」

「我也是。就算睡著也睡得很淺，睡眠品質不太好。有時候會吃一些醫生開的助眠劑，或是肌肉鬆弛劑。」

「是嗎？我也有吃過。你是吃怎樣的藥？我想參考一下。」

劉駿光失笑：「我們居然在討論藥。」

「唉，我們真的老了。四十歲真的很老了。」我歎口氣說。

「千萬別這麼想。一直覺得自己老了，那就真的會變得愈來愈老。老，這種東西只是時間的相對論。要是我們會活到一百歲的話，回頭看現在，四十歲根本很年輕。」

「你忘了我數學不好？」我自嘲。

因為睡不著了，乾脆起床。我問劉駿光早餐都吃什麼，我通常只是烤兩片吐司麵包配咖啡，如果他不喜歡，我可以去樓下買麥當勞早餐。

「你冰箱裡的食材，我可以用嗎？」他問我。

「哇，該不會要大展廚藝吧？」

「簡單的還行啦，在國外不得不自己下廚。你先去忙吧，看是刷牙洗臉或要洗澡都行，早餐我來弄就好。」

我沒睡好，除了劉駿光的鼾聲以外，多少也是因為他開始要暫住我家這件事。我想我還沒有做好心理準備。

在浴室盥洗時，從蓮蓬頭的水聲之間，偶爾聽見從廚房傳來鍋鏟的聲音，讓我覺得自己彷彿身在一個陌生的地方。自從離開家以後，從來沒有人為我做過一頓早餐，而現在廚房裡卻站著劉駿光？這一刻，未免太不真實。

洗完澡出來，看見餐桌上變出了火腿煎蛋烤土司、優酪乳、水果和熱咖啡。

「等等，冰箱裡沒有火腿片、優酪乳跟奇異果呀？」我驚訝。

「剛剛衝去樓下超商買的。」他說。

「哇噻，你也太費力了吧！」

「早餐很重要。我們得吃營養一點，才不會敗給年紀。奇異果每天吃一顆，必備的。當然還要配合運動才行。我看你都沒在運動吧？等瑜伽教室開了，會邀請你來。啊，我扯遠了。你先趁熱吃吧，別等我。我趕快去盥洗一下，出來再吃。」

當他去洗澡時，我確實沒有等他，一個人先開動起來。因為我忽然難以想像，這麼多年以後，我跟他兩個人又再度坐上同一張餐桌，共食早餐的景況。雖然我是抱著感恩的心吃完這頓早餐，但是卻也難掩誠惶誠恐的內心。

去公司的路上，我在LINE上發訊息給蔡思明，跟他報告這些事。

「你也太難伺候了吧？他這麼好心替你做早餐，你還嫌東嫌西，擔心這擔心那幹嘛？你就不能好好享受嗎？這不是你以前一直夢想跟他一起的同居生活嗎？」

蔡思明丟來一個動態貼圖，跳出「受不了你耶」幾個字。

因為想講的事情實在太多，懶得打字，我忍不住在捷運上直接打電話給他。

「想要同居，那是以前的事。你又不是不知道，我已經過了想跟人同居的階段？幫我做早餐我當然很謝謝，但是壓力很大。該不會他每天都會這樣吧？還有，你真的很難想像，他鼾聲有多大聲！他還是睡在客廳沙發上耶，聲音都能這麼大。我想到以前，多想可以跟他交往，一起生活一起住，哪知道真有這麼一天，居然第一晚就被他的鼾聲給嚇到了。你看，跟一個人在一起，風險有多高？試想看看，如果你真的很愛一個人，結果一起同居了，卻發現對方每天晚上打鼾都像巨雷，那怎麼辦？每天晚上想到要上床都會覺得苦惱吧？蔡思明你是怎麼辦到的？我真的愈來愈景仰你了。」

我一連串如機關槍似地講完時，忽然感覺全車廂的人都在看我，好像被發現我多隨便跟誰睡了似的。

「這就是現實生活啊，何晉合。」蔡思明聽了，淡定地說：「我跟阿勝也是，一起住以後，才發現他有很多跟我不同的生活習慣。睡覺會搶我的被子呀，打鼾也是有的。上廁所時總是不把坐墊掀起來，尿噴得到處都是。這就是現實生活。仔細想想，我也有很多小毛病，是他必須接受的吧？兩個人既然要在一起，就是得找出相處之道。」

「你要不要自己開個 Podcast 節目當心靈導師？」我問他。

「這不是什麼特別的見解，大家都是這樣的。在一起，就是會這樣。」

「所以不在一起不行嗎？」

「不行啊，因為就是愛。」他一針見血，曉以大義。

「好啦好啦，反正他只是暫時借住，我忍一忍就好。」

「你少在那邊說得很無奈的樣子，」蔡思明在手機另一端笑出來：「你所有的反應只是小鹿亂撞不知所措罷了。等到劉駿光真的走了，你就會來對我訴苦有多寂寞。」

其實我大概就是怕這樣。劉駿光會害我又陷進去了，他卻一走了之。

「才不會咧。我們又沒有怎麼樣，所以不住在一起了也不會怎麼樣。」

「你不要再說什麼繞口令了，我聽不懂。你掛掉電話以後，閉起眼深呼吸，靜下心來好好問自己，你還喜不喜歡劉駿光。你要是真的對他沒愛，你就會受不了，隨便找什麼理由都能趕他走。」

真是。打電話給他抱怨，結果被訓一頓。可是蔡思明說的話，我不得不信。畢竟，比起我來說，他是成功人士了——在感情這條路上。

步出捷運站時，發現吉米恰好也出站。我們一起走向公司的大樓。

「你還好嗎？」吉米問我。

「睡眠不足居然有這麼明顯？」

路過的大樓有著如鏡子的玻璃帷幕。我停下腳步，觀察映射中的自己。

「我只是問你還好嗎而已，現在知道你不怎麼好。你幹嘛了？跟誰一起熬夜做什麼壞事嗎？」吉米試探。

我緊張地反駁：「哪有什麼壞事，別亂說，我只是沒睡好。」

我們繼續往辦公室的方向前進。

「當時你拒絕跟我同居的理由，就是說會睡不好。」吉米說。

「又提這件事？」我歎了口氣。

「我到現在還是覺得你在騙人。拿這個當分手理由真的很好笑。事實證明你一個人也會睡不好，除非，你並不是一個人睡。」

「一起睡會睡不好，只是其中一個問題。無法同居一起生活，也不想結婚才是重點。你憧憬同居想要結婚，我根本沒辦法做到，何必耽誤彼此。」

語畢，進公司大門前，我突然停下腳步。

「別再舊事重提，這些話我都不知道說過多少次。我們協議過，踏進公司就不再說這些私人的事。」我說。

突然，一道熟悉的聲音在我背後喚我。我轉過頭去，竟是劉駿光。他氣喘吁吁的，跑過來，讓我超驚訝。

「錢包，你的錢包忘了！你出門時在玄關穿鞋，把錢包放在鞋櫃上，我剛剛離開時才發現。你都沒發現你沒帶到錢包？我想你會用到，趕緊拿過來給你。」

那確實是我的錢包，我接過手。

「一直還沒用到錢，沒有發現。」我點頭道謝。

「拿到就好。那沒事了，你快去上班吧，我也要去公司了。」

劉駿光對我說完話以後，才發現身旁站著的是吉米。他對吉米點頭微笑示意。

「那我先走了。記得喔，晚上！」

劉駿光給了我一個燦爛的微笑，在陽光中閃爍得更耀眼。然而，下一秒，當我轉身看見吉米的臉，那片陽光頓時消失。一陣帶著閃電的烏雲，光速般地匯聚在我跟吉米的頭上。吉米整個人臉紅脖子粗，簡直快要氣炸。

「呃，不是像你想的那樣。」我尷尬地解釋。

「那麼我該怎麼想？一起睡睡不好，無法跟別人同居，是吧？所以只好爽一整晚，爽到睡眠不足，爽到健忘忘記錢包。這樣想，行嗎？」

吉米氣呼呼地掉頭就走。

我真的覺得超級倒霉和冤枉。我都還沒解決心底對於劉駿光的糾結呢，現在又冒出個吉米。他到底有什麼立場對我發脾氣啊？

16

「所以你現在是跟劉駿光同居了嗎？」

一整天，吉米只要在公司逮到我和他兩個人獨處的機會，就不斷重複同樣這一句話來問我。我都當做沒聽到，他依然不停重複逼問。

「已經是第十次，不要再問了。」

傍晚下班前，在茶水間洗杯子時，居然又碰到我和吉米獨處的場合，令我懷疑其實根本不是巧合，而是他刻意的安排。我終於回應了他，告訴他別再追問。

「你也知道是第十次了？你無視我的存在，一整天有十次了。」他說。

「我只是覺得無論我怎麼說，你都不會相信，所以不想多說。總之劉駿光只是因為投宿的飯店有點狀況，借住在我這裡而已，不是你想像的那種同居。」

「可以住的地方那麼多，為何偏偏去住你那裡？而且你明明說，你不習慣跟其他人同住屋簷下的。」

「沒錯啊，我是不習慣，但是……」我話說到一半覺得心虛。畢竟我因為不習慣而可以斷然拒絕吉米，但卻沒有用同樣的標準來對待劉駿光。接著再開口時，話鋒一轉，說：「哎呀，總之人家從國外回來，總是有很多不方便的地方，我們要學著去體諒。老朋友遇到困難，道義上能幫忙的事就不該吝嗇吧。」

「劉駿光知道我跟你以前的關係嗎？」吉米突然問。

「他不知道。」

「但是我怎麼覺得他都知道？第一次跟他碰面開會，他指名要你主持Podcast節目時，我說我會回公司跟你討論，他就露出一副你一定沒問題會答應的樣子，好像你是屬於他的那種霸氣口吻。然後，今天早上他跟你說『記得喔，晚上！』時，口氣也超怪，像是故意說給我聽他跟你有多親暱。一種占有的宣示？而且你沒看到他話說完時，還刻意瞄了我一眼。總之，我感覺他對你念念不忘，對我充滿戒心和敵意。」

「你很無聊！充滿敵意的人是你。劉駿光才不會像你以為的那麼幼稚。」

當我認識劉駿光時，他是個十七歲的大男生，當時就已經比同儕們的思想成熟了，度過這麼多年又在國外闖蕩，他必然累積許多人生歷練。現在的他已經四十多歲了，絕不可能像是吉米說的那樣，對一個三十歲出頭的陌生人，表現出那麼幼稚的肚量。

回家的路上，我想到吉米說劉駿光對他「宣示」時仍忍不住嘴角失守。怎麼可能嘛，真是的。果然小我一輪，就是小孩子，年輕人眼光狹隘容易以小人之心度君子之腹。

想著想著，已經抵達家門。一打開門，我忽然「哇──！」地叫出聲來，彷彿心臟暫停好幾秒，大冒冷汗。有盜賊闖空門了！怎麼有抹黑影出現在我家？最初的念頭一閃而過，但下一秒立刻回神，啊，不對。

很尷尬，我忘記劉駿光來借住我家了。

昨晚給了劉駿光我家的備份鑰匙，自己都忘記。單身太久，已經太習慣只有一個人生活起居的空間，完全忘記還會有另一個人同居的可能。

「你怎麼不開燈！好暗！我沒想到你比我還早下班回到家。」

我打開電燈，看見坐在餐桌前與我對視的劉駿光，有點憔悴。

「你怎麼了？為什麼不說話？」

接著才注意到，他面前堆了兩、三瓶空的啤酒罐，手上又拿了一罐。他沒回答我，卻喝了一口啤酒。我突然緊張起來，有不好的預感。

是不是遠在洛杉磯的家裡發生什麼事？或是他被公司革職了？或他要告訴我，他病了？我趕緊拉開椅子坐到他的對面，深呼吸一口氣。

「我準備好了，你可以告訴我，究竟發生什麼事了？」我小心翼翼地詢問。

「沒什麼事。」他顯然說謊。

「吃飯？對，你不是說今晚要請我吃飯？我們去吃好吃的，邊吃邊談吧！」

「算了，不去了。」他意興闌珊。

「不去了？為什麼？走吧，我肚子也餓了。」

「除非，」他吞吞吐吐地說：「除非……」

「除非什麼？」我被他弄得好焦急。

「除非你告訴我，吉米跟你是什麼關係？你們是不是有過什麼？你跟我說，說完我們才去吃飯。不然，就不吃了。」

「蛤？你是認真的嗎？」我瞠目結舌地看著他。

劉駿光用一種小狗才會有的，無辜且迷濛的眼神望向我。

他現在是在賭氣嗎？我不可置信他居然因為這件事而一個人喝悶酒。萬萬沒料到劉駿光真像個小孩子，被吉米說中了在耍脾氣。

只要是肚子餓，我大概面對什麼事情都能輕易投降。於是，為了趕緊能夠出門去吃飯，我只好言簡意賅地告訴了他事情的來龍去脈。當然，敘述的方式是蜻蜓點水，能模糊帶過就帶過。

「你們真的只有交往一個月而已？」

劉駿光問我，帶著懷疑的眼光。顯然他不完全相信我說的話。

「對啊，而且都已經是四年多前的事。你為什麼不信？」我反問。

他聳聳肩，逃避問題，沒說不信也沒說信。

我繼續說：「當然在交往以前總是有一段曖昧期。互相有好感了一段時間，然後才認定彼此是男友關係正式交往。結果，一個月後就分手了。」

「你們看起來好好的，為什麼會分手？」

「看起來？你從哪裡看到的？你人在國外，哪知道我跟他看起來好好的？你是有千里眼嗎？」

劉駿光的臉上，一瞬間，閃過說溜嘴似的尷尬。為什麼他會有這種反應？

「說不定我就是有。」他故弄玄虛說。

「反正分手就是價值觀不合，事情都過去了，也沒什麼好說的。」

我避重就輕最關鍵的原因，就是沒有準備好接受與人同居，當時更害怕如果有一天同婚真的合法，會被吉米逼著結婚。顧慮到劉駿光正借住我家，怕說了讓他多想，為難他。

「事情可能還沒過去吧？他是不是想挽回你？」他問。

「這位同學，你的問題很多。我是在開記者會嗎？」

「既然都聊起來，就多聊一些啊！那麼小氣幹嘛？那我最後再問一題就好。你跟吉米搞曖昧，曖昧期有比我們那時候還長嗎？」

他突然笑起來，讓我覺得他是在挖苦我。

「你幹嘛那麼在意我跟吉米的事？在意到一個人賭氣喝悶酒？然後現在又為什麼要比較我跟誰的曖昧期比較久？很可笑是嗎？我搞不懂。」

劉駿光見我有點生氣，一臉歉意，像在找什麼理由搪塞似地說：

「抱歉抱歉，我……沒有在比較……誰說我在比較？誰說我賭氣？我只是比較早回來，想說在吃晚餐前，喝點啤酒放鬆身心，才不是喝悶酒。」

「最好是。」我翻了個白眼，說：「你剛才明明在問我跟吉米是什麼關係？還說不講就不去吃飯咧！拿吃東西來威脅我？幼稚！」

劉駿光啞口無言。

我忽然念頭一轉，覺得占了上風似的，憋著笑意故意說：

「你要在意的話可是在意不完喔。吉米只是最近的一個罷了，在他之前還有好幾任呢！說起來我雖然沒你帥，但我桃花可是很繁花盛開的！二十年來不負青春，感情生活無縫接軌，愛得水裡來火裡去。我猜你應該也差不多吧？不對，你人在國外，應該比我誇張。外國人都很OPEN，談戀愛或一夜情跟喝開水一樣簡單吧？哎呀，算了算了，反正自從你一九九六年跟我失去聯絡以後，我早就沒在意了，所以拜託你也別那麼在意我啦！」

我連珠砲似地說完以後，劉駿光只是淡淡地回了一句：

「不在意，還把年份記得那麼清楚？」

這會兒換我無言以對。本來只是想酸他，卻變成不滿的埋怨，顯得自己太在乎。

半晌，劉駿光突然神情變得有些嚴肅。

「總之，那個吉米，感覺對你還念念不忘。你對他的曖昧或許已經結束了，但是他對你的曖昧還在繼續。」他說。

我噗嗤一笑：「又是感覺念念不忘？我認真覺得你們要不要組團出道？最有默契的其實就是你們兩個人吧？為什麼講的話都差不多！總之，我不會跟他再有進一步發展。」

「是嗎？那就好。」

「那就好？」我納悶。

「我的意思是，如果你要找一個貼心的對象在一起，了解你的生活，能夠照顧你，吉米不可能是那個人。因為他根本不清楚過去的你。」

又來了。這兩個人到底是怎麼回事？互相討厭對方，但是說的話竟然都一樣。劉駿光說吉米不適合我，因為吉米根本不清楚「過去的」我，而吉米卻也曾說過劉駿光不適合我，因為劉駿光根本不清楚「現在的」我。過去的我，現在的我，到底哪一個我才是真正的我？我真是被他們搞糊塗了。

「我跟你說過，我沒打算跟誰在一起了。」我提醒他。

「你這樣子會讓人擔心的。」

劉駿光突然吐出這句話。我又失笑，卻也忍不住帶著埋怨說：

「讓誰擔心？你嗎？你擔心我嗎？拜託你別搞笑了！你真以為來我這裡借住一下，就能幫助我習慣跟人在一起同居生活？你不過在這兒幾個月就拍拍屁股走了，大家又隔著半個地球各自生活。你高中畢業一閃人就消失二十年，以前都不擔心我，現在忽然說擔心？

聽好了，讓我再說一次，拜託你別搞笑了！你是恐龍嗎你？」

「你不是說我帥，怎麼又說我是恐龍？」

「恐龍身體長，神經傳導需要時間，被踩到尾巴要過好幾分鐘以後才會叫痛。後知後覺的，不就是你嗎？」

「我又沒說是我擔心……」他狡辯。

「不然是誰會擔心？」

「你爸媽也很擔心啊，昨天……」

他忽然發現說錯話，立刻打住。

「昨天？你昨天又跟他們碰面了？」我睜大眼，詫異地問：「不會吧？你們見面的頻率比我還高耶，根本你才像是他們的兒子。他們又跟你說了什麼？」

劉駿光看著我好幾秒，面無表情，貌似不願回答。半晌，他終於開口，孰料他轉移了話題，竟說：「走吧，我們該去吃飯了！我快餓扁了。」

拜託你別搞笑了！是我先說肚子餓的耶！可惡。

到底是因為誰鬧脾氣的關係？再次覺得劉駿光這個人依然是太怪了！

17

在熱氣氤氳的浴室裡，我站在蓮蓬頭下，一邊刷洗身體，一邊看著從頭上落到腳邊的泡沫，隨著流水爭先恐後似地竄進排水孔。

不知道為什麼，嘴裡自然而然哼起了陳奕迅的〈你的背包〉。突然間，副歌唱到一半，背上有個地方超級癢。我伸手去抓，但手搆不到癢處，接著換兩隻手拉住毛巾，在背上來回拉扯，依然無法止癢。啊，好癢！可是怎樣都抓不到，結果是愈想愈癢。

就在束手無策的瞬間，我看見浴室的門被打開。

「喂！等一下，我還在洗耶！」

居然是劉駿光，我嚇一大跳，轉過身背對他，拿毛巾遮重點部位。

「講究時間效率，響應節能減碳，我們一起洗吧！」

他邊說邊迅速脫光衣服，關上浴室大門。我的心跳急速加快，耳根倏地燥熱。

「你先出去，我快洗好了，這樣我不習慣啦！」

他大笑兩聲：「不習慣？我送還給你上次講我的一句話——拜託你別搞笑了！以前高中在宿舍，大家不是都一起洗？」

「那有隔間，不一樣。」

「可是這樣我疊衣服時，還要一件一件翻過來，超麻煩。」

「其實你不用幫我疊衣服，」他指著沙發邊緣一堆衣服山丘，說：「我的衣服你就幫我全部堆在那裡就行了！反正那些衣服都不怕縐的，每天要穿的時候，我再從裡面翻出來就行了。我在這裡也沒衣櫃呀，哈。」

「哇噻，劉駿光，你以前高中時不是這樣吧？」

「以前被逼到失去自我，現在終於找回自己了。說真的，你也應該跟我一樣，徹底改變，不要很多事情都太壓抑自己！」

「外面的人看你這麼帥氣，乾乾淨淨的，一定想不到你在家這麼邋遢。」

「不好嗎？別人看不到的，只專屬於你。」

我被他這句話給「完封」，一時之間不知該如何反應。

我和蔡思明提過這些事，他覺得劉駿光變得真開朗逗趣。而最終的結論竟是，人帥真好。他說：「就是因為劉駿光長得帥，是你的菜，不然要是個沒人緣的醜八怪，只會覺得他油腔滑調耍無賴，想把他給立刻轟出家門吧？」

「是這樣嗎？我哪有那麼現實！」

「你就是。不過，一路聽下來都是住在一起不習慣的事。難道沒有些好的嗎？」

「嗯，我想想看。喔，有。劉駿光喜歡香氛精油，自從他住進來，每天睡前和早上都會挑不同的精油來點。我覺得很香。」

「那很不錯啊。還有呢？」

「隨手關燈吧。哈，明明是我家，但是他力行隨手關燈，而且常常反過來提醒我。我是那種在家裡走到哪、電燈就開到哪的人。有時候一整夜，廁所或廚房的燈就一直開著。去上班時，房間的燈也常忘了關，開一整天。」

「這也是很好的習慣呀。用廁所跟浴室呢？兩個人會不會搶？」

「不會。但好笑的是，他常常會說『讓你先用』。早上起床讓我先去洗澡，吃完早餐讓我先去用廁所，晚上睡前也是讓我先洗澡。可是明明就是我的家，我本來就有權先用吧？還說是讓我，很好笑。」

「那可不一定喔。他會讓你，會先問你，是一種體貼。我就有一個女生朋友結婚以後，她老公一開始都不會問她要不要先用廁所或浴室，就自己搶著先用。後來我朋友跟他大吵一架以後，她老公才會先問她或讓她。」

確實如此。居住的空間大小和設施沒有改變，多了一個人，輪流或禮讓變成一門藝術，也是一種體貼的展現。

「不過，你們沒有一起洗澡嗎？」蔡思明不懷好意地問。

「沒啦！多奇怪！又不是男朋友。」

「不是男朋友，就不能一起洗澡？還是怕一起洗澡了，就會變成男朋友？」

「別再亂說了。」

得舒服一點。你房間夠大，可以放得下。」

「沒必要啦，我早就習慣了。在哪裡摔倒就在哪裡站起來。我的床就是我人生的縮影。而且景氣不好，我要省點錢才行。」

我催促著劉駿光離開。突然在想，會不會是劉駿光自己睡沙發床不舒服，所以拐個彎來暗示我？叫我換一張大床，然後現在睡的那張單人床就放在客廳給他睡？

我從沒問過他睡得好嗎？客廳裡的沙發床，通常是爸媽來我家時，給他們躺著看電視打盹用的。回想起來，我一次也沒睡過。說不定其實根本很不好睡？劉駿光只是不好意思直接說而已。我忽然有點愧疚。

這幾天為了「FINE LINE」瑜伽會館的合作案，從早到晚，馬不停蹄地召開好幾次公司內部會議。終於，在史黛西的同意下，找網紅拍攝影片的人選及製作團隊部分已拍板定案。而「FINE LINE」那裡也毫無異議，讓一切能按照先前規劃的時間進度進行，算是非常順利。公司的網頁設計師已經開始著手進行影片的專頁製作。接下來還必須再加把勁的，就是劉駿光後來突然說要做的 Podcast 節目。

「跟 ORANGE MUSIC 那裡談得如何呢？」在會議室裡，史黛西問我。

「錄音時間都已經敲定了，目前還在確認節目的內容。」我回答。

「這部分是不是也找史提或吉米來幫你？雖然對方要你主持，別人也無法代勞，不過，有沒有幕後製作的部分，比如需要寫台詞腳本，或提供歌單意見，總之有沒有什麼能夠分擔你工作的事？」

「嗯，目前其實還好，我一個人還算做得來。」

「那就好。有什麼需要的話……」史黛西話都還未說完，突然間吉米就打斷她的話，舉手說：「我自願幫忙。」

「真的不用啊。」我婉謝。

「我懂晉合哥，他只是客氣，其實很需要人幫忙的。我來幫他吧。」說「我懂」那兩個字時，吉米還特別加重語調，看了我一眼。

我根本就知道吉米打著什麼主意，所以不斷推辭，但是偏偏史黛西把熱心放錯地方，站在吉米那一邊，不斷說好，逼著我答應。

會議結束，我們準備解散回各自的辦公桌，但史黛西突然把大家叫住。

「別急，正事講完了，我們還有私事待解決。那就是關於何晉合的『脫單計畫』也必須來報告一下才行。」

「天啊，這件事還有在進行？占用工作時間討論我的私事，不好吧！」

我垂下肩膀。史黛西整個人變得相當興奮地說：

「我們什麼時候公私分明啦？你不知道我們大家為了你的終身大事，每個人各司其職在自己的崗位上有多努力付出。我先報告好了，我動用了我所有人際關係，依照職業不同，精選出五位男士，要來跟你聯誼。時間鎖定在十月到十一月份。為了避免你跟陌生人第一次見面感到尷尬，對方會帶一位朋友來，而我和潔西卡也會輪流陪同出席飯局，然後在恰當時間先行離席。」

「不會吧？妳不是認真的吧？」

「這位先生，我很認真好嗎！我不是隨便亂找，很用心挑選的。從對方的職業、年紀到外貌，如果我覺得不OK的，都先刷掉了。」

「我可以拒絕嗎？」我哀求。

「你就當做陪我吃頓飯，我買單總行吧？如果你不喜歡對方的話，那就算了，但是說不定藉著這個機會，你也有可能認識改變你想法，發現願意在一起的人啊！反正就是這樣拍板定案了。」

當身為上司的史黛西拋出陪她吃飯、陪她唱歌或幫她慶生（一年到頭都可以替她提前或補辦慶生）的說法時，我知道我無法拒絕。我們確實從未公私分明。

「史黛西報告完之後，換我來提案。」史提開口。

「什麼?!還有？」我驚詫。

「晉合哥，可以把你的手機給我嗎？請解鎖。」史提說。

「要做什麼？手機是個人隱私。」我緊緊握著手機。

「放心，只是幫你下載一個APP，我不會看你手機內容的。」

我心不甘情不願地把手機遞給他，只見他拿著操作一番，然後又要我面對鏡頭笑一個，拍張照以後，一會兒就將手機畫面展示給在場的大家看。

「已經幫晉合哥下載好同志交友ＡＰＰ囉！個人基本資料剛剛也設定好了。還要再麻煩晉合哥回家，對著鏡子自拍一張裸上半身的照片補上去就行了。」

「哇，這笑容，很可以！已融化。南極暖化都要怪你了！」

史黛西誇張地說，和潔西卡一起拍起手來。

「蛤？我不需要裝交友軟體，更不想要拍裸照。把它刪掉！」我抗議。

「哥，時代的趨勢。難道你還想用明信片徵友嗎？欸，等等，居然馬上就有人丟訊息給你耶！太強了。沒放裸照也有人丟訊息給你，那是真愛無誤。」

「他寫什麼？」從沒用過交友軟體的我，被史提這麼一說，突然感到好奇，湊過去看：「為什麼劈頭就問『你找什麼？』啊！什麼意思？你在我的個人資料上，有說我遺失什麼東西嗎？」

史提笑出來：「哥，你真可愛。ＡＰＰ上人家問你『找什麼？』意思就是你用這軟體的目的是幹嘛，要找交朋友的對象還是找男友？或砲友？你只要記得回『找可以談得來的朋友，有緣分的話希望能夠成為互相陪伴的對象』就行了，因為聽起來挺有誠意。如果真的是想交男友的，會喜歡這種說法。」

「花時間在這個ＡＰＰ上認識人，我不如坐在沙發上好好追一部喜歡的日劇或韓劇，心裡還比較踏實一點。」

「拜託哥試一下嘛！我跟史黛西打賭一千塊了，我說我這方法比較有效率。」

「你們居然還打賭！」

「別以為用交友APP的人，只是玩玩而已。我就是這樣認識我現在的男友！吉米應該也有從這裡認識到交往的對象，或是交到一些好朋友吧？」

史提忽然把話題轉向吉米，吉米勉強擠出一個尷尬而不失禮貌的微笑。

「嗯，但我想晉合哥更喜歡從現實生活認識的人去深入交往吧？」

吉米看著我，意有所指。超不會「讀空氣」的史黛西突然插話：

「啊，現實生活中已經認識的人，我想起來了！不就是你那個高中同學劉駿光嗎？他到底喜歡男生嗎？你們後來有什麼發展嗎？」

吉米聽到劉駿光這三個字，整張臉倏地鐵青。

史黛西並不知道劉駿光已經住在我家，我急忙搖頭，裝做什麼事也沒有。

20

自從吉米知道劉駿光借住我家以後，整個人好像是輛被加裝了好幾顆引擎的跑車，對我的態度，按照他以為「好」的方式向前加速。

這兩個多星期，他每天下午都幫我煮好咖啡。為了不造成我的困擾，他不會直接拿到我的座位上給我，而是等我去茶水間準備沖咖啡時遞給我。他總能算好我想喝咖啡的時間。晚上加班時，他也很神奇地知道我想去便利商店買零食充飢，早一步去買好，然後等在電梯前快速塞給我。我連「不用這樣」這四個字都還來不及說完，他就裝酷，一言不發轉身走回辦公室。最近這兩天更誇張，他連午餐都替我準備好。我第一天不好意思拒絕，把便當給吃了，想不到第二天又有。

這一天下班時，我把洗好的便當盒還給他，決定好好談談。

「很謝謝你的便當，可是明天開始請不用這麼麻煩了。」我告訴他。

「我不覺得麻煩，所以我會繼續帶給你。」他堅持。

「我不喜歡別人這樣為我做事，我會有壓力。」

「只不過是吃個便當，有什麼壓力？需要我再準備一個氧氣筒給你抗壓嗎？又不是要你拿到玉山山頂去吃。你根本只是嫌我麻煩，而不是認為我會麻煩，對吧？」

「我不是這個意思。」

「總之你不用這樣花費心思在我身上了，我很過意不去。」

「這樣很好。過意不去，就代表你還在意我，否則根本無感。我說過了，我雖然年紀比你小，但是我可以照顧好你。劉駿光會在乎你每天中午吃什麼嗎？」

「我們是大人了，各過各的，不會像是小孩一樣，連吃三餐都還要管對方。」

吉米盯著我，眼眶竟突然有些泛紅。他憤憤地對我說：

「又來了。為什麼每次都一定要這樣分大人還是小孩呢？拿年齡來壓我，這太不公平了。你要我怎麼樣才能趕上跟你同樣的年紀？」

我被他這突如其來的反應嚇到。記得上一回他如此動怒，就是在我們分手那段日子。

「能夠照顧好你就好，跟年紀有關係嗎？」他問我。

「你覺得你在照顧我，但其實跟你在一起，我覺得我需要照顧你的時候更多，但我不是一個能夠照顧好你的人。」

「這些話我都聽過了。我沒有要你照顧我，你可以享受我對你的照顧就好。」

「你說沒有要我照顧你，根本是不可能的。你的脾氣、你的任性，你起伏伏的情緒，難道不需要被理解被包容嗎？對我來說那就是要照顧你。你難道忘了，我們分手前天天吵架嗎？我不想要過那樣的生活。我是會被你給影響心情的，而且我也不想再讓你了。無法互相照顧的兩個人，不可能住在一起生活的。」

能夠照顧好一個人，跟年紀確實無關。可是，跟愛有關。無法照顧也難以包容另一個人，說穿了只是因為沒有愛。我對吉米沒有愛。我想他不是不知道，但我不明白為何他能夠接受這樣的委屈，只是為了想將我留在身邊？我沒有有那麼好。

跟吉米道別後，突然間，我的手機響了好幾聲。拿出來看，是交友APP傳來的訊息。我打開來看，嚇一跳，這個傳訊息來的人，居然用的是我的照片。有兩個我，同時出現在會員清單上。結果打開訊息，傳訊的人竟是吉米。

「是我，吉米。先跟你抱歉，擅自用了你的照片和名字假冒你。因為在會員清單上同時出現兩個帳號卻用同一個人的照片，大家就會直接跳過，認為是在騙人。而且我已經在個人資料上寫『只看不回，不找任何人』了。總之，我不想要有人約你。反正你自己也說不想用APP。我就替你擋掉一堆蒼蠅吧。」

我真沒想到吉米會用這一招。其實他大可不必，我根本沒有他想像中受歡迎。

回到家時，赫然發現家門居然敞開著。怎麼回事？我在門口聽到房裡傳來劉駿光的聲音，不知道在跟誰說：「那麼這個就麻煩你們幫忙處理掉了，謝謝！」

我急忙脫鞋進去，才一進門，就立刻被劉駿光給拉到一邊。

「小心！會撞到你！他們正把舊的床抬出去。」

我一看，見到幾個彪形大漢，居然正將我平常在睡的床給抬出家門。

「我的床？怎麼回事？」我吃驚地問。

「不好意思，我擅自作主，決定送你一個禮物。就當做我借住在你這兒的謝禮吧！不然感覺我是來白吃白喝的。」他說。

「送我什麼禮物？」

「去你房間看看啊！」

我走進房，看見劉駿光竟然買了一張雙人床給我。

「你躺躺看，看感覺怎麼樣？」他充滿期待地說。

「這，太令人意外了吧！你太破費了。」

「還好啦。錢賺來就要是花的，花對地方就好。快點躺躺看！」

我躺下來，感受前所未有的舒適度。雙人床果然很不同，空間感變大，雙手雙腳恣意張開，翻來覆去都安全多了。

「對吧？我在洛杉磯也是用這牌子的床墊，覺得很好，你應該也會喜歡。你睡過去一點，讓我躺躺看。你這款是新型號，我看看是不是跟我家的一樣好？」

我讓出了一半的位置，讓劉駿光躺在身邊。這張大床躺兩個人，空間綽綽有餘。我們同時在自己的位置翻來覆去的，測試感受床墊的軟硬回饋。最後我累了，躺下來，側身看著劉駿光還在轉，並且喃喃自語，說這個型號跟他用的不太一樣，有點細微的差別，但基本上差不多。忽然他停下動作，手肘俯撐在床上，臉非常靠近我。

「回答我一個私人問題。」他問。

「要問什麼？」我緊張起來。

「很好奇，你是不是一定要很硬的，才會有感覺？」

我的臉頰燥熱，尷尬地回他：「呃……其實也不一定，還是要看跟對方的互動和技巧。你很煩，幹嘛突然問這種問題。」

「對方技巧？我是問你是不是覺得床墊硬一點的，會比較有感？如果你希望更硬一點，七天內可以更換。你想到哪裡去了？這個小色鬼。」他看著我大笑。

可惡！我覺得他根本是故意鬧我的。

「再回答我一個問題。」他又問。

「我不要回答了。」

「這次是很正經的問題。」

21

劉駿光和我一樣仰躺下來，兩個人在床上望著天花板。

我沒說不行，於是劉駿光逕自當做我同意他的提問。不過在發問以前，他先說了一段往事。前幾年，他離開家搬出來一個人自己住，但離上班的地方有點遠，正想搬家的時候，現在一起住的室友恰好找他分租房子。兩個人就這樣當室友當了很多年。前陣子，室友決定搬走跟女友同居，他也準備年底重回一個人住的生活。在找房子時，他忽然有個念頭，認為是不是人到中年之後，還是有個人一起分租房子，會比單身居住來得好一點？要是發生什麼狀況，彼此可以很快地相互照應。

「以前很年輕時，根本不會想到這些事，現在過了四十歲，最近又看到很多單身在家發生意外猝死的新聞，忽然覺得那些事故也不是與自己無關。」劉駿光停了一會兒，才繼續說，問出他的問題：「所以你沒有想過，一個人萬一在家發生了什麼事，沒有人可以及時來救你，可能是很危險的事嗎？」

「想是有想過，可是老實說很多時候發生意外，不一定是在家裡。就算有室友，也不可能二十四小時全天候都剛好在家。所以，這種事情真的很難講。說到底就是各人的運氣和命吧！況且要是遇到一個一起生活以後，才發現很多事情都不合的人，那也很討厭。」

「那也是。還好你住台北，除了有蔡思明能幫忙之外，老家離這裡也不遠，萬一真發生什麼緊急狀況，一通電話，你爸媽也能很快趕過來。」

「你不是嗎？就不說林德凱了，你跟你媽，還有林采如，不也都是住在洛杉磯？還是說洛杉磯太大，有急事時他們很難趕到你家？」我好奇。

劉駿光的臉沉了下來，一會兒才開口：「我沒有告訴你，林采如很多年前已經去紐約工作，跟當地認識的美國人結婚，就一直定居在那兒了。至於我跟我媽，這幾年的關係變得不太好。一切還是因為林凱德的緣故。林德凱臥病在床兩年了。很多年前，他高血壓引起幾次小中風，臉部和身體變得有點麻痺，兩年前他又發生一次嚴重的中風，那次以後就開始臥病在床。人還清醒著，但就是癱瘓了。我媽其實可以不必理林德凱了，畢竟後來她自己也出去工作，可以養活自己。我和林采如都獨立了，她不必操心我們，可以過自己想過的生活。可是，她卻說要照顧林德凱，說什麼畢竟是夫妻一場。林德凱落到這步田地，很可憐，她不忍心不理他。我的老天！她的觀念真的太傳統了。我不懂，明明林德凱會對她家暴，她三番兩次有機會走，卻不逃開？為了這件事，我跟她大吵過好幾次都沒用，我氣到真的懶得管她。我現在跟她的關係，就是平常偶爾會在工作場合的芳療SPA碰到，雖然彼此的互動看起來跟過去一樣，但心裡就是有個疙瘩在，兩個人講起話來都變得好客氣。即使說說笑笑，也超有距離感。」

「我真沒想到會變成這樣。我們已經變成大人了，但我現在還是認為大人的世界很難理解。」我感歎。

「大人也有很多種。有些大人只活在自己的世界，不希望別人去理解。」

「這樣的話，也許你回洛杉磯，還是看看能不能找室友分租吧？如果你真的在意一個人住有風險的話。」我建議。

「可是目前也沒聽說有朋友要租房子。」

「可惜我幫不上忙，在洛杉磯完全沒有認識的人。」

劉駿光沉默了一下，帶著小心翼翼的口氣探問：

「還是我不要回去了。我留下來，繼續跟你一起住？」

「蛤?!這可能……」我驚訝，想著該怎麼接話。

劉駿光打斷我的話，搶著說：「你看，我們這幾個星期，一起住不是很好嗎？是不是根本沒像你想得那麼困難，你也滿適應的，對吧？」

「呃…也不是這麼說。這個該怎麼講呢……」

「我沒有一定要繼續留在洛杉磯，如果台北的瑜伽會館營運順利，而且需要我常駐支援的話，其實我可以試著請調回台灣。如果真的搬回台北了，我們就像現在這樣一起住，不是很好嗎？」

「這是個很浩大的問題，我現在一時之間頭腦無法想清楚。」

我逃避地回答。因為，我實在不好意思告訴劉駿光，我一直是以他只要借住到十二月中旬為前提，來跟他同在一個屋簷下相處的。那些兩個人一起住時，我無法適應的習慣，由於知道有個結束的期限，也就不覺得有那麼難以接受。如果，現在變成無限期延長，那就將陷入我一直以來都害怕的狀況了。

「何晉合，很簡單的問題，不要想太複雜。」劉駿光突然說。

我嚇一跳。他又發揮讀心術了。

「不是很簡單的問題吧？」我說。

「很簡單啊。在一起住，互相照應，你爸媽也放心了。」

我從床上坐起來，看著躺在床上的劉駿光說：

「你突然跟我爸媽關係很好，很關心我爸媽對我的操心。到底怎麼回事？」

「呃，既然話都說到這裡，」劉駿光也從床上起來，與我對坐，說：「我其實不該說的，但我就偷偷告訴你吧。你爸媽希望我留下來，希望我們住在一起。不過我要補充說明，我不是因為他們，才說要跟你一起住。我是真的覺得想要跟你一起住。你爸媽很可愛，還在LINE上開了一個三個人的群組，關心我的進度，是不是有可能不回洛杉磯，搬回台灣，然後長期跟你一起同居。」

LINE的三人群組，好熟悉的字眼。

「什麼啊？我的天！他們『也』找你開了一個聊天群組？」

「也找我？你的意思是他們還有找其他人？」

「蔡思明也被拉去開了一個群組，說要請他報告我的徵婚狀況。還幫那群組取了個名字叫『晉合的結婚ing』呢！真是誇張！等等，你的手機借我看！我想知道我爸媽把你們三個人的群組，取名叫什麼？」

劉駿光把手機滑開，打開LINE，拿到我的眼前。

「把愛找回來？」

我瞪著手機畫面，驚訝到合不攏嘴。

「同志結婚合法以後，我真的變成受災戶。」我愁眉苦臉。

「有這麼支持你的父母，你所謂的受災，是幸福到泛濫！總之這件事就請你先放在心上，再慢慢考慮看看囉？」

「唉，怎麼想都有點尷尬。我們要以什麼立場住在一起呢？你會認識新的人，應該跟你未來的男朋友同居才對吧？」

我們不是情人，但我曾經對他有過難以抹滅的暗戀，青春無悔的曖昧。萬一此後我們真的相戀了呢？那又充滿風險。因為最終我可能仍無法適應兩個人一起生活，從佳偶變怨偶。我們會爭執，最終會鬧到分手，這一次，沒有另一個二十年在前方等候我們重逢。要是撕破臉了，就是連朋友都難做。過去高中時代那些回憶，也必須跟著一併葬送。

「那我們就變成情人吧！」

劉駿光的雙眼，突然閃爍出非常誠懇又耀眼的光。

「這是你送我這張床的企圖嗎？別開這種玩笑了！」我翻白眼。

「做我的男朋友。從此以後你不用擔心，睡覺到一半會摔下床去。我會在你身邊，擋住你。」

「呃，可是我會從另一邊摔下去。」

「那麼我會緊緊抱住你。」

「這樣我會很難睡……」

高中時代浪漫性格的我，全部移轉到劉駿光的身上；而當年務實性格的他，也全部被此刻的我接收。劉駿光兩手抓著自己的頭髮，被我不斷戳破的現實，似乎快搞瘋了。

「我要追你，何晉合。」他說。

我們坐在新買的雙人床上，有一剎那，我錯覺案頭亮起紅紅的燭火，張清芳的〈出嫁〉前奏在空氣中揚起，然而我的理智立刻〈把自己敲醒〉，回到殘酷的現實來。

我推了推眼鏡，還無法反應過來劉駿光突如其來的告白。

「雖然我跑得很慢，摸索了很久，才終於知道自己要什麼；雖然我跑錯方向，錯過你二十年，但是現在我趕上了你。何晉合，我們交往吧！我們在一起，好嗎？」

「……我真的不知道。」

我低聲地說，像是走失在黑夜中的荒原，陷入無邊無盡的茫然。在一起行得通嗎？不在一起不行嗎？某一天回首，會不會後悔地發現，當時維持現狀才是最理想的美好？

下一秒，劉駿光竟整個人撲上來，親了我一下。

我睜大眼看著他，難以置信。

「嘿，Siri！播放最適合現在聽的歌。」好像我心中內建 Apple Music 似的，忽然想對著內心點歌。Siri 用一如既往的平穩聲調回答：「好的，讓我們從張惠妹的〈感應〉開始聽起。」前奏的吉他聲在我腦海裡悠緩揚起，阿妹都還沒唱到副歌呢，劉駿光突然用他偌大的掌心，輕輕地將我的臉扶向他厚實的胸膛，緊緊擁抱起我。

我的心跳超速，思緒慢速，慢到接近於無法思考。頓時旋律丕變，腦海中的阿妹換唱〈給我感覺〉。Come on、Come on，給我感覺。但，這是什麼感覺？

在劉駿光的懷中我無法解釋，只知道，許多年來無論曾抱過吉米或其他任何人，此時此刻，都是我未曾有過的感覺。

22

一九九四年秋天，劉駿光離開台灣以後，我們各自展開了新人生，接著一晃眼又各自跨進一個嶄新，卻沒有比較好的世紀。

在和他失去通訊以前，透過通信我知道他一家人搬遷到美國後，家庭狀況有了很大的變化。林德凱原以為在洛杉磯的哥哥能夠罩他，事實上並不順利。他雖然在哥哥的公司裡謀得一份工作，也在哥哥的幫忙下搞定工作證和全家的居留權，經濟收支上看似馬馬虎虎過得去，但比起過去在台灣畢竟是差得多了。劉駿光的媽媽必須出門工作，在芳療SPA找到一份正職貼補家用，而劉駿光和林采如也靠半工半讀及申請獎學金維持開銷。

對林德凱比較大的打擊來自於心理層面。他過去在台灣本來也沒經手什麼了不起的案子，去到國外更難，再說他們只做當地華人的生意，圈子小，大家隨便打聽就能聽到關於他的流言蜚語，關於性侵的傳聞很難不介意。林德凱的性格變得愈來愈消沉，過去的八面玲瓏行不通了，只能待在家對家人生氣。

這樣的林德凱，自然已經管不動劉駿光。劉駿光因禍得福，第一年在洛杉磯念完語言學校之後，隔年申請大學就擺脫了他繼父過往的要求，徹底跟法律系絕緣，選擇了後來他感興趣的市場行銷。另外，他對游泳和芳療按摩有興趣，媽媽終於不反對，讓他去健身房打工當游泳教練，同意他一起去芳療SPA打工。

這就是我在二十年前，跟劉駿光失去通訊以前，最後所得知關於他的狀況。

前陣子與劉駿光重逢後聊起來，我才知道彼此之間的聯繫，因為陰錯陽差沒收到信，造成我們的誤解，讓原本積在心中的怨懟被放大。在年輕氣盛的當時，誰都不願讓步，賭氣不願去探求真相。

一九九六年開始，我和劉駿光失去聯絡，我以為他根本知道我喜歡他，所以他如果真的還在乎我，就算我不是他的情人，看在是摯友的份上也應該想辦法再找到我。可是，他沒有。帶著不解的怨氣，我埋怨他，甚至拒絕接觸任何有可能知道他消息的機會。

自此，劉駿光消失了，卻又像是沒有消失。我愈是企圖忘記他，他彷彿愈是會在各種場合、角落，以各種一閃而過的身影，出現在我不同的年齡階段。

台北車站的周邊變了很多。唱片行一間又一間地倒閉，當年我和劉駿光認識時還是買錄音帶的年代，轉眼間現在連CD都沒人買了。南陽街還是人潮雜沓，但無論是邱澤數學或陳思豪數學補習班都已經煙消雲散。補夜大保證班的那棟樓，變成一棟電腦周邊賣場，後來又變成一間國外來的快時尚成衣店。每當我從樓下經過時，彷彿都還能看到劉駿光等在那兒的身影。他一臉木訥的表情，等著陪我吃晚餐，等著邊吃邊聽當年仍然健在的張雨生。

光華橋拆了，橋下的光華商場也隨風而逝。殷非凡已經從補教業隱退，我沒有進台大，不過卻也在別的地方享受到燦爛的陽光。合友唱片行還在，沒人買唱片以後，那裡賣的很多的是韓劇DVD。巷子裡的AB麵也還能吃到，不過怎麼吃都覺得味道沒有當年的好。不遠處多了一個漂亮的華山藝文園區，每次週日午後經過，看見很多穿著制服的高中生坐在草坪上，會幻想當時要是有這麼棒的地方，年輕的我和劉駿光也坐在那兒，會不會更快向彼此坦白而墜入情網？

中華路上的中華商場拆建後變成一個大工寮，塵土飛揚許多年，有一天，突然地底下奔馳起捷運。西門町沒落，然後又再度熱鬧起來。圓環消失，麥當勞撤出，圓環邊的紅樓廣場變成同志酒吧聚集區。在淘兒音樂城結束營業後的那幾天，我曾跑去那棟樓的面前佇立許久，想起第一次和劉駿光一起踏進那裡的往事，忍不住紅了眼眶。

我們曾在那裡聊過哪些話呢？記得我們是在那裡第一次聊起張清芳的吧。他現在還聽張清芳嗎？我多想問問他，加州陽光，是不是真的能夠治療人的憂傷？

阿芳後來不怎麼唱了，唱出更多我們這群人苦悶情調的新歌，由張惠妹接棒。劉駿光在洛杉磯會聽阿妹嗎？買得到她的專輯嗎？偶爾我走在寒流來襲的街頭，耳機聽著阿妹的歌落淚時，會想到劉駿光。想到我們已經沒有新的共同記憶了。

我們沒有一起搭過捷運，沒有一起逛過繁華信義區，沒有一起仰望過台北 101，沒有討論過五月天，也沒有張惠妹。

新的事物來得好多好急，那些我和他僅存的回憶，在光陰的洪流沖刷中被擠壓到愈來愈邊緣的地方。我以為那是好事，會因此沖淡忘卻，但事實上是被壓縮得更扎實，如一塊堅硬的石頭，永遠卡在我的心裡。

「我們不該浪費時間在異性戀男生身上了。我們必須精準地鎖定目標，然後主動出擊才行。不然一輩子都談不了戀愛。」

在我失去劉駿光消息後，有一天，蔡思明突然在我面前如此宣告。

「如何精準地鎖定目標？」我問他。

「當然是深入同志匯集的地方呀！」他說。

就這樣，我開始跟著蔡思明跑同志夜店，去參加各種聯誼活動。我很佩服他，總能夠獲得這些不知從何而來的情報。

「我覺得你應該開始寫作。詩、小說或散文，不管什麼都好。」

有一天，蔡思明給我這個人生方向大轉彎的提議。

「我不會寫作，而且也沒太大興趣。」我說。

「哎呀不管，你要是想交到男朋友，你就要假裝熱愛寫作。」他說。

當時台灣正值前所未有的同志文學熱潮，蔡思明跟我開玩笑說，幾乎什麼文學獎，只要你寫了同志題材總有七成的得獎機會。但是參不參加文學獎並不重要，重要的是去參與文藝營，或是熱中閱讀寫作的學校社團。我不解地問他為什麼？蔡思明回答我：「因為那裡聚集著目標明顯的同志。就算現在不是同志，也可能變成同志。」

「參加社團以後，有什麼要訣才能快點認識人嗎？」我問他。

「很好的問題，我已經研究過了，」他下達指示：「第一，對你有興趣的人，永遠稱讚他寫的東西很好，永遠要講出他想聽的讀後感。」

「如果看不懂要怎麼說讀後感？」我問。

「隨便講些似是而非的句子就好，反正文藝青年的想法本來就虛無飄渺。」

「第二點呢？」我開始有點興趣了。

「第二點，寫些帶點情欲又不失清純的同志故事。」

「這可難了。這兩者不是互相矛盾嗎？」

「怎麼會？總之就是上與被上，爽完都要展露無辜。」

「什麼鬼啊？真是。先說第三點吧？應該更關鍵？」

「對，第三點很重要，你要調整目光裡所包含的訊息。向你有興趣的勇猛帥哥，眼神散發出『救我，好想死！』的訊息；然後面對你喜歡的可愛弟弟，眼神則要變成『救你，我懂你！』的訊息，肯定就萬無一失了。」

於是，我們參加了一個跨校際的同志文藝社團，寫了些自己也不知道在寫什麼的文章，揣摩眼神的不同搞得我眼睛快脫窗，但卻毫無成效，始終都沒交到男朋友。

就這樣一直到了大四的那一年，我的命運才忽然改變。

23

在一個校外的寫作班裡，我認識了A先生。他與我同年，但看起來比我像個小孩。他寫的小說實在難看，可是長得帥，每次他拿稿子問我寫得怎麼樣時，我都昧著良心，看著他那張帥臉回答：「真的很好！」大概整個寫作班裡沒有一個人像我一樣，能夠如此虛偽，所以他覺得我懂他，愛上了我。

A先生喜歡「無印良品」，那段日子我們跑了不少光良和品冠的簽唱會。我和他在〈掌心〉、〈每一次喊你〉、〈是你變了嗎？〉或〈有你在身旁〉這些深情款款的旋律中相濡以沫，然而，我卻同時隱藏不敢說出口的愧疚。因為，A先生想到的是我，而我的情緒經過他，最後抵達的目的地卻是劉駿光。我和他交往了快一年，剛開始因為新鮮，什麼都好，但是漸漸地，他抱怨我不夠投入（他永遠不會知道為什麼），於是開始背著我偷吃。我因為賭氣，竟以同樣的方法報復他。年輕不懂事，我們爭風吃醋的時候愈來愈多，最後終於不歡而散，連走在路上見到面都形同陌路。

三十歲前後，我分別又交往了兩個男友。B先生年紀比我大五歲，C君年紀比我小四歲。跟他們在一起的時候，快樂的時候很快樂，痛苦的時候也很痛苦。如今回想起來，其實那些遇到的事實在沒什麼大不了的，但是當年的我性格不如現在沉穩，很容易被對方的一舉一動給牽制，情緒無限放大，起伏如海嘯。

跟他們兩個破局的共通點都是「在一起住」這件事。當年我仍嚮往跟喜歡的人同居，當然多半是帶著與劉駿光未竟的夢想，希望可以在別人身上實踐的一種證明，於是我向比我年長的B先生提出一起住的要求。他欣然答應了，可是住在一起之後，發現彼此身上的缺點突然暴增，總之就是他處處嫌我不夠細心，我則抱怨他不夠包容體貼。

我在B先生家開電視看日劇韓劇，感動到哭得唏里嘩啦。我要他過來一起看，跟他分享劇情和主角演技有多感人，但他只是覺得我非常無聊。

「都是假的，你也信？偶像劇有什麼好看？我明天早上還有會議，現在正準備資料，你能不能體貼一點，要看就戴上耳機看，然後請不要笑太大聲，也拜託不要哭出來，我覺得很觸霉頭。」他說。

我真的不知道該怎麼樣在看劇時變成一個木頭人，所以後來想看劇時寧願去附近的麥當勞。要怎麼哭笑也沒人管我，有時候竟成為下班後最自在的時光。

B先生把我趕出他家的那一天，我拖著行李箱，傷心的不是我和他的結束，而是心想如果劉駿光留在台灣，實現了一起住的願望，我根本不必有跟B先生同居的這一天。

至於C君，是他提出希望跟我同居的請求。起初我有點卻步，但抱著給自己一次機會的前提，我讓他搬進了我的住處。C君過度依賴我，幾乎到二十四小時都要黏著我的地步，令我感覺被監視，喘不過氣。這也就算了，他住在我家，生活習慣超差，東西用完從來不會物歸原處，而且不覺得需要一起分擔家裡的生活開銷。我一個人必須負擔兩個人的消耗，壓力很大。

「很多Gay覺得跟比自己年紀大的人交往時，長輩幫他們付錢就是一種照顧。」

我跟蔡思明提C君的狀況時，他這麼告訴我。

「長輩？太誇張吧！我只不過比他大四歲而已，又不是他爸！要我什麼都替他付錢，太不公平了。」我忿然地說。

「差四歲，一個大學都能念完啦！你覺得不公平，他也覺得不公平。他認為你比他早出社會，工作收入比他好，幫他付錢就是愛的表現吧？」蔡思明說。

我向C君提出好幾次分手，但是他總能用他那張可愛的臉，哭喪到令人心軟的功力，勸退我的要求。於是拖拖拉拉的，最後我們交往的時間居然比我跟A、B先生還久。有一個週末，我出差不在家，回來時驚訝地看見家裡從客廳到臥房，躺著一群衣衫不整喝到茫的人，才知道他竟未經我同意，找他的朋友到我家開趴。累積著夠多的不滿情緒，那一刻，我再次堅決向他提出分手。

「為什麼？」他哭喪著臉，對我訴苦：「我們是情人，需要分得這麼清楚嗎？你的家不就是我的家嗎？你喜歡我，就應該會喜歡我的朋友才對，為什麼因為這樣就要分手？我找朋友來我們的家，犯了什麼錯？」

「我覺得我的生活空間沒被你好好對待，而我也不被你尊重。」我說。

「用這個理由分手，我不能接受。」他說。

我想了想，脫口而問：「你喜歡張清芳的歌嗎？」

「蛤？」他一臉摸不著頭緒，說：「為什麼忽然問這個？我不是說過了，我不喜歡她唱的歌。」

「那麼，這就是我最終的理由。我要跟你分手，因為你討厭聽張清芳。」

其實我連自己都很詫異，會說出這樣的一句話。但，這是事實。總歸我無法繼續再包容C君，無法理解彼此的原因，與其說我無法跟討厭張清芳的人交往，不如說他挑戰了我的回憶和根深蒂固的信念。

二〇一〇年十二月，張清芳復出在台北小巨蛋開了一場久違的大型演唱會。我買下兩張票，很前面的位子，買完以後卻感傷地發現，找不到適合的人一起去。

演唱會當天，傳簡訊給一個那陣子認識不久，互動關係有點曖昧的男生，約他在小巨蛋附近喝下午茶。喝到一半，我若無其事地問年紀跟我相仿的他，喜不喜歡張清芳？

「會聽，但稱不上歌迷。只買過她兩張專輯吧，其中一張是最近的那張《感情生活》，因為我喜歡張曼娟。」

他回答，然後接下來花了很長的一段時間都在說張曼娟。稱不上歌迷沒關係，不討厭就行。我把那張票給了他，邀請他一起去看晚上的演唱會。他顯得驚喜，問我為什麼這麼好，我笑笑不語。

你喜歡我的歌嗎？你喜歡現在的我嗎？整場演唱會，看著身旁的那個人，我忍不住在想，這張票，擁有這個位子的人，應該是劉駿光。

演唱會結束以後，我刪除了那個人的電話，設成拒接來電，也封鎖他的MSN帳號。他一定感到莫名其妙，或甚至恨起我。有好幾年只要在書店裡看見張曼娟出新書，我就會多買一本回家。雖然是很傻的舉動，但以為這樣就能間接對他表達默默的歉意。

我活成兩個自己。一個我，像踏入平行世界，在保存著劉駿光的世界中漫無目的遊蕩；另一個我，在現實世界裡，就像身邊許多的人一樣，有機會就認識人，抱著真愛可能就是這個人或者下一個人的希望，不斷地想像與受傷。

二〇一五年，我遇見吉米。當時隔了很多年，沒有再跟人交往的我，對愛情已呈現半放棄狀態。懶得去結交新朋友的場合，也不覺得生活中有誰會對我有好感。自以為心如止水，生活中突然出現對我充滿熱情的吉米，彷彿無條件地為我付出，而且又懂得恰當的體貼。他的身上散發著年輕氣息，那是我久違卻迅速就熟悉的感覺，新鮮中帶著懷念。很久沒有過的曖昧，填補我的缺口，吉米將我上緊發條，我好像又活了起來。

吉米小我一輪，卻有老靈魂。他愛魏如萱、徐佳瑩、田馥甄和蔡依林，也愛張惠妹、孫燕姿和張清芳。我很驚訝他那麼了解張清芳的歌，他說：「小時候媽媽都在聽張清芳，所以我也喜歡上了。」雖然讓我有點哭笑不得，但也覺得久逢知音。

那年四月，我們一起去看了張惠妹在小巨蛋的「aMEI － AMIT 烏托邦」演唱會。阿妹在台上深情地唱著〈記得〉時，我在台下哭到不能自已，把吉米給嚇一大跳。他看著我也被我惹哭了，不顧旁人，緊緊抱住我。然而，我一直沒有透露，那一天，令我落淚的真正原因，是演唱會入場時，我在攢動的人群遠方，以為看見了劉駿光的身影。可是，當我轉過身想再確認，人潮卻沖散了他。只是幻覺吧？我告訴自己。

然而，當阿妹唱起〈記得〉的時候，忘不了劉駿光的情緒頓時排山倒海而來，令我忍不住潸然淚下。空虛的我和吉米，在淚水中誤以為找到倚靠，在那天演唱會結束以後，誤打誤撞，關係變得更加親暱和曖昧。

十二月，我和吉米正式交往。原本我以為之前的互動算是不錯，這一次或許將能夠一帆風順，神祕的是，就在我們真的成為男朋友關係以後，我突然感覺到一股沉重的壓力。吉米開始對我做出各種要求。有些是明確說出口的，有些則是沒說卻以行為表現。

他開始有意無意希望我能做到一個男朋友該有的樣子。可是，他的許多要求，偏偏牴觸了我的底線，然後他會鬧脾氣。同樣一件事，如果我只是他的朋友，他不會生氣，但正因為「我是他男朋友」所以他不滿，他不開心。這讓我感覺很冤枉，讓我覺得與其這樣，不如退回做朋友，他對我的態度會更友善一點。

「我每天早上醒來會發訊息跟你說早安，你如果忙著出門，可以不用回我，但是我希望你晚上睡前要跟我打視訊電話。」

比如後來，他會這樣要求。

「可是，我們白天一整天都在公司見面，不是嗎？如果沒有什麼重要的事，還一定要晚上打視訊電話，有點累吧？睡前不能做點自己想做的事嗎？」我說。

「在公司我們是同事，講的都是公事，下班以後才是男友，聊天的內容才是情人該說的話。」他說。

為了盡到一個情人該有的責任，我勉為其難答應他。

「你交男朋友的最終目的是什麼？」

交往了三個星期，我們愈來愈容易起爭執，有一次，吉米這樣問我。

「彼此喜歡就在一起，沒想過什麼最終目的性。」

我誠實卻又閃躲地回答。

他垂下肩膀，失望地說：「你沒有想過要跟我住在一起？」

「你現在每個週五和週末來我家住，週一到週四各自居住，彼此保有生活空間不好嗎？」

「如果你夠愛一個人，你怎麼不會想跟對方朝夕共處，彼此陪伴和扶持？」

我沒有回答。

「如果有一天，同志能結婚了，你會跟我結婚嗎？」他追問。

我依然沒有開口回答。

「你這樣讓我覺得，跟你在一起，很沒有安全感。」他說。

是的，沒有安全感。我給不了吉米要的安全感，因為那個東西，我自己也沒有。

我沒有開口回答他的問題，因為我已經害怕跟另一個人同居的生活。年過三十五，我厭倦勉強自己。當我一聽到「結婚」的要求時更加惶恐，這些年來的戀愛經驗，使我真的難以想像，如果跟一個人簽下一張契約，從此二十四小時要同在屋簷下的瑣碎生活。

即使如此，吉米還是沒有打算跟我分手。他覺得我會被他改變。

耶誕節時他和我大吵一架。我們曾約好要一起去台北小巨蛋看張清芳的〈芳華盛宴〉演唱會，我以為他不會來了，沒想到他還是出現。

前一天，我們才因為同居這件事又起爭執，他失去理智大發雷霆；只隔一天，他像是完全沒事似的，對我猛獻殷勤。

整場演唱會他握著我的手，甚至散場時還在會場裡抱我、親我。我像是有著幻聽幻覺似的，當吉米擁抱我的剎那，在會場的一隅，竟然又瞥見一個像劉駿光身影的人。這一次，我甚至以為那個像是劉駿光的人，在遠方和我四目交會了。只有短短三秒，我來不及辨識，就在吉米親吻我時，那個人掉頭就走。不可能是劉駿光吧？怎麼可能是呢？這麼多年沒見到他，我完全不曉得他現在長什麼樣子，不可能一眼就認出他吧？

吉米或許覺得親暱的舉動可讓所有爭執和問題煙消雲散，讓我被感動，可是事實上卻令我更加惶恐。他大起大落的情緒，愛也好恨也好，都是帶著攻擊性的，最終只為了導向一個他要的目的，那就是同居，然後等待能夠結婚的那一天。然而我卻也在他節節逼近的過程中，愈來愈清楚，我沒辦法，那不是我要的生活。

二〇一六年一月初，我一個人南下，去看了張清芳巡演的高雄場。她唱了台北場沒唱的〈想你到心慌〉，我聽著貼切心聲的歌詞，真的覺得我想念劉駿光到心慌了。那場演唱會結束後，我回到台北，下定決心和吉米正式分手。

「有一天，我會讓你回到我身邊的。」

吉米終於答應分手，卻撂下這句話。我真不知道他哪來的自信？但有時候我羨慕他這種非黑即白的信念，認為只要努力就能達到目標的人生觀。

於是，當史黛西冒出要替我進行「脫單」計畫，並在明年喝到我喜酒的荒謬想法時，吉米當然認為是他東山再起的好時機。

不過他萬萬沒想到，這次他多了很多競爭敵手。不只是劉駿光，還有史黛西自作主張為我安排的相親對象，以及連我都沒料到，會以勁爆手法加入戰局的，我的爸媽。

24

自從劉駿光在雙人床上對我告白，說要追我以後，他沒有再問我是否接受，或者願不願意。基本上他的態度跟之前相較沒有改變什麼，不過，我覺得他有意無意，晚上睡前跑來我房間的頻率愈來愈高。

「何晉合、何晉合，你看這個！超好笑的啦！」

他經常看到搞笑的 YouTube 影片，就跑來我房間，臥在我床上。

「你上次說這關是怎麼破的？再教我一次！」

或者拿著 Switch 遊戲機，假借想破關，衝到床上來，窩在我身邊。

因為變成一張（他送的）大床了，空間變得寬廣，很理所當然他進我房間，就是坐臥在床上。通常我已經躺在床上，就會讓出一半的位置給他，於是往往他就一直待著了。看手機、打遊戲機、看雜誌，或只是跟我聊天，反正最後要不是我先睡著，要不就是忽然陷入一陣安靜，接著聽見巨大的鼾聲傳來，我才發現他原來已經睡著。

我們莫名其妙地忽然同居，現在又忽然同床。已經一起同床睡過好多次，但我依然不太習慣。戴著抗噪耳機或耳塞，雖然可稍微降低劉駿光巨大鼾聲的問題，但同時蓋一張棉被，彼此翻來覆去的，都還是令我經常敏感到轉醒。

這樣的生活型態，會怎麼進行下去呢？難道他真的不打算離開，不回去洛杉磯？我已經不是能夠享受關係模糊的年紀了，對他心裡到底有什麼盤算，不免好奇。

有一天晚上，他又跑來我床上，拿著平板看新聞時，我忍不住問他。

「你怎麼都沒問，我接不接受你追我？」

他連看我都沒看一眼，手繼續滑著螢幕，一派輕鬆地回覆我：

「反正就當你默認同意了。」

「居然是這樣？」我瞪大眼睛。

「又不是考試，一定要答案。我不想給你壓力啊，就像你以前對我那樣。」

「你為什麼隔了二十多年，突然又說喜歡我？」

「我沒有『又』喜歡你，我一直喜歡你，只是以前沒搞定自己，說不出口。」

「以前你說，喜歡的東西，最後都會失去。為什麼現在又敢說出口了？」

「我現在已經知道所有的東西，從人生到宇宙，有一天總會消失，只是快慢的問題。但是如果有機會能擁有，為什麼不說出口？就算短暫，也好過什麼都沒有。」

「你講出那麼哲學、深奧的話，確定我能懂？」我推了推眼鏡。

他輕輕地拍拍我的頭，笑了笑，沒多說什麼。

劉駿光對我的態度忽然如此白熱化，其實帶給我另一種無形的壓力。因為這陣子，我瞞著他，差點以為自己在主演《徵婚啟事》。史黛西的「脫單計畫」已如火如荼展開。我沒想到這件事除了要迎合史黛西的期望以外，還得面對劉駿光。

「今天晚上會回家吃飯嗎？我們可以在家吃壽喜燒！日本客戶送給我們好吃的松阪和牛，我晚上會帶一大盒回家。」

傍晚下班前，收到劉駿光傳來的ＬＩＮＥ訊息。

看見訊息的我突然滿是愧疚，因為我又得說謊了。可是，我為什麼需要說謊，為何不能直接告訴他真正的原因呢？

「不好意思，今天晚上不行，我要留下來加班。我們明天再吃吧！」我撒謊。

「是喔？好吧！那就明天吃。你最近好常加班。還好吧？注意身體。」

「好，」我回他：「沒辦法，最近麻煩的案子特別多。超麻煩的！」

真的超麻煩！只是麻煩的並非工作，而是我被迫出席的相親聯誼。

他又傳來一段訊息：「喔，對了，上次你不是好奇，黑膠聽起來感覺如何嗎？我上網訂了一台黑膠唱機，還買到一張瑪麗亞·凱莉的黑膠唱片，今天會送到公司，晚上我會帶回來。我等你加班完回家後拆箱，一起放來聽聽看！」

「好啊！很期待！」

我欣喜回覆，更不想去今晚的飯局了。

史黛西號稱她預支了未來生小孩的力氣，動用身邊可用的人際關係，替我去蕪存菁出五位相親的對象，一連串的聯誼活動，已經在十月正式展開。

「光輝的十月普天同慶，我們的『脫單計畫』也積極響應。」

在第一場聯誼到來的前夕，下班前，史黛西拿著一張她列印出來的表單，像是要追業績似的，對我說：「因此，整個十月，我安排好了四位男生跟你聯誼。第五位呢，排在十一月下旬。」

「為什麼，第五位要等到十一月底呢？」

在一旁的潔西卡好奇詢問。

「怕他一下子吃太多天菜，會消化不良。」史黛西對我發笑。

我原本以為五個人，就是吃五次飯即可，想不到史黛西補充解釋，說每個人的飯局分成兩個回合，也就是一個對象得吃兩次飯，一次是正式的飯局，另一次則是輕鬆的便飯，然後主要是飯後的活動。也許是看電影（不用社交談天比較輕鬆）、唱歌（因為史黛西也要跟的關係）、到河濱公園騎單車（太陽好大熱死了），或打保齡球（美軍駐台年代嗎？太復古）等活動，要做什麼，在第一次飯局時討論決定。

「為什麼要這麼麻煩？我有上了賊船的感覺。」我向史黛西抱怨。

「我是為了你著想耶！在不同場合見兩次面，對一個人才算有基礎認識。不管見幾次面，對我有什麼好處嗎？都是我不能用的男人。是對你好，你還嫌這麼多？」

史黛西說對我好；吉米說對我好；我爸媽也說為我好；而劉駿光也說為我好，於是「幫忙訓練」我跟別人住在一起，甚至買來一張雙人床給我，最後卻自己睡了上來。我真的很想認識國師唐綺陽，請教我的星象走到什麼方位，為什麼大家都要自以為是地對我好？

劉駿光要我回家吃壽喜燒，問我為什麼最近那麼忙的這一天，聯誼活動已經進展到第三位了。前兩位見面的男生，年紀都跟我相仿，一個是在外交部任職，另一個是在大學當副教授，說真的職業和外貌都不差，感覺人品也不錯，但整場飯局下來，我對他們的好奇只存在工作範疇。

要見第三個人以前，史黛西特別提醒我：

「何晉合，你跟人家聊天，能不能不要像是在主持Podcast廣播一樣，只光顧著提問，以為在採訪別人？」

「可是我就對他們的工作挺感興趣的呀！」我說。

「你是在認識交往對象耶！你要多放一點感情，分享自己的生活，表現自己的優點，讓別人喜歡上你啊！結果只是讓對方一直說話。」

「他們都提到自己已經買了房子，夠兩個人居住，未來希望跟另一半登記結婚後住在一起互相照料。可是，我真的沒有打算結婚。而且才認識第一天，就說要一起同居生活，我覺得壓力超大。」

「我們已經過了四十，走到人生下半場，他們也是。在這個年紀認識對象，當然會很實際地考量下半輩子啊！人家說已經有房子，你只需要搬進去住，是想給你安全感。你以為你幾歲了？難道還問你喜歡去咖啡館嗎？喜歡旅行嗎？喜歡哪個歌手嗎？那也太不切實際了吧。」

「怎麼會？有相同的興趣，才可能交往得長遠吧！」

我辯駁。史黛西的這一席話，根本是她自身的經驗談。而我想到的只是，晚上等著我回去，一起聽瑪麗亞．凱莉黑膠唱片的劉駿光。

「有相同的興趣可以談談戀愛，但你現在不是只談戀愛，而是要找託付終生，一起相互扶持的另一半。那需要更多務實的層面。」

「我忽然有一個感想，說了妳別生氣。」我看著史黛西說。

史黛西冷笑一聲，揮揮手，搖頭說：

「你不用說，我也知道你要說什麼。沒錯，我就是因為這樣，所以找不到理想的對象。我只要論及婚嫁，對方就會跟你一樣被嚇跑。到底是怎樣？我是鬼新娘嗎？」

「我想妳真的設下太多前提條件了，務實到有點現實。而且事實證明妳這樣並沒有成功，又為何希望我就能夠因此脫單？說不定我們就是天生註定不適合婚姻啊！」

「人定勝天，我如果成功讓你脫單，可能會找到過去沒發現的訣竅，那麼我自己的希望也會大幅增加。」史黛西充滿自信。

史黛西安排的第三個聯誼對象叫做阿班，比我大兩歲，一聊起天來，才知道他竟認識劉駿光。他說他從前在洛杉磯留學過，在台灣人社群中相識劉駿光，回來台灣後加入同志社團，從事性平運動，前陣子在社團裡又重逢了他。
「下個星期的同志遊行，劉駿光有說會來我們『彩虹市集』攤位幫忙。」阿班說。
「啊，就是你們的攤位。他也有找我去。」
「真的嗎？太好了，一起來玩吧！」
我禮貌性地點了頭以後，才赫然想起他們的攤位，是同志版的婚姻仲介社。
「同志終於能夠合法結婚了，相信你也等待很久了吧？可以結婚了，但卻沒有結婚的對象也是挺困擾的，我們就是希望能替大家牽紅線。老實說，我今天會來這場飯局，除了為我自己製造交往的機會以外，也是想要跟你介紹一下我們公司。喔，千萬不要誤會我是來拉生意的，我只是覺得大家都是自己人，應該相互幫忙。所以如果你今天覺得對我毫無興趣，其實一點都沒關係，因為非常歡迎你來參加我們的婚友社，我們已經有將近三千多名會員了，說不定可以從其中介紹給你，符合你理想的另一半，步入幸福的禮堂。」
阿班滔滔不絕地說，雖然很有誠意，卻讓我有點毛骨悚然。我知道那是我的問題。
「嗯嗯嗯，這樣啊……」我回應得有些敷衍。
「總之先別給自己太多壓力，當做是認識朋友就好。同志大遊行時，先跟劉駿光一起來我們攤位玩吧！當天看看感覺怎麼樣，喜歡再說！我上次跟劉駿光碰面，講起這件事，他馬上就掏出會費加入婚友社，好積極。」
「劉駿光加入了婚友社？」

「我不知道他是義氣相挺，還是真的想要認識對象？但這下子換我有壓力。我要好好地幫他介紹對象才行。不過，以他的姿色，應該很簡單就能推銷出去啦！」

我聽了感到詫異，同時難掩失落。

阿班跟一同出席的朋友去洗手間時，史黛西對我說：「你太明顯了。」

「啊？什麼？」

「剛才啊，人家一講到劉駿光加入婚友社，你整張臉就垮下來。」

「我有嗎？」我裝傻，推了推眼鏡。

「你也知道的，像我這麼會讀空氣，個性敏感，雷達如此強大的人，都不太清楚你跟劉駿光的狀況了，不如你直接告訴我，其實你對他是不是有點感覺？他對你是不是很冷淡？你是不是想跟他更熟一點？如果是，姊姊我再來想辦法！」

你會讀空氣？我忍不住笑出來。

「幹嘛笑？」史黛西不解。

「沒事。」我拍拍她的肩膀，說：「妳真的是很可愛，怎麼會沒有男人愛？」

「閉嘴！」她在餐桌下踢了我一腳。

劉駿光為什麼想加入婚友社？他明明說要追我，一直喜歡我，還想跟我住在一起，但同時卻正在積極地認識別的男人？一種多工作業，多管齊下的概念嗎？

他不像那樣的人。然而，仔細想想，他為什麼不可能是那樣的人？從來他就是很神祕，帶著不同的臉，面對各種環境的一個人。他若可以在二十年後的現在，個性不變，當然也就有可能變成一個隱藏得很好的花花公子。難怪他現在如此花言巧語，那麼會撩人。我不禁懷疑，當我愧疚著跟史黛西介紹的男人們聯誼時，其實劉駿光早就不知道透過婚友社，或者手機交友APP，認識了多少人。

我的失落，漸漸轉變成不安。就是這樣。我就是討厭這樣。這些年來，我好不容易安定了自己的心，決定不要再談戀愛，也不要妄想跟誰可以一起廝守到老，總算找到一個人安身立命（好吧，其實是迎向初老）的方式，可是忽然，劉駿光回來了。他挑動我原有的寧靜生活，將我再次推進一種忐忑不安的狀態。

25

「要是我們公司能像你們這裡這麼好，我每天上班心情都會很愉快。」

坐進錄音室時，我再度忍不住跟蔡思明這麼說。來了幾次，就說了幾次。

「因為新大樓嘛，什麼看起來都很新。」蔡思明說：「老闆喜歡模仿美國新創產業，所以弄成這個樣子。但老實說，拿一台筆電窩在那種設計師沙發上，根本很難工作。你試過一次就會知道，脖子和腰會斷掉。還有那些公共空間設備雖然很棒，我們卻只有在客人來開會時會去，平常根本不會用。下了班，誰都想要快點逃離辦公室。」

因為跟 FINE LINE 瑜伽會館的 Podcast 合作案，這一個月內我頻繁來到 ORANGE MUSIC 錄節目，很羨慕他們公司新穎潮流的室內設計，以及悠閒的工作氣氛。

蔡思明其實不是主要負責製作 Podcast 部分的主管，不過每次我來，他都會放下手邊的工作，全程陪同幫忙。他說，畢竟是實現了我的廣播夢，當然希望能做好。

「只剩下十一月初再來錄最後一集，就大功告成了。總之，感謝你的熱情協助。」錄完音時，我對蔡思明說。

「拜託，太客氣，我會認不得你。你不知道 FINE LINE 他們多大方？我們進帳不少耶。要不是因為你介紹我們公司給劉駿光，我們哪能平白無故撿到一門好生意。所以，我當然不敢怠慢您這個招財貓！對了，你們跟他們合作的影片拍攝案也順利嗎？」

「嗯，一切都在預定計畫上進行，算順利。」

「那麼一切不在計畫上進行的你和劉駿光，也順利嗎？」

「自從他送了一張雙人床以後，我懷疑他早就計畫好了。」

「管他是不是計畫好的，反正他對你好就好，而且你本來也就喜歡他不是嗎？只是現在的你擔心這擔心那的，想很多，裹足不前。你上次告訴我，他說要追你，我真的超驚喜。我回家以後跟阿勝講，連阿勝那種不懂浪漫的人都覺得感動。」

「別太早感動。我不是跟你說了，我意外得知他還去參加同志婚友社嗎？說要追我，還同時想認識別人，也太不專情了吧！」

「你還不是去聯誼？」

「我是不得不的耶！史黛西的人情壓力。」

「說不定他也是人情壓力才掏錢參加呀！就是幫忙朋友的生意而已。而且，你只是知道他參加，又不曉得他是不是有去？你要是在意，怎麼不自己問他原因？」

「我才不要問他，顯得自己太在意。」

「你本來就是在意。」蔡思明拍拍我的肩膀說：「不過，會在意是好事。很多四十歲的人談不了戀愛，你知道為什麼？因為早就失去在意別人的能力，只想著自己。」

「可是我好像也只是想著自己吧。想著自己的情緒，想著自己原有的生活品質跟居住空間，會不會因為他而失衡，因為他失去原來的生活方式。」

「你想這麼多，還不是已經跟他同居兩個多月了？有怎麼樣失衡嗎？我看你平衡得非常好啊！難道真的因為睡在一起，平衡了新陳代謝的關係？」

「又在亂說，我們什麼事也沒做。早知道不要接受他送我床，我實在還是不習慣跟別人一起睡，尤其他又會打鼾，我睡眠品質都變差了。你看我是不是眼袋更嚴重？」

他靠近我的臉，盯著看：「那是你老了，跟睡眠品質無關。」

我無言。剛好到蔡思明的下班時間，他問我要不要去吃晚飯。我說好，決定去阿勝工作的那間餐廳吃。阿勝在這裡當主廚，我們每個月至少都會來光顧一次。飯吃到一半，阿勝換下工作服走出廚房，過來跟我們一起坐。

「你這樣跑出來可以嗎？」蔡思明問他。

「主廚也得吃晚餐吧？沒問題啦。廚房裡還有好幾個人在做，今天是平日晚上，客人比較少。來跟你們搭伙囉！」阿勝說。

我們邊吃邊聊，阿勝聽著我和蔡思明說著關於劉駿光的事，忍不住插嘴：

「其實我覺得真的不簡單。很少有人可以有機會，能在二十五年後跟高中時代喜歡的對象在一起。二十多年會發生很多事情，能不能活著都不一定呢，你們能重逢，然後以前你喜歡的他，現在倒過來說要追你，不覺得很感人嗎？」

「看吧！」蔡思明說：「我就說連他都感動了。平常只有美食能感動他的。」

「真怪了，我浪漫的韓劇看得比你們多，卻比你們理智。」我說。

「你就是太理智了。別這麼理智，別想太多好嗎！拜託，可不可以讓高中時代奮不顧身的那個你，回到你的身體裡面呀？」蔡思明說。

「唉，人到一個年紀以後，對什麼都懶了，又變得很現實。」我說：「常常心底滋生了欲望，最後想到有風險、會犧牲、要妥協、得放棄，就乾脆打退堂鼓，覺得維持現狀算了。畢竟，我以前有太多不愉快的經驗。」

「其實以前那些人，只是你根本不怎麼愛吧……」蔡思明說：「因為你不夠愛他們，才會覺得在一起，很多事情要妥協，有委屈。」

「我也不是真的就放棄談戀愛或找伴，但只要一想到兩個人從零開始，面對一大堆需要磨合的挑戰，就覺得累。而且我們這年紀，要跟人在一起，勢必會觸碰到同居或結婚的話題，那更是我沒把握的事。大部分的人，如果交往時跟他說不考慮同居，不想要結婚，大概都很難繼續那段感情吧？」

「那不一定。或許你和劉駿光可以摸索出一個彼此都能接受的形式。」

蔡思明語畢，我陷入沉思。其實我不知道劉駿光會怎麼想？我們根本沒談過。我只不過因為現在他暫住在我家，然後說要追我，我就慌了手腳似的。想來也夠滑稽。

服務生端來一盤菜上桌，並不是我和蔡思明點的。

「免費招待，吃吃看，我們下個月要推出的新菜色。」阿勝說。

吃了兩口，我大為驚豔，抱著崇拜的眼神問阿勝：

「很好吃！怎麼味道那麼特別？用了什麼我沒吃過的食材還是調味料？」

「其實都是你熟悉的東西，只是你沒想到它們搭配在一起吃，原來能夠激出超乎預期的美味。」

「真神奇。都是熟悉的，也能有新意。」

「你知道嗎，有時候我們研發新菜單，令客人感到驚喜的，往往都不是從零開始的東西。常常是用本來已經有的菜色，重新打散，從平常大家熟悉的食材，找出意想不到的組合，反而更能誕生出特別的滋味。」

阿勝說的是他在廚房裡的專業，而我聽在耳中，卻感覺意味深長。

兩個人相識，若是一切從零開始，確實對我來說是件累人的苦差事，但仔細想想，我和劉駿光並不是從零開始的。比起去認識一個完全的陌生人，我和劉駿光簡直是方便多了。我們不需要從自我介紹開始，不必探知對方的家庭狀況，不用摸索性格，去猜測對方到底是好人還是壞人。我們已經累積夠多的基礎，有共同的回憶，還清楚彼此的興趣。我們知道彼此的弱點，但不會刻意去挑戰對方的底線。縱使經過這麼多年，兩個人的個性和生活習慣有點改變，但只是需要適應而已，不至於是一場拉鋸戰。

然而，這道理知道歸知道，一旦扯上三百六十五天同居在一起，甚至最後也可能得面對他開口希冀結婚這件事，我的主題曲又變成了梁詠琪的〈膽小鬼〉啊。

26

台灣同志遊行舉辦的這一天，台北是個晴空萬里的好天氣。今年是同婚通過後的首次遊行，無論是參加人數或活動氣氛，都比往年更嗨更熱鬧。

擺設攤位的「彩虹市集」在中午十二點整正式開始，我答應劉駿光去他朋友也就是阿班的攤位幫忙，所以這天一大早就起床跟他們集合。本來問劉駿光需不需要提前一、兩天，跟他一起去他朋友那兒，討論當天的流程，但他說其實沒關係，活動當日我只要到攤位，在他旁邊幫忙發傳單即可。

在史黛西介紹下認識阿班的那一晚，回到家，我反覆思索要不要向劉駿光提起這件事。我好奇他加入婚友社的真正目的，但想到一旦說了我認識了阿班，那麼勢必得坦承自己也在相親。雖然只是礙於史黛西的安排，可總覺得很難解釋清楚，會愈描愈黑，最後我還是選擇了沉默。不過，無論怎麼想，其實只是拖延時間罷了。因為當我在劉駿光的面前，見到阿班的剎那，一切就會曝光了。

阿班遠遠看到我，就熱情地揮手打招呼，朝著我走來，說：

「太好了，你來了！那天一起吃晚飯，聊得很開心，但回家以後發現幾乎都是我在講，有點擔心會不會覺得我有點討人厭，嚇到你，你今天就不來了呢！」

「呵呵，會來啊會來啊，我說話算話的嘛！」

我尷尬地回應阿班，同時瞥見身旁的劉駿光一臉納悶。

「你們兩個認識？」劉駿光驚訝地問。

「是啊，朋友介紹認識的，之前一起吃過飯。」阿班說。

「這麼巧。」劉駿光的語氣突然變得冷淡。

阿班趕著去另一頭忙周邊商品的販售準備，我和劉駿光則開始整理傳單和問卷。他始終保持沉默，看得出來他有點悶悶不樂。我知道他在意為什麼我竟然會認識阿班，歎了一口氣決定解釋：

「會認識阿班，是上個禮拜跟史黛西一起吃飯時認識的。不過，史黛西也是那天第一次認識阿班。阿班是史黛西的朋友介紹給她的。」

「怎麼那麼複雜。簡單來說，阿班是史黛西朋友的朋友，然後介紹給你們認識。但阿班是Gay，介紹給史黛西認識的目的，不是相親吧？」

「不是。是史黛西把他介紹給我認識。」

「介紹給你認識？介紹你交往的對象？」他皺起眉來。

我為難地點點頭，說：「其實史黛西這幾個星期，幫我安排了好幾次聯誼聚餐。她跟公司裡的人，幾個月前忽然說要幫我介紹對象，讓我在今年年底以前脫單。我本來以為她只是說著好玩的，想不到非常認真。史黛西一頭熱拉著我們去做一件事時，大家都很難拒絕她，畢竟也是上司，所以我只好硬著頭皮去了。」

「所以除了阿班以外，你還跟很多人都認識了？」

「已經跟四個人吃過飯，下個月還有一個。但是你別亂想，我們真的只有吃飯或看電影之類的，沒有做什麼怪怪的事。」

「我什麼也沒說。」

「總之，阿班就是這樣認識的。」
「難怪你最近這麼忙，常不在家吃飯。我以為你加班。」
「某種形式上也算加班……因為是史黛西的計畫。」
「太辛苦了吧你！明明不想去，還不得不去。」
我詫異地問：「是不是?!你也覺得我很辛苦對吧？」
「想也知道啊。找你吃飯，你婉拒，還要找藉口來騙我，然後明明已經認識阿班了，卻憋著不能跟我說。你以為我是第一天認識你嗎？你有什麼話都恨不得一鼓作氣全部說完，憋著不說根本會讓你減壽吧！騙來騙去還不辛苦嗎？」
「呃……」我搔搔頭，說：「你指的是這個。對不起啦，我不是刻意騙你的。」
「你為什麼要對不起，又為什麼要騙我？」
「因為……因為……」我欲言又止，不知道該如何解釋，只好轉移話題，央求他：
「反正你別生氣了，拜託。」
「我一點也不生氣，我很開心。」
「你很開心？」
我去跟人聯誼，他很開心？他果然嘴上說要追我，其實只是玩笑話而已。
「我很開心你騙了我，現在還覺得愧疚，因為那代表，你果然還是喜歡我。」
我怔忡不語，感覺命中紅心。

「忙完了就坐著休息一下吧，我去幫忙其他人了。」

劉駿光語畢轉身離開，我追上前喚住他。他停下腳步回頭，等我開口。

「你不是也參加了這個婚友社？讓阿班幫你介紹交往對象？」我問他。

「朋友成立新的事業，我加入繳費就像給紅包一樣，只是捧場加慶賀的意味。」

「是喔？沒有真的去認識人？」

「我約你都約不到，說好要跟你一起去吃的餐廳都吃不完了，哪裡還有時間去約別人吃飯？你的二十歲、三十歲，有二十多年空白的時間都等著我補足，我認識你就夠了。」

劉駿光說完轉身離開。我看著他的背影時，忽然瞥見隔壁攤位放著的一面大鏡子，發現鏡子裡的自己居然忍不住嘴角上揚。

遊行活動起跑，彩虹市集也正式開始。阿班向路過的人發放傳單，劉駿光在攤位設置的長桌上，拿著一台 iPad 向有興趣的人介紹這間同志婚友社的運作模式，而我則在他旁邊拿著一疊問卷和免費發送的小禮物，希望經過攤位的人能夠留下資料。整個攤位的工作人員都很投入，大概只有我是身心分離。

「只要填問卷就送小禮物，還能免費參加三次聯誼活動，認識結婚的對象！」

這是劉駿光要我對路人講的台詞。我起初很抗拒。

「不能你講嗎？我負責收發問卷跟給禮物就好。」我說。

「我只有一張嘴，要負責介紹加入會員以後的好處，麻煩你幫忙一下！你不那麼喊叫，大家不會停下腳步來填問卷的。」他說。

「喔……可是……」

「你不要過度帶入自己情感，想太多了。」

「你好可怕，又發揮讀心術了。」

他靠近我的臉，盯著我說：「讀你千遍也不厭倦。」

「虧你想得到這麼老的梗。」我忍不住害臊微笑。

要一個根本不相信婚姻制度的人，來替婚友社拉顧客，未免也諷刺了。我說服自己，雖然我本人不想走進婚姻，甚至連同居在一起都充滿畏懼，但我還是祝福願意相信婚姻的人，能夠找到他們的歸宿。如此一想，忽然就沒有包袱，能夠對路人大聲喊叫了。

我不免留意每一個人在攤位前駐足的神情，他們必然是對婚姻充滿期待的，想要結識能夠在一起相伴成家的人，才會停下來關心我們在推銷什麼吧。不過，其中有些人似乎也只是好奇，因為有一對明明是手牽手的情侶，也停在攤位前詢問聯誼的事。

「只能從會員當中挑選見面的人嗎？」那對情侶其中的一個人這麼問道。

「我們會依照您的條件需求，每次建議給您三位人選，您可以在候選名單中看到他們的基本資料，會附上一張大頭照，挑選最有興趣的參加聯誼。」劉駿光解釋。

「那跟用手機APP認識人有啥不同？」另一位問。

「手機APP上約到的人，不一定認真想要結婚成家，很多人只是想玩玩而已，但是透過我們這裡認識的人，大家都以結婚為前提。」劉駿光說。

「這樣啊，」最初發問的那個人，突然把目光轉向我，說：「不能指定跟你們的工作人員聯誼嗎？像是這位戴眼鏡的先生，很可愛，希望可以指定他。」

我瞪大眼睛，不知如何反應，這時候劉駿光突然挺身而出。

「抱歉喔！他已經有人訂走了。」

說完以後，劉駿光將手放在我的肩上，還將我摟向他，並且補上一句：「順帶說明，我們只接受單身的人報名參加，兩位如果已經是情侶，我們不服務三人行。」

那對情侶露出一副「有什麼了不起」的嫌惡表情，瞪了我們一眼就離開。

「幹嘛對別人這麼兇？」我說。

「對待搶匪不應該兇嗎？」劉駿光回答。

我又忍不住笑出來。難道他真以為人家會想搶走我？太看得起我了。

沒一會兒，隔壁攤位前出現一張熟面孔，竟是吉米。他朝著我們走來。

「我沒想到會在這裡遇到你！」

吉米見到我很驚訝，然後不懷好意地瞄了劉駿光一眼。

「嗯，來幫忙的。」我說：「要不要幫忙填個問卷？送小禮物喔！」

「還是吉米想直接加入？替你介紹真正適合你的對象。」劉駿光說。

「應該不用吧，我已經有想追的對象。」吉米回答。

吉米和劉駿光兩個人不約而同看向我。空氣突然緊繃。呃，發生什麼事？是要我怎樣？我明明就是個不怎麼樣的四眼田雞，到底何德何能讓眼前這兩個人為我爭風吃醋？

「你不用填問卷，小禮物直接送你！」我靈光乍現，立刻將手上的紀念品直接塞到吉米手上，急促地說：「剛剛史黛西發訊息，問有沒有人來遊行，她說想請我們拍一段遊行的短片，下週做一篇快訊，搭配我們平台上BL館專區的偶像劇做特集。我現在正忙，走不開，你來了正好，快去市集攤位繞一繞，遊行也別錯過，隨意拍些素材吧！」

「我今天不是來上班的耶。」吉米一臉錯愕。

「你也知道史黛西嘛，她哪有在分上班還是假日的。拜託了！星期一的午餐，我請你！就這樣說定了，快去快去！」我的口氣是半央求也半命令。

「這時候忽然就像是我的小主管了。」

「我這小主管也是聽大主管的命令啊！」我故作無奈貌。

好不容易，半信半疑的吉米終於被我請走了。他離開後，劉駿光說：「史黛西根本沒傳訊息給你吧？想不到你腦筋動得那麼快，演技也稍微進步了！」

「我可不想看見你們打起來。」我說。

劉駿光突然將我手上的問卷和禮物全攬到自己手上，然後用力將我往攤位裡面推。

「你要幹嘛？」我問他。

「你不用發問卷和禮物了，你去攤位後面休息。」

「為什麼不用我幫忙了？」

「你在這裡太危險了，會一直成為別人眼中的目標。」

「你想太多。你才危險，每個人都是看你帥才停下腳步吧？」

「每個星期都安排聯誼交友的人，跟每天在家苦苦等候的人，你覺得誰比較危險？你見多了虎視眈眈想把你拐上床的陌生人，身上都會不自覺被激發出動物的野性，會亂吸引人過來撲上你的！」

劉駿光難得對我翻了一個白眼。

「到底什麼時候比我還會胡說八道了？真是！」

看見劉駿光認真的樣子又不覺莞爾。最後我只好聽他的話，退到攤位裡面的休息區，幫忙其他人的事務。好不容易等他忙到一個段落時，他過來找我，說一起到外頭繞繞，看一看其他的攤位和遊行隊伍。我們於是離開了攤位。我拿著手機錄影，要劉駿光也幫我拍些遊行的照片。因為我突然覺得真的可以在串流平台上，做一個特輯紀錄。

「可是你不是已經叫吉米拍了？」劉駿光問。

「其實我覺得他不太會拍照，有點不放心。我比較相信你。」

劉駿光笑起來，臉上閃過一抹自傲的神情。我們繞了一大圈，看到也拍下很多遊行隊伍中有趣的畫面，差不多該回攤位繼續幫忙。

「我看一下你剛才拍的。」我作勢要拿劉駿光的手機。

「不要。我再傳給你。」

「幹嘛？手機存什麼見不得人的照片喔？」我邪惡地笑著。

我趁他一不注意，就把他的手機搶過來看，結果超傻眼。

「我要你記錄遊行的美好風景，結果，為什麼每一張都有我？」

劉駿光把手機抽回去，說：「你不是要我拍美好的風景？」

我無奈地搖頭，笑起來，用手肘推他。

快走回我們的攤位時，經過一個攤位，前面擺出一台大電視螢幕，閃過一排字幕，寫著「同志父母的心聲」。我抬頭看攤位的名稱，很特別，居然是由一群同志的父母所組成的單位，希望能幫助同志面對不能理解同性戀的父母，或者反過來協助父母去認同、幫助家裡的同志小孩。

「總覺得你爸媽可以來當這組織的會長吧？」劉駿光開玩笑說。

「真的。但是他們兩個又太開放、太誇張了。」我問他：「都忘了問你跟蔡思明，最近我爸媽還有沒有一直在LINE上找你們麻煩？」

「不是麻煩啦，他們是關心你。最近比較少來訊息，不知道在忙什麼？」

劉駿光話才一說完，我竟然看見我爸媽出現在螢幕畫面上。

「天啊！」我在螢幕前停下腳步，立刻拍打劉駿光要他看：「你快看！為什麼他們兩個會出現在這裡？他們是什麼時候被採訪的？」

電視裡的他們在一座小公園的椅子上並排而坐，兩個人面對鏡頭微笑著，侃侃而談。聊的就是這個攤位的主題，說他們是如何支持自己兒子的性向認同，聊跟自己兒子從小到大的互動，還說很願意分享給需要幫忙的親子，處理家庭問題的意見。

我實在是太意外了，不知道是誰跟他們聯絡上的，而他們也沒告訴我這件事。看到一半，攤位裡的一個男孩走出來，親切地向我們解說：「兩位好，如果有需要，可以留下資料，我們會再請有經驗的專家和你們聯繫。」

「有經驗的專家？」我指著電視螢幕。

「對，他們兩位也是。這段採訪是我去做的，真的好羨慕，他們的兒子有這樣開明的父母。想要跟他們談談嗎？他們很親切喔！」男孩說。

「呃，不用不用！千萬不用！我只是好奇問問。」

我猛搖頭，瞥見劉駿光強忍笑意。

「嗯，你們怎麼找到我的……」我發現快說錯話，改緊趕口：「我的朋友的父母？讓他們答應這段訪談？」

「原來是你朋友的父母？」男孩的笑顏像是添加了小清新的濾鏡：「其實是他們兩位主動聯繫我們的。我們在網路上有刊登訊息，說想要採訪家中有已出櫃孩子的父母，請他們分享經驗談，於是就收到他們的訊息。他們兩個真的很親切，還加了我的ＬＩＮＥ。」

「這過分親切了，很喜歡加人ＬＩＮＥ，該不會又搞一個什麼群組吧？」

「你怎麼知道？他們說想要幫兒子介紹結婚對象，所以開一個群組取名『晉合衝衝衝』，還加了當天一起去的攝影師兩個人、我的同事三個人，希望我們能提供他們適合的人選情報。不過說到這，我請他們先寄幾張兒子的照片過來，一直還沒收到。他們說，要找到帥一點的再寄給我。哈！真是很可愛！欸，等等！」男孩的手機突然響出訊息聲，他拿出來看，說：「這麼巧，剛好是他們傳訊息來，應該是把照片傳來了吧，我來看看！」

我立刻抓住他的手，驚恐萬分地說：「不要看！」

男孩被我嚇到，一臉納悶。我的反應似乎太大了，自己也感到不好意思。

「先不要看，」我隨意搪塞理由，說：「先陪我們一起繼續看一下影片，因為我可能會有問題要請教你。可以嗎？」

我傻笑，掩飾自己的唐突與緊張。男孩半信半疑地點頭。電視畫面上，我爸忽然牽起我媽的手，看著我媽一會兒，又轉向鏡頭，娓娓道來。

「我們年紀大了，而且我太太身體向來不好，老實說哪一天會走到盡頭都很難說。在那之前，我們兩老最大的心願，就是看見自己心愛的寶貝兒子，能夠找到讓他真正安定下來的人，喜歡的人，願意照顧他的人。如果能跟對方結婚成家，就像我跟我太太這樣，有共同的興趣，有不同的地方但是彼此能互補，平淡知足地過日子，不是很不錯的事嗎？當然，結婚只是一個形式，結不結其實也沒所謂，只要願意在一起相互扶持就好。」

我媽拍拍我爸的腿，看著我爸說：「話雖這麼說，要是能看到他的結婚證書，我還是會很開心啦！」接著又轉向在場的工作人員說：「我們那兒子，雖然都過四十了，根本內心還是個充滿夢幻的小孩，他從小到大就嚮往結婚。」

「我怎麼不知道？現在說要幫他相親，還常常被他念啊！」我爸說。

「他是從我肚子裡生出來的，做媽的會不知道嗎？他嫌我們囉唆，嘴上說不要，只是因為害怕又失敗，沒面子。他還是想找一個人在一起的啦！」

我爸笑著，對工作人員說：「抱歉抱歉，說太多私事了，你們如果覺得不恰當，都可以剪掉。不然讓人看起來，感覺我們硬要逼著兒子結婚，只不過對象是從異性變成同性。哈哈哈！哎呀，這影片真的適合嗎？一提起結婚，我們其實好像是觀念非常保守的傳統父母！真是的。總之，小孩自己想怎樣，自己覺得開心，就好了啦！」

兩個人的身影從畫面中淡出，影片在現場一陣笑聲中結束。

「真的是很愛逼兒子結婚！」我又好氣又好笑地說。

「他們很開明的！拍攝那天我真的超感動的。」攤位的男孩說。

「哪有開明？一直逼著自己的兒子去相親，找對象要兒子結婚，這根本就是超傳統，超老派的好嗎！他們自己年紀都一大把了，能不能別成天操心我的事情，兩個人自私一點，好好享受自己的人生，不是更好嗎？我真的長大了啦！」

嗯？等等，我好像又說溜嘴了？哎呀，算了啦。

劉駿光把手跨放在我的肩上，溫柔地拍拍我。當攤位的男孩遞來面紙時，我才知道我眼眶早已泛紅。

這陣子因為忙，週末比較少回老家吃飯，有回去時，偶爾劉駿光也會一起去。爸媽見到劉駿光很開心，老是給他盛好大一碗飯，夾成堆的肉給他，還以為他仍是發育期的那個大男孩，殊不知我們其實也到了要留意「三高」飲食的年紀。

前幾天，我跟爸媽說好了，遊行的這天晚上會跟劉駿光一起回家吃飯，但是出發前打電話回家，想跟他們說幾點會到，卻一直沒人接電話。傳LINE給我爸媽也始終未讀。直接撥手機找我媽，無人接聽，再打給我爸，重撥了兩次，他才終於接起電話。

「你們在忙什麼？一直聯絡不上。」我問。

「我們在醫院。你媽媽，她……」

我爸的語氣難掩慌亂，最後竟變得語無倫次。

27

按下按鈕，販賣機裡的瓶裝茶飲墜落下來，撞擊的聲響迴盪在醫院走廊上，顯得更加震耳。我兩隻手拿起四瓶飲料，小心翼翼抱在胸前，準備走回急診室。

「你這樣沒辦法吧？來，給我拿兩瓶吧！」身旁的我爸對我說。

「行啦，你兒子比你想像中行一點的！就跟你說我一個人來買就行，你偏要跟過來。這麼擔心媽，怎麼不待在她旁邊？真是的。」

我爸尷尬地笑著說：「反正現在都沒事了嘛……」

「我真是會被你給嚇死。電話裡不先講清楚，一到醫院，我問你到底發生什麼事，你就在我面前哭，哭到口齒不清講什麼都聽不懂，還以為媽媽怎麼了！真是被你嚇死。我從沒看過你這個樣子，太誇張了吧？拜託以後冷靜一點，萬一真的發生什麼急事，我看你怎麼處理？」

「就立刻打電話叫你回來處理囉……」

「最好是還知道怎麼打電話！」我翻了個白眼。

我媽在家裡摔倒。為了拿櫃子裡放的東西而站上椅子，沒料到一不小心，重心不穩摔下來，結果腳踝嚴重扭傷，頭也撞到床緣，直說頭暈想吐。我爸一時之間慌了手腳，居然還是我媽要他冷靜，請他撥電話叫救護車來。我媽被送到醫院以後，醫生替她做了腦部掃描檢查，同時將扭傷的腳裝上固定器，看似暫時沒有危急狀況。可是，我爸因為過度擔心，又害怕她會腦震盪，整個人亂了方寸，結果就在我趕到醫院見到他的剎那，他緊繃的情緒突然釋放，忍不住哭出來。回想起來這應該是第二次看見他哭。第一次是小時候，那幾年我媽身體非常差，生了幾場大病，某一回我媽動手術時，我也曾看見他落淚。

回到急診室，我媽躺在病床上雖然看起來疲憊，心情倒是不錯。劉駿光見到我手上抱著四瓶飲料，趕緊接手過去，很主動地立刻打開其中兩瓶遞給我爸媽，最後又打開一瓶給我。他的體貼，我媽似乎都看在眼裡，微笑掛在臉上。

不久，醫生來跟我們解說我媽的狀況，表示等一下其實她就可以回家休息了。這幾天要特別注意是不是會突然感到想吐或頭暈，如果有就要趕快再來醫院，沒有的話就等下次複診時間再來即可。最後醫生交代，長輩們撞到頭，觀察期都要拉到一個月。至於腳，扭傷得有點嚴重，現在已經打上石膏，這兩個星期不要走路，好好休息的話，就能漸漸康復。

「何媽媽，還好沒什麼大礙，不用擔心，最近就好好休息吧！」

「知道、知道！何媽媽沒什麼大礙，倒是何爸爸可能要帶去行天宮收驚一下。」我媽喝著飲料，像個孩子似地微笑起來。接下來重複一次今晚在家發生的事，又把我爸給糗了一頓。

「東西放太高拿不到，就跟我說啊，我可以回家幫你們。到底有什麼東西那麼急，馬上就要拿到？真的太危險了。」我說。

「要說也是跟駿光說吧，你那麼矮。」

「哇，這話也說得出來？我這麼矮到底是誰生的呀？」

劉駿光噗哧一笑，說：「何媽，沒問題，我一直不知道我長這麼高有什麼好處，現在知道了。有任何需要請找我！我能派上用場，非常樂意。」

他跟我媽相視而笑，親到這種程度，我都想帶他們去驗DNA了。

「你媽急著要拿你以前的相簿。」我爸對我說。

「我以前的相簿？為什麼？」

「她說幫你相親找對象時，可能對方會對你小時候的樣子好奇。」

「居然是為了這件事。我真的快笑死，誰找對象會要看小時候的照片啦？又不是要搭時光機回去跟以前的我交往！」

我無奈地說，然後忽然想起在我媽摔倒以前，今天另一件重要的事：

「說到這，我還沒問你們，到底什麼時候接受什麼同志父母聯盟的採訪，拍了一段影片來的？」

「啊，你看到訪問影片了？」我媽一臉尷尬。

「看到啦！居然在今天遊行的攤位上碰巧看到！你們還亂加人家LINE到處亂推銷我，搞不好他們都以為我活到四十多歲，現在還被父母這樣推銷，到底是滯銷多久！」

「那群工作人員都很善良可愛，不會這樣子想的啦。」我媽說。

「對呀對呀，他們很幫忙，還真的都有傳來一些不錯的人選，說可以介紹給你認識看看呢！你要不要看一下？」我爸問。

怎料我還沒來得及回應，一旁的劉駿光突然面露慌張，急忙插嘴。

「呃，何爸，已經很晚了，是不是差不多該準備回家？」

劉駿光顯然企圖阻止我爸，結果，我媽居然難得地跟她向來喜歡的劉駿光唱反調。

「沒關係啦，讓晉合看一下就好，其中有一個我覺得條件非常好喔！駿光也幫忙看看，是不是很適合我們家晉合？」

「啊，說的也是，」我爸像是接獲指令，開始應和著我媽演起來，說：「駿光如果只願意跟晉合當好朋友，那麼就幫好朋友物色一個託付終身的對象，也是不錯？來吧來吧，我們一起來看看哪些人合適？」

看見我媽跟我爸眉來眼去一番，臉上掛著詭異的神祕微笑，我馬上知道有鬼。他們的對話根本是故意說給劉駿光聽的，而且等待他會有什麼反應。

「啊！小狗！」劉駿光突然轉向我，問：「你忘了家裡的小狗！」

「小狗？我們家哪來的狗？」

「你看，你真的忘了！蔡思明今天寄放在我們家的小狗啊，你剛剛說你忘了放食物對不對？蔡思明說他那隻狗，一旦太餓就會發狂到處亂大便，現在你家可能已經變地獄了！我們要趕快回去處理才行！」

「蛤？」我整個人摸不著頭緒，皺起眉來，完全不知道他在說什麼。

「走吧走吧！家裡一定很恐怖了！何媽也該早點回家休息。我們先去窗口批價繳費跟領藥，何媽何爸，你們可以準備一下，等我們回來就可以出院了。」

劉駿光硬把我推向病床的布簾外。我一邊被推著走，一邊聽見我媽忍著笑意，刻意對著劉駿光的方向說：「那些人感覺很積極，只要一看對眼，可能我們喝到喜酒的日子也不遠了！到時候錯失機會的人，也只能遺憾囉……」

天曉得我爸媽為了要我結婚，現在又在打什麼算盤？故意激劉駿光嗎？

被推到走廊上以後，我才問劉駿光到底哪來的狗？

「不然怎麼能立刻把你給拖出來？看什麼男生的資料？史黛西給你找來那些相親的男人還不夠嗎？」

「貨比三家不吃虧啊，多看才能多比較。」

「你還認真的？你不需要去聯誼，更不需要相親。」

「也是。我真的討厭聯誼更難以忍受相親。之前就跟你說過了，我根本不覺得有婚姻的必要，更沒辦法跟另一個人在一起生活。」

「難道我不是人嗎？我們不是一起生活好一段時間了？」

我頓時啞口無言。

去窗口繳費領完藥以後，我忽然想上廁所，就請劉駿光先回去找我爸媽。待我走回急診室病房，準備拉開病床隔簾時，突然聽見劉駿光和我媽的對話。因為好奇，決定站在拉簾外，不動聲色偷聽一下。

「……所以，請何媽再給我一點時間說服他。幫他安排聯誼的事，可以的話，是不是

如果真問我為何那麼放不下他，到底喜歡他哪一點，我想我很難簡單說明。但唯有一點我是清楚的。有劉駿光在我身旁的時候，我彷彿能夠往前再多走一步，做到我原本難以付諸行動的事。

可是，那又怎麼樣呢？他說想追我，要跟我在一起，但甚至連會不會調回台灣都還無法確定。二十多年前他放過我一次鴿子，哪知道二十年後，他會不會又再來一次？我答應了，很可能最後受傷的還是我自己。

「這一天好長。」

劉駿光打破計程車上的寂靜，忽然小小聲地說。

「真的，遊行結束後就超累的了，想不到我媽又跌倒。」

我突然感到餓，肚子飢腸轆轆地叫起來，好大聲。我和劉駿光兩個人對看一眼，同時笑出來。

「有這麼餓？去吃消夜吧？想吃什麼？」他問。

「突然好想吃燒餅油條。但已經快到家了，算了。」

「想去就去啊。」

「不麻煩嗎？你也很累想回家休息了吧？」

「有什麼麻煩的？你想吃，我們就去。」

就當我還在猶豫不決之際，劉駿光馬上拿出 iPhone 查閱地圖。

「司機先生，不好意思，我們想要改目的地。可以改去復興南路二段跟瑞安街口那裡嗎？永和豆漿大王。」

他一邊看著手機，一邊對司機說。司機點頭說好。

劉駿光轉過頭，對我點點頭，好像要我放心似的，比出了一個OK的手勢。

28

公司找網紅拍攝瑜伽影片的工作進行順利，在十一月上旬就全部拍攝完畢。接下來進入後製剪輯，預計在瑜伽會館開幕前一個月就能上線公開。

在蔡思明那裡錄製的Podcast節目也大功告成。原本計畫在瑜伽會館開幕後才上線，不過因為作業進度提前，再加上ORANGE MUSIC和劉駿光他們公司的考量，於是決定十一月中旬跟著我們影音上檔的時間表走，正式公開Podacast節目。另外，網紅體驗影片和Podcast上線前，我為FINE LINE挑選的幾份歌單搶先公開，在蔡思明極力幫忙曝光之下，才短短幾週，收藏歌單的人已逾千人，頗受到矚目。

蔡思明跟我分享他的聽後感，他比我還激動。

「聽到你的聲音從Podcast平台裡跑出來，真是太懷舊、太感動了。回想起上一次聽見你的聲音從音箱裡出來，已經是高三時學生餐廳的廣播吧？」

「去唱KTV不算的話，應該是喔。」我回答。

劉駿光是當初的幕後推手，若不是他說要做，現在我也聽不到這些讚美。

「不是說過了嗎？你就是有這方面的天分。要對自己有信心嘛，別想太多，總要勇於嘗試才知道結果。如果收聽次數高，說不定公司會希望繼續做下去。」劉駿光說。

「真假？那我豈不是要變成帶狀節目DJ嗎？」

「你真的變成主持人了。」

「想不到是用這樣的方式，在這麼多年以後，又是因為你才實現。」

「高三時參加比賽的遺憾，現在都彌補回來了。」

「沒錯。雖然時間隔得有點久。」

「花了多久時間無所謂，重要的是最終心想事成。」

劉駿光意有所指。然而，有時候事情是否能夠心想事成，似乎真得靠點運勢才行，如果恰好走的是倒霉運，人為了改運，也會不由自主地變得迷信。

「國師」在最新一次的星座運勢中說，今年第三次水星逆行的時間，是從十月三十一日至十一月二十一日。水星逆行代表的是情緒、回顧、懷舊（容易遇見故人）和停滯。前半期，我們將面臨許多關係的解構和重組，而既然會解構，勢必就是有事發生了，所以在後半期，我們發現關係生變以後，就會進入回顧，去思考應該怎麼面對新秩序。於是，在逆行帶來的混亂結束後，全新的想法和結構才會誕生。

「國師」說得很準，這段時間因為劉駿光的重新出現與追求，我始終來往在當下和回憶之間，懷舊的氣氛將我和他綁在一起，但同時我知道尚未定形的新秩序，還在未知的前方。而且水星逆行似乎真的容易帶來混亂，我已感受到這真是一個多事之秋。

蔡思明的男友阿勝，居然在餐廳廚房不慎滑倒，摔傷腳、扭到手，幸好無大礙。阿勝有一週無法上工，待在家休養，家裡的瑣事包括做菜，全由蔡思明擔綱演出。

劉駿光聽說這事以後，對我說：「還好有蔡思明在一旁照顧。」

「是啊，不然生活起居很不方便。阿勝老家在澎湖，也不可能回去給爸媽照顧。」

「所以說，家裡有個可依靠的人一起住，還是利多於弊的吧？」

原來劉駿光是為了套我的話。我傻笑，推推眼鏡，不置可否。

我媽扭傷腿以後，醫師原預期她大概兩週後可以康復，但實際上我媽身體虛弱、康復力差，因此直到十一月下旬還不能正常走路。她很想走，有時候會不聽話，結果沒一會兒腳踝又疼起來，躺在床上叫痛。

這陣子，我每隔一、兩天，下班後就會回老家看看。劉駿光偶爾會陪我去，或者我要加班臨時無法前往時，他會主動說代替我去探望。我笑著對他說，搞不好我媽見到你，比見到我還開心。我很好奇，他們每次見面都在聊什麼。

「我媽都跟你聊些什麼事情？」

「最近這一次，她說是不是該找人看風水或去算命？」

「為什麼這麼突然？她從來沒在算命的！」

「我也不知道。她說腳拖了快一個月還沒好，心情也變鬱悶，或許求神問卜會給點什麼建議？總之她說需要一點開示，看做些什麼事能讓她振奮，搞不好立馬健康起來。」

「這是什麼概念？太迷信了吧。好好休養，別再不安分下床走路，然後保持好心情，多吃點營養的東西，才是最有幫助的吧！」

「還是我們真的去算算命？」

「你也當真！」

「不然我們去廟裡拜拜也好。」

如果只是拜拜求心安，那麼我還可以接受。

一週後的週末，我們去行天宮拜拜。拜完以後，劉駿光一臉欲言又止的樣子。

「你想說什麼是不是？」我問他。

「這裡不是有很多算命攤嗎？」

「不會吧？你別告訴我你在想什麼！」

「反正來都來了，去算一下，看能不能知道你做些什麼事，可以幫何媽改運。」

我翻了個白眼，說：「我媽迷信你也跟隨？你真的才是我媽的兒子。」

我對這裡的算命攤完全不熟，之前做戲劇版權交易時，曾有日本電視台的人來台北訪問，那一天，我們公司招待他們在行天宮附近做腳底按摩，然後去吃中菜。結束後，其中一位日本人看見行天宮在一旁，嚷著要去導遊書上介紹的攤位算命。就只有那一次，我踏進了地下道的算命攤位，但到底哪一間可靠，我完全沒譜。反正是劉駿光說要算的，就丟給他去決定，看他要挑哪一間吧。

奇怪的是，他偏偏不去大家最常去的地下道算命街，卻走了反方向，攢進地面上的小巷子。

「你要去哪裡？所有的算命攤位都集中在那裡，可是你不去？」我問。

「去另一間朋友介紹的。」

「你早就預謀，事先查過了。」

「湊巧、湊巧。何媽提起時，我好奇打聽了一下。」

最後，我們竟走進一間咖啡館，根本不是算命攤。劉駿光解釋，這個算命老師是跟咖啡館合作的，所以跟一般聚集在地下道的算命攤很不相同。我愈聽愈納悶。

咖啡都喝完一半，終於，命理老師才現身，是個年紀跟我們相仿的男生。這個人真的會算命嗎？怎麼看都像是拉保險的。

劉駿光帶頭，我附和與補充，把我媽的狀況和我們各自的生辰告訴他。他問了不少細節，我們也分別回答，但我其實只想知道，是否真的可以從我的命盤和我在紙上畫出來的老家格局，給點什麼實質的建議。如果真能讓我媽運氣好轉，身體變好，那當然也不是壞事。他講了很多，我腦容量太低，只記得最後他忽然冒出一句疑問。

「從一開始到現在，一直還沒問，請問兩位的關係是？因為這可能會影響到你們想知道的事情，該如何處理，所以冒昧問一下，兩位是朋友還是情侶關係？」

我正準備回答「只是老朋友」時，命理老師根本沒等到我開口，直接搶走話語權。

「顯然你的母親，」他看著我說：「確實如果有件大事讓她高興，就可以替她轉運。不只是她，還有你父親。從命盤上來看，你們全家都會有正面的影響。」

「你所謂的大事，意思是……？」

「嗯，你們兩位要是可以結婚的話，就是給生病的父母沖喜囉。用喜事沖掉不好的運氣或疾病纏身的問題，一直以來大家都還滿信的，不得不說，還真有幾分效力。」

「蛤？結婚沖喜？現在還有這種事情？」

我瞪大眼睛，不可置信。連算命的陌生人也加入我的脫單行動？

離開咖啡館時，我想起我們根本沒付錢給那個命理老師。

「我剛剛已經付過了。」劉駿光說。

「你付了？什麼時候？」

「你去上廁所的時候。」

「是喔……沒很貴吧？我實在懷疑，他真的會算命嗎？仔細想想，看命盤的算命師跟看房子的風水師，是同一個領域嗎？」

劉駿光支支吾吾地說：「呃，應該也是有相通的吧？就好像……一個人會說兩種語言，或像是大學課程雙修那樣？算命跟風水同時都擅長的人，是有可能的吧？總之，我朋友推薦的，他很熟這領域，應該沒問題啦……」

「我不知道你有很熟算命的朋友？看來我對你還是很陌生。」

「就……嗯……同事的朋友。」

不知為何，他看起來很心虛。

到了晚餐時間，我原本打算就在行天宮周邊隨便找間店吃吃就行，但劉駿光卻說想吃鐵板燒。我拿出手機 Google 搜尋，找找看附近巷子或就近的夜市有沒有鐵板燒，沒想到劉駿光卻說不是要吃台式鐵板燒。他說，今天想要吃好一點的。好一點的？要多好？我不熟，於是讓他選。結果，他帶我來到信義區一間飯店裡的日式鐵板燒。

「這很貴吧？要吃這麼高級的？」我詫異。

「這間聽朋友推薦過，一直想來都沒機會。你不用管價錢，今天我請你。難得吃一次高級的鐵板燒，既然要吃就吃好一點的。」

「而且為什麼今天要請我？又不是我生日，也沒有什麼要慶祝的事。到底因為什麼？」

「別想太多了。快進去吧！我好餓了。」

他催促著我，我一臉納悶，跟他進了餐廳。

我們圍著馬蹄形的鐵板燒餐桌用餐，只有兩組客人，分坐在兩個對角的位置。一組是我們，另一組也是兩個男生。他們看起來很年輕，大概剛出社會吧，兩個人難掩親親密密的互動，一看就是在熱戀中。如果他們一切順利繼續相戀，他們不會有空白的二十年。他們生命中最青春、最精華的時光，都可以守在一起好好掌握，共同享受。

十年前的我，看見這樣的浪漫場面，大概就會開始陷入羨慕和遺憾的鬼打牆。而現在的我，老實說心底雖然還是會有點羨慕，但持續度只有三秒。三秒以後，就會回到現實的殘酷。我會告訴自己，我知道，熱戀只是看起來美好，真正的愛，是考驗熱戀冷卻以後，兩個人在一起的瑣碎日常。想到我過去那些失敗的戀情，想到劉駿光落跑二十年，我就覺得真是沒什麼好羨慕的，因為一切試煉才要開始呢。

我的目光從遠方的他們，慢慢移回到身旁的劉駿光。

「不要這樣，我們也曾年輕過。」他說。

「你怎麼又知道我在想什麼？」

「你還不知道你其實就像是一道數學題嗎？」

「什麼意思？」

「對我來說輕而易舉就能算完的題目，只有你自己解不開。」

劉駿光到底是不是外星人，有能力竊取我腦內的資料？

吃完美味的主餐以後，店員領我們坐到另外一區，享用飯後甜點和飲料。劉駿光說要去洗手間，於是離席。當他回來時，我看見他在途中攔住店員，不知道在說些什麼。他回到座位上，過了一會兒之後，有個服務生忽然從廚房端出一盤蛋糕，上面插著一隻燃燒中的仙女棒，熠熠發光。服務生走往那兩個年輕的男孩時，我以為是他們當中誰過生日，結果卻只是經過他們，往我們的方向走來，最後，腳步停在我的面前。

「是給我的？」我很意外。

「給你的。」劉駿光說。

「今天到底是什麼日子？」

劉駿光笑而不答。

服務生一邊將閃爍著火花的蛋糕放到我面前，一邊對我說：

「本來有問這位先生，要不要插生日蠟燭，他說不是生日，所以我們擅自作主用仙女棒代替了，希望不會讓你們覺得太浮誇。雖然不知道是慶祝什麼，但是祝你，喔，祝你們快樂！」

整間餐廳的店員竟同時拍手，店裡所有的人都同時看向我，包括那兩個年輕的男孩，正面露出一股欣羡的目光。我實在不習慣這種場面。

「現在換他們羡慕了。」

劉駿光湊在我的耳邊輕聲地說。

「你快告訴我，到底是因為什麼事？」

「一定要有什麼特別的紀念日才能慶祝嗎？或者說，很平凡的普通日子，難道不能因為做一些特別的事，就變成往後的紀念日嗎？」

突然間，餐廳裡的音樂戛然而止，這一剎那，氣氛變得有點詭譎。劉駿光伸手進身旁的背包，彷彿準備掏出什麼東西來。面對這場面的我，忽然噗嗤一笑。

「笑什麼？」劉駿光暫停了動作。

「我突然胡思亂想，忍不住覺得太好笑。你聽聽看喔，如果是在偶像劇裡，可能會這樣演——其實今天去算命，命理老師根本是主角A安排好的樁腳，然後故意串通好，想說服一直不願意結婚的主角B來結婚沖喜。之後，A刻意為B安排一場豪華晚餐，還請餐廳端出浪漫的燭光蛋糕，接著在這個氣氛中，等一下餐廳會放出〈今天你要嫁給我〉，於是A就順勢從背包裡掏出求婚戒指，上演在所有人面前跪著向B求婚的橋段。哈哈哈！你有沒有覺得，今天一整天到現在，很像我說的這樣？我真是韓劇看太多了，中毒很深。但是我每次看都覺得，我要是那個主角，一點也不會覺得浪漫，反而會尷尬死了！啊，我又想太多了。說到底，我其實也沒這種困擾。畢竟像我長得這麼平凡，不是什麼同志天菜的類型，然後頭腦也不夠好的人，人生不會拿到這種劇本。抱歉抱歉，忽然打斷你。你是不是要拿什麼給我看？」

「……呃。只是要拿消毒濕紙巾。擦一下手，吃蛋糕吧！」

不知為何，劉駿光的神情忽然變得有些落寞。他從背包裡拿出濕紙巾來，然後小心翼翼地將背包又放到身旁去。此刻，餐廳裡再度響起音樂，只是從鋼琴曲變成爵士樂。

「十二月回洛杉磯的時間有確定了嗎？」

吃著蛋糕，我探問劉駿光。

「嗯，瑜伽會館開幕的第二天，我就會回去。目前會館的開幕時間訂在十二月二十日。打擾你那麼久，不好意思，再忍耐一下下就好囉！」

我在等他繼續說些什麼，承諾些什麼，但是沒有。

「真的！打擾很久耶！你打鼾超大聲的，抗噪耳機都沒用。但還好，我的耐力很強，所以沒所謂啦！」

我裝作不在意他真的決定就要離去。他曾說乾脆在台灣留下來繼續跟我一起住，果然只是因為一時興起而隨意說說的。

那一晚，他和我媽在醫院的談話中已經知道，如果他無法確定能搬回台北，我很難獲得安全感。因此我以為在那之後的幾個星期，向我告白說要追我的他，會做出更明確的承諾，可是最終，他還是沒有。

「沒辦法一起過耶誕節，別介意喔！」他說。

「有什麼好介意的，」我嘴硬，推了推眼鏡，說：「這輩子我們有曾經一起過耶誕節嗎？從來都沒有啊！不差今年。就像以前你也說，希望有一天結伴去看張清芳的演唱會，結果人家好不容易開唱了，你人也不在台灣。總之，沒差啦！」

反正你擅長缺席嘛。還說要追我？追去哪？追去〈傷心太平洋〉啦！

「哈！怎麼覺得你『森七七』的。」他面露尷尬。

「哪有？我講話就這樣。」

「蛋糕分我吃一點。」

「不要。幹嘛要給你吃，服務生是送到我面前給我的，不是給你。」

「這麼小氣。那到底好不好吃？會不會太甜？」

「不想告訴你，你自己猜。你不是說我是輕而易舉就能算出來的數學題？」

「就在剛才覺得，你忽然變成一道難解的題。」

他聳聳肩，看著我，苦笑起來。

29

何晉合，如果你看到這封信，一定會很驚訝，曾經被作文苦惱的我，以前總是寫不出長文，甚至連話也說不多，現在竟會準備寫一封長信給你吧？

是誰的功勞呢？當然是高三聯考前，每天晚上在宿舍裡細心教我國文，告訴我如何寫出一篇好文章的那個（話匣子一打開就停不了的）作文小天才。

那一天，我們去完行天宮，晚上吃完鐵板燒以後，在回家的路上，我就決定要寫這封信給你。或許現在說這些事後的話也無事於補，但我還是想要好好整理一下思緒，把我當面難以完整說清楚的話，仔細地寫下來。

雖然正在寫這封信給你，但其實我並不希望你會看見這封信。因為只有當我覺得我們確實無望在一起時，我才會把這封信Email給你。那時候，我們算是分手嗎？雖然我們從來沒有真的在一起。但我想，寫下這封信、寄出這封信、讀完這封信，那時的我們或許真的就像是分手了吧。

從以前到現在你經常說我有讀心術，知道你在想什麼，我想，你真的把我想得太厲害了。其實我知道你的話裡，大概有一半的程度是在捧我，因為我常說你很聰明，並不像你自己以為的那麼笨，所以你也開始用這種方式來讚美我，讓我以為自己很善解人意似的。就像你偶爾不經意會說出我很帥之類的話，簡直像在給我灌迷湯。好啦，我承認我是有點帥，但不覺得有帥到會讓每個人都讚歎。

很奇怪，明明這麼多年都沒有聯絡，可是與你重逢以後，我確實感到比以前更了解你一些。該說我反省二十年終於有成嗎？（笑）不過，我仍然有很多失算誤判的時候，而且總在關鍵時刻。在那樣的時候，我覺得我們兩個之間，真正懂我的人還是你。

要不然，那天在鐵板燒餐廳裡，你怎麼能無心拆穿我的伎倆？事後回想起來，其實我就繼續把求婚戒指和結婚證書從背包裡拿出來就好了嘛，但當時我有點被嚇到，怕事先安排好的計畫，會像是你說的令你陷入尷尬，所以才及時打住。

是的，你間接猜中了。一整天，從去行天宮拜拜開始，到算命和鐵板燒餐廳裡的一切，都是我安排的。那個命理師，如你所說，是假的。咖啡館確實是我朋友的朋友開的，至於命理師則是蔡思明介紹來的朋友。我包了兩千多塊的紅包給他，請他在我們面前演了那齣戲。等等，請先別笑我蠢！因為這點子可不是我一個人想出來的。最初是何媽的提案呢，後來又加入了蔡思明。雖然我早就跟何媽說過了，我並不認為你那一天會相信算命說的，只是為了讓何媽開心和「沖喜」就點頭和我在一起，但我總還是抱著一點點的期望，覺得喜歡浪漫的你，應該會在美好的氣氛中，被我拿出來的戒指與結婚證書給感動。縱使當下不會立刻答應，至少看在我跨出這一大步的份上，會願意相信，我對你是認真的。

但我忘了你已經長大，也沒想到我的安排太笨拙，最後全被我搞砸了。

喔，順帶一提，那天並沒有要放陶喆和蔡依林的那首〈明天你要嫁給我〉。但，不瞞你說，真的差一點要放了。前一天，我曾打電話問店長。

「能不能在我拿出戒指時放這首歌？」

「真是抱歉，歌曲不太符合店內的風格，怕總店知道了會有懲處。能不能讓我們選一些有幸福感的爵士樂替代呢？」店長為難地說。

所以，當你命中紅心猜中時，我實在嚇傻了，計畫全亂。

你看，你是不是太聰明？根本有讀心術的人是你。

你常自嘲是個四眼田雞，說自己長得太平凡，不是同志天菜的類型，不會受人注意。但是你知道嗎，其實我第一次注意到你，不只是因為你說的話，也包括你的外形。

我曾告訴你，高三下學期，林德凱逼我轉組，於是我從理組轉到文組。你有沒有想過，整個學校都說三年七班是學生最不乖，成績最差的一班，而文組有這麼多班，我為什麼偏偏卻來到這一班？

「總而言之，我已經透過理事會請教務處安排好，寒假結束後，你就改念三年五班，那是文組當中成績最好的一班。你給我好好準備考上法律系。」

高三上學期快結束前一週，林德凱對我如此宣判。

當時我知道大勢已去，無論再怎麼跟他抗爭都已無力回天，只好沉默接受。

第二天，星期日晚上我回到學校，走回宿舍時，發生了一件事。暗黑的路上，有一群冒失鬼從我身後奔馳而過，他們撞到我的手，害我手上拿著的一疊筆記本散落一地。當我正蹲下來準備撿拾時，有兩個好心人停下腳步，蹲下來幫忙我撿。

其中一個人是蔡思明，另一個就是你。

你一定不記得這件事了。因為那地方沒有路燈，黑漆漆的，如果沒有留意的話，根本很難看清楚對方的臉。可是，我卻留意到你了。

「蔡思明，我們每天這樣日行一善，老天若是有眼，會替我們的聯考加分吧？就算這輩子來不及兌現，不知道能不能累計到下輩子？不過，這樣我得先躲過喝孟婆湯才行！」

「你太跟老天爺斤斤計較了，祂會不開心。」

「拜託！要說斤斤計較的話，是老天爺本人吧！斤斤計較又偏心，才把這世界上所有的好處都給了帥哥，我這種土蛋只能靠日行一善，看能不能積點德。」

因為說著太奇怪的話了，讓我忍不住偷瞄你好幾眼。你替我撿著筆記本，一邊說一邊推了推眼鏡。雖然很暗，但是你推眼鏡時，嘟嘴的樣子很可愛。

當年的我很不擅交際，所以當你們將撿好的一疊筆記本交給我時，我只是低著頭說了聲謝謝就要離開。轉身時，聽見蔡思明對你竊竊私語。

「何晉合，你沒發現嗎？好像是他耶。很有名的校草，劉駿光。只是有點太暗了，我不是很確定。」

「誰啊？校草可以吃嗎？我比較想吃草仔粿。」

背著你們走遠的我，最後聽到你說的這句話，忍不住笑起來。

那可能是第一次，我因為你而笑。

這個晚上，我知道了你的名字。看到制服上繡的名牌，也知道你來自三年七班。

那個星期，我發現我似乎常常會遇到你。有時候是在餐廳，有時候在福利社或宿舍，不過你不認識我，我們自然也沒打招呼。

週日早上，我看見你也出現在般非凡補習班。那天補完習下課時，我在廁所聽見你跟蔡思明的對話。

「般非凡老是說台大的陽光很燦爛，說真的，我很怕曬，而且覺得下雨天其實也滿好的啊！那些成績好的人，想去曝曬在紫外線下，就讓他們去吧！我不在乎。」你說。

「說得好像你禮讓人家似的！真是。你根本考不上，沒得選擇。」蔡思明說。

「美白比陽光更重要。」

你和蔡思明兩個人笑成一團。

當下我忽然覺得，我從來沒有認識過像你這樣的人。我對我的家庭和生活都感到非常無趣，如果真要我轉班，每天上課要是有你這樣的人存在，雖然嘰嘰喳喳的話很多，有點吵，但，是不是會變得有趣？那天回到家，我做出一個決定。

「我答應轉組，也會努力準備考上法律系，但是我要轉去三年七班。」

我對林德凱這麼說。

「三年七班？成績很糟的那一班？為什麼要去那一班？」

「這樣那一班的班導師會覺得如獲至寶，加倍輔導我。」

我搪塞了一個理由，林德凱反正覺得我願意轉組並報考法律系，於是也就答應。就這樣，我如願來到了跟你同一個班級，慢慢親近了你。

可惜當時我尚未理清自己的性向，對你的感覺究竟是什麼摸不著頭緒，後來甚至陷入矛盾也會逃避，但不可否認，最初，其實是我先靠近了你。

所以請你相信自己，絕對是有魅力的。

你一直好奇，這二十年我的性格為什麼改變那麼多。這其實也超乎我自己的預期。簡單來說，就是我跟你一樣，也談了幾次失敗的戀愛。經過那些戀情，我發現我心裡有一個房間，總是空著，希望住進來的人是你。

我不是跟你說，我的妹妹林采如去紐約工作，在當地和美國人結婚嗎？我沒說的是，她結婚的對象是女人。我有點詫異。因為我一直不知道她是女同志。我和林采如一直以來好像很熟，但卻也沒那麼熟。多年前的某個夏天，我去紐約找她，跟她的伴侶一起吃飯時，看她們兩個人很甜蜜，心裡第一次升起一股欣羨的情緒。

散會時，我們去搭地鐵，林采如終於突破我的心房。

「哥，你有好的對象嗎？」

被這麼一問，我有點詫異。我們兩個從來沒聊過這件事。

「現在沒有。之前談過幾次戀愛，好像都不太OK。」我回答。

「覺得是什麼問題呢？」

「不知道。應該都是我的問題吧。」

「那不一定。有時候可能是對方的問題。我的意思不是怪別人，而是說對方不是你要的那個人，所以問題出在這裡。」

當她這麼說的時後，我第一個想到的人竟然是你。

「沒想到交女朋友這麼難。」但是我說出口的卻是這句話。

「女朋友?」林采如笑了起來，搖搖頭說：「我說的不是女朋友。在我面前你就不用隱瞞了，其實我在高中時，就看出來了。當時不是有個男生對你很好嗎?我還曾經當著他的面，跟他說，對我哥好一點呢！」

我尷尬地笑著，點點頭。

「我們都長大，終於不再受爸媽的控制了。我跑得比較快，已經追求到我要的生活，你也趕快加緊腳步，追回屬於自己的日子吧！」

臨別前林采如的這段話，是我過了這麼多年以後，第一次興起念頭想要再找你。縱使你對我已不諒解，但就像我經常鼓勵你的那樣，什麼事情總要一試才對。

在那之後，我變得更願意面對自我，不在乎外界的眼光，開始關注更多同志運動的議題，而恰好在洛杉磯認識一群LGBTQ的朋友，一起參與許多活動的過程中，不知不覺，性格也變得很開朗，連我自己都感覺身體裡像是換了一款靈魂。

對了，你應該也不知道，其實我在與你重逢以前，已經先跟蔡思明有聯絡了。你記得二〇一五年夏天，蔡思明有去一趟加州嗎?其實我們兩個有在洛杉磯碰面。是他找到我的臉書，並主動跟我聯絡的。我請他不要告訴你，因為我以為你還在生我的氣。那一天，我們聊了很多，他一直不斷鼓勵我回台灣找你，說我們兩個人根本都沒放下彼此。

百般思索以後，二〇一五年十二月底，我回到台灣。抵達台北是二十六日的下午，準備休息一天後，二十七日試著跟你聯絡看看。結果那天一到台北，以前在洛杉磯念書認識，後來搬回台灣的朋友就立刻連絡上我，問我當天要不要去看演場會，他有多的票。

是誰的演唱會呢？萬萬沒想到，是張清芳的。那天晚上，我去了台北小巨蛋看張清芳的〈芳華盛宴〉演唱會。你也去了吧？你當然去了，因為，我看見了你。

說來諷刺，我這輩子看過兩次阿芳的演唱會，兩次都跟你在同一個場子裡，卻無法結伴坐在一起。那天散場時，我遠遠地看到你身旁的男生抱你親你，雖然僅有短短幾秒我就閃躲開來，但那一幕，你們兩個人的表情，我記得好清楚。

我想，你過得很幸福，我不該打擾你。

後來才知道，那個人就是吉米。今年因為工作而返台，從蔡思明那裡得知你早就恢復了單身，再加上他不斷地鼓勵我，於是我終於決定跟你聯絡。

這些年來，我已經因為猶豫、誤會和反覆的情緒，浪費掉太多時間。我忽然有種感覺，如果這一次我還是逃避了，那麼這輩子將會永遠失去你，也失去我自己。

所以，我們重逢了。然後發現，彼此都改變很多。

中年人說起愛，是不是比較沒那麼燦爛？然而，我更喜歡現在。因為至少現在的我，膽敢對你說愛，也更懂得珍惜在一起的時光。

對你來說，大概會覺得這幾個月發生的事情，太突然、很牽強，甚至有被迫的感覺吧？可能是我太心急，也或許是我還無法更好地去對待早已不同的你。

如果你真的正在讀這封信，我想要跟你說對不起。對不起，我最終還是沒有辦法讓你對我放心，無法消弭你覺得兩個人在一起弊多於利的擔心。

最後，謝謝你在高中時曾經用這輩子最青春無敵的方式，喜歡過我。

謝謝你這麼看得起我。

30

去行天宮那一天以後，我覺得劉駿光變得不太一樣。進入十二月，他的改變愈發明顯。他彷彿被開啟一個按鈕似的，在跟我一起生活的空間裡，突然變得在意所有的細節。有許多甚至是我從來沒有注意過的事。比如那一片，我釘在床頭牆上的夾心木板。那天，劉駿光指著它，對我耳提面命。

「釘在床頭牆壁上的書架，最好不要再放書和玻璃製品。你沒發現那個書架已經有點彎曲嗎?它的材質不好，很可能垮掉。晚上睡覺時，萬一地震了，你一個人睡到天荒地老來不及反應，很可能會被砸到。」

我一看，還真的已經彎曲了，我睡在下面這麼多年，從來沒留意過，確實挺危險。

「換了一張雙人床，現在不會睡到摔下去，但沒想到存在這種危險。」

他聽了洋洋得意地說：「對吧！不過你不用太擔心，我會很快回來睡的。只要睡覺時發生什麼緊急狀況，我都會立刻把你叫醒。」

「不必麻煩。有你的鼾聲在，我就不可能睡到天荒地老。」

「我決定從今晚睡覺時開始錄音，等我不在時你可以每天播放我的鼾聲。當然我知道還是LIVE最好，別擔心，我一個月後就會回來『上現場』的。」

「……有病耶你。」我哭笑不得。

然後，很多微不足道，我覺得錯過了也無所謂的小事，劉駿光變得比我還介意。比方說他會刻意把時間空出來，做一些不是非得要兩個人一起才能做的事。

「這幾天下班以後，可以的話盡量別約飯局。我們回家吃，或者在家附近吃一吃。外帶回家吃也行，總之，就是早點回家。」

前幾天，他突然對我這麼說，很認真的表情。

「外面怎麼了嗎？」我納悶。

「你不是說想把《嫉妒的化身》再看一次？Netflix 有上，你怎麼一直都不看？下班後早點回家看呀！」

「我知道 Netflix 有上，我會自己再找時間來好好重看一次的。」

「不是，一起看啊！我也想看，早點回家一起看！」

「你什麼時候對韓劇這麼有興趣？」

「之前你不是推薦我看《沒關係，是愛情啊》？我發現我滿喜歡孔曉振的。」

「學人精。一開始跟你說我很喜歡孔曉振，你還嫌她長得不漂亮。結果你是什麼時候自己偷偷看完了？我都不曉得。」

雖然他回洛杉磯也能看，但他堅持要在離台前看完，而且是要跟我一起坐在電視前看。他積極的程度，讓我懷疑他比我更像是孔曉振的鐵粉，但是他搖頭否認。

「我是你的鐵粉。我跟你一起看劇，看你入戲到又哭又笑，超精采。」

「呃……」

「至於還有很多說好要一起看但還沒看的電影，別擔心，等我回來時就會陪你一部一部慢慢看完。」

其實我根本沒要求他陪我看完那些劇集，但這番話令我忍不住竊笑。

還有，許多我早已默許的他的壞習慣，像是不愛疊衣服，尿尿時馬桶座蓋不掀起來等等，最近他居然都改過向善。

「你為什麼忽然決定洗心革面？」我問他。

「不是我要洗心革面，而是想說應該要讓你一步步慢慢習慣，你家即將恢復成原來的過度整齊的樣子。不然如果突然切換，怕你難以適應。」

「請注意不是過度整齊，是本來就應該那樣才對。」

「不過這部分你也不用太擔心，我會盡快回來的，到時候就能讓你家再度充滿突破秩序的自由奔放。」

「這……」我聽了又好氣又好笑。

最妙的是，他去Costco買了好幾罐維他命回來，有魚肝油、葉黃素和多種維他命。他把這些瓶瓶罐罐一字排開，放在飲水機的矮櫃上，然後列印一張月曆表格，並且附上一個刻著史努比的小印章，提醒我每天早上要記得吃補給品，每吃完一種，就在月曆上當天的那一格蓋一個章。每天要吃三種，所以一天要蓋三個章。

「太好笑了吧，你是把我當小孩子還是老人？」

「你能保證，你不會忘記到底吃過了沒？」

「你不要那麼專業。」

我尷尬地搔搔頭，又被他說中了。只要扯到數字的，我都可能出錯。即使是數維他命，拿了幾粒吃過幾粒，我都有可能算錯。

「每天乖乖蓋章，能兌換獎品嗎？」

「別擔心，會有的。等我從洛杉磯回來，會帶更好的維他命送你。」

總而言之，劉駿光的這些變化，其實都導向一件事。他意識到再過兩星期，他就要離開台灣，所以開始變得在意跟我在同個屋簷下的生活。如果不是我自行腦補的話，我感覺當他在說那些事情時，最後總會用一種要我「別擔心」的口吻，像是要安撫我，暗示我，他不是一去不回，他會回來。

這段日子，iPhone 似乎很懂我的心事。Apple Music 推播了好幾次張清芳的那首〈愛情是問也是不問〉，重聽時比從前更有感觸。

劉駿光為什麼不明說他「保證」會回來呢？而我為什麼又不單刀直入問他：「你到底打算怎麼樣？究竟要不要為了我搬回台灣？你明明說要追我，結果最後又落跑?!」而我猜想，他也不會認為我應該開口要他：「留下來，不要走！」畢竟，這麼戲劇化，為難彼此且不考慮現實因素的無理要求，只會出現在脫離現實的肥皂劇裡。我們不是這樣的人。年輕的時候不曾這樣要求對方，中年以後，我們更不會這樣隨意索求承諾。

活到這個年紀，如果說什麼是長大，那麼就是要做一個不帶給對方負擔的大人。不問，是一種體貼和溫柔。一但問了，就是給出壓力。於是信任他倘若能夠處理好的時候，自然就會開口。要是從此得不到想要的答案呢？那就當做是命定的安排了。

這件事聽在蔡思明的耳中，他吃到一半的鰻魚飯差點噎到。這天晚餐，我們約在六條通的「肥前屋」吃飯。

「你們兩個人要不要去代言賣壓力鍋？你不願開口問他，怕給他壓力，而他也怕你覺得有壓力，誤會他一直要逼你交往同居。原來有一種愛，是愛到不敢在一起。有病嗎？你們兩個人有必要這麼裝客氣？想要對方留下來、想要跟對方在一起，不能直接說明白，偏要搞得這麼複雜？」

「要是不複雜，還會拖拖拉拉二十年嗎？」我聳肩。

「我真佩服你們。總而言之，你是因為害怕他不會真的搬回台灣，所以才一直不願意答應跟他在一起？」

「是吧。但不能怪我，我是有童年傷痕的。我不想再受傷了。」

「可是你應該要這麼想，如果你們把話說清楚，接下來要交往、要同居了，那代表他會留在你身邊，你就能夠放心。」

「都幾歲了，還相信這種綁住彼此的承諾？那不就跟結婚一樣嗎？說要相守一生的誓言，簽了結婚證書，難道就真保證彼此會一直留在對方身邊？」

「倒也不是說承諾或保證。只是，我覺得兩個人在一起，總還是要有一個什麼目標比較好吧。那個東西可能是盡量不要去質疑的。讓它成為一種默契或前提，然後所有的事情，基於這目標之上去進行，就算吵架，也要有共識不要去推翻它。不然的話，人跟人之間真的很容易因為自己的情緒，就散了呀。」

「蔡大師再度開講了。我有時候覺得你和阿勝實在太模範，你們的基因裡一定有適合相愛的DNA。」

「不過這也只是我跟他的相處之道，或許不適用每對情侶。」

「但你說了這麼多道理，兩個人同居這麼久，還是始終沒有去登記結婚啊！」

「其實我們已經登記結婚了。」

「什麼時候的事？為什麼沒說！」

「就是最近的事。他摔傷，在家裡我照顧他時，有一天他手不方便，我幫他洗頭髮的時候，洗到一半他忽然說，等他康復後我們就去登記結婚。我聽了沒太意外，就說好啊，然後某一天早上他找了朋友當證人，我們各自請了半天假，就去戶政事務所登記了。登記完，我們還趕去上班，什麼慶祝也沒有。只是一件拖了好久該做卻沒做的事，很平常心地跑完流程而已。」

「蔡思明，你真的太令我景仰。如果咱們重回高中時代，怎麼能想到有一天你會如此平淡地完成你終身大事？」

「這就是人生。」他笑起來。

這就是人生。我很替蔡思明感到開心，但我不會羨慕他。那是他的人生。我的感情生活雖然從不順遂，可是，那其中包含了劉駿光的存在。不管過去有什麼遺憾，或是未來將好將壞，能遇見他的人生，我不想被替換。

再過兩天，劉駿光就要離台。「FINE LINE」瑜伽會館台北店在十二月二十日正式開幕，而他的班機訂在二十一日中午離開。十四日開始試營運以後，聽劉駿光說反應很不錯，已經有不少人報名課程。據說很多人是看到我們公司替他們製播的影片，或是聽到Podcast而有興趣前來，參加體驗課程之後就付費報名，頗令我感到欣慰。

會館設點的位置不是此刻台北最潮流的信義區，而挑在捷運中山站商圈。客層目標的範圍因此更廣，除了鎖定三十歲世代以上的上班族以外，也網羅到二十多歲的年輕人及周邊的社區居民。店順利開幕，代表我們公司與劉駿光他們的合作也階段性地圓滿落幕。

二十日晚上，包括劉駿光在內的幾位主要「FINE LINE」台北店幹部，請我們公司負責此案的人吃飯，表達謝意也同時替劉駿光餞別。我們公司出席的人除了當初牽線的湯瑪斯以外，還有我、史黛西、史提、潔西卡和吉米。

想也知道，這場飯局最令我不自在的，就是我得跟劉駿光和吉米同桌吃飯。不過，前一晚睡前跟劉駿光講起翌日的飯局時，他倒顯得不在意。

「你說過早就不喜歡他了，不是嗎？所以同桌一起吃飯，我沒什麼好介意的。」

「你這麼信任我？」

「這是選擇性問題。我就是選擇相信你了。」

「哇，好成熟喔！」

「我們比吉米多活了十多年，至少在心智成熟度上，應該要比他更像大人吧？」

「最好是。不曉得之前誰一直在打破沙鍋追問，我跟吉米是什麼關係？然後還威脅我，不講就不去吃飯呢！」我糗他。

「呃……但是在那之後，我就選擇相信你啦。」

「那你覺得我的心智成熟度怎麼樣？」我問他。

「其實你不用想這件事，你現在這樣就很好。當然，如果不刻意隱藏你原本浪漫的情懷，大剌剌的情緒，像是高中時候的你，那就更好。」

「那不就代表我這麼多年沒長大，一點都不成熟？」

「就說你不用管自己成不成熟，有沒有長大，反正會有人在旁邊照顧好你的。」

「誰要照顧我？」我明知故問。

「永遠的霞中校草，二十年後已經茁壯成一棵大樹的劉駿光。大樹會固定在同一個位置，不會落跑，等你隨時來樹下遮風避雨就好。」

「到底哪來的自信？」

嘴上故意質疑他，我的心底卻湧起一股暖流。

這天晚上，跟吉米一起同桌吃飯，劉駿光果然表現得落落大方，而吉米，確實如我預料中地擺了一張臭臉，常常話中有話。我想劉駿光跟我一樣都聽得出來，不過他真如他所說的，即使聽到那些意有所指的話也一笑置之，沒在跟吉米計較。如果從前跟蔡思明一起合寫的那本《我的奮鬥之男兒本色》還在手邊的話，這場飯局以後，我勢必要對劉駿光加分，至少給出三個「甲上蘋果」。

飯局拖得很長，大家的酒也喝得不少，每個人的臉都紅通通的。因為氣氛使然，平常不太喝酒的我，也喝了一些，感覺微醺。話講太多，大家似乎又感到嘴饞，史黛西向店員要了菜單準備加點。她一邊翻菜單，一邊問吉米。

「吉米，你說你有來吃過這間餐廳，有沒有什麼推薦的？」

「讓我來看一下菜單。」

「不好意思，」我說：「我去一下洗手間，有什麼值得一吃的，就算我一份吧！」

「我也想去。」劉駿光說。

我瞥見吉米目光從菜單上移開，抬頭瞪了劉駿光一眼。

走進廁所，我和劉駿光站在小便斗前。

「有點累。」我說。

「可是我同事跟你的上司都很嗨，看起來還不想結束。」

「我們要不要早點回去？你明天中午的班機耶，早點回去還要打包行李。」

「我就拉個登機箱而已啊，沒準備打包什麼行李。」

「真假？你是要回加州，不是去蘆洲耶。」

「回洛杉磯只是要處理房屋契約，然後把一些要運回台灣的東西打包裝箱。至於放在你家的東西，就先暫放著。我的意思是，如果，你不介意的話。」

「當然不介意。」我猛地搖頭。

怎麼會介意呢？我就怕你不再回來。本來想追問他，他的意思是工作調遷回台的事已經確定好了嗎？但，終究還是沒問出口。我怕又會賣出一個壓力鍋。

回到餐廳座位時，看見每個人的桌上都多了一個蓋著湯蓋的小碗。

「最後點了什麼甜點？」我好奇問。

史黛西熱情解釋：「不是甜點，是湯。吉米剛剛說，忽然想起這家店的羅宋湯非常好喝。雖然這裡不是俄羅斯餐廳，但據說以前有個廚師是從俄國來的，現在已經回國，留下了非常美味的羅宋湯食譜，只有長年的熟客才會知道要點。」

羅宋湯啊……我無言，連蓋子都懶得掀開。

「來喝吧！我們等你們回來才一起開動的。」史黛西催促。

坐在我斜對面的吉米突然起身，為我掀開湯蓋。

「晉合哥，我打賭你一定會喜歡。我幫你加點胡椒粉，會更提味。」

吉米語畢，故意看一眼劉駿光。他反常的熱情，多少是為了想表現對我的關愛。但，這場面卻讓我陷入為難。不是他為我服務這件事，而是這碗羅宋湯。

「其實……我不太喝羅宋湯。」我說。

「居然！為什麼？」史黛西很驚訝。

「可是晉合哥，這家的羅宋湯很不同，你試試看。一口就好，會改觀的。」吉米試圖勸我嘗試。

劉駿光突然將我面前的羅宋湯端到他的面前。

「我明天就回洛杉磯了，大家不反對的話，就讓我多喝一碗，當做替我餞行吧！」

「又不是酸辣湯，洛杉磯喝不到羅宋湯嗎？」史黛西笑著問。

我正準備解釋時，劉駿光替我解圍。

「以前我們高中住校，三餐都在學校餐廳吃。每一餐都會有湯，最常出現的就是羅宋湯。可是學校伙食實在不怎麼好吃，那個羅宋湯的味道總是怪怪的，但不喝也沒得選擇。就這樣喝了三年，有些人喝到都怕了，從此再也不想喝。晉合就是其中之一吧！」

「早說嘛！真是的。吉米，你看，我們跟晉合共事那麼久，還是不夠了解他。果然還是劉駿光認識他夠久，這種往事沒一起經歷過，還真不知道呢！」

永遠自以為貼心，但永遠不懂得讀空氣的史黛西一說完，吉米的臉就沉下來。

我默默地注視著劉駿光。我沒有想到他會知道。在學校的時候，每次吃飯時，如果那一天煮的是羅宋湯，我雖然邊喝邊罵味道怪，但總還是會喝完它。我從未跟他說過我畢業以後，再也不喝羅宋湯這件事，但他一下就猜到了。

飯局結束後，離開餐廳時，人來瘋的史黛西居然又提議去唱KTV。

「我們就不去了。駿光明天中午的班機，讓他回去整理行李。」我說。

「那他先回去，你留下來。你們又不是住一起，幹嘛一起走？」

對喔，忽然想到除了吉米以外，在場的人都不知道劉駿光借住在我那兒。

「去唱一首就放你回家！走啦，難得嘛！」

劉駿光的同事也醉了，跟著史黛西和湯瑪斯一同起鬨。

就這樣我們又進了KTV。當然，一進包廂以後，史黛西那群醉茫茫的人，不可能真的只讓劉駿光唱完一首歌就走。然而，整個包廂的氣氛變得有點詭異。說要來唱歌的人，他們其實只是繼續吃吃喝喝，根本沒在點歌，史提和潔西卡唱過一輪以後，只剩下吉米和劉駿光兩個人輪流開唱。這兩個人愈唱愈怪，唱歌時不專心看螢幕，一直轉過頭來看我的反應。到最後，他們會刻意搭配點的歌名或歌詞，兩個人明顯開始在互嗆。

劉駿光對我唱五月天的〈我不願讓你一個人〉，吉米就對他唱林宥嘉的〈說謊〉；劉駿光對我唱梁靜茹的〈無條件為你〉，吉米就對他唱蔡依林的〈Play 我呸〉；劉駿光對我唱張惠妹的〈記得〉，吉米就對他唱徐佳瑩的〈到此為止〉；吉米對著我唱田馥甄的〈愛著愛著就永遠〉，劉駿光就對著我唱陳曉東的〈愛一天多一天〉；吉米最後選唱一首艾怡良的〈Forever Young〉，劉駿光則挑了一首張清芳的〈戀人的保存期限〉。

「哇！好久沒唱這首了！」

我一聽到前奏，就忍不住拿起麥克風跟著劉駿光一起唱完阿芳的歌。

結果最後離開KTV時，都快要凌晨一點。我們站在十字路口招計程車。湯瑪斯醉到一直胡言亂語，最後突然一手拉住劉駿光，另一手拉住吉米。

「你們說說看，到底什麼是幸福？剛才史黛西說，幸福就是今朝有酒今朝醉。我說我不同意。我覺得幸福，應該是要把酒留到第二天，期待明天繼續醉！」

他一直追問劉駿光和吉米，最後吉米率先開口。

「我覺得幸福就是不顧一切追求，直到擁有喜歡的人。」

「喔！很好！年應人就該浪漫！那那那，劉駿光換你了，你這個中年人，覺得幸福應

劉駿光露出滿足的笑容，靦腆得像個永遠不老的大男孩。

「嗯。等我回來。」他邊說邊點頭。

過完耶誕節，這一年也快走到尾聲。劉駿光回到洛杉磯以後，我的生活恢復成與他重逢前的樣子。起居的空間變回一個人自主性極高的空間，整理打掃家中的次數開始減少。早餐吃得簡單了，晚餐跟過去一樣，下班後回家隨便弄點東西吃吃。劉駿光住在這裡幾個月，餐桌好像找回了自己的生命，兩個人坐在桌前吃飯、喝咖啡、嘗甜點，邊吃邊八卦的時間很多，當他離開以後，餐桌又被冷落。我一個人就像過去那樣，吃飯時搬張小茶几，坐到電視機前看韓劇。昨天看到超爆笑的劇情時，忘我地拍著沙發大叫：「這太誇張了啦！你不覺得嗎？」才赫然驚覺，沒有回應，屋子裡只有我一個人，和繼續作響的電視機。

晾完衣服疊好收到衣櫃時，看見劉駿光把他的衣物整齊地收納在一角，忍不住搖搖頭笑起來。我把他留在家裡的白襯衫展開來，埋頭嗅聞，明明都是柔軟劑的香味，我卻以為聞到他的氣息。接著，我穿上他的襯衫，照鏡子看見不合身的自己，覺得滑稽。一個人只要身高夠，肩膀寬大，胸膛厚實，穿起這件衣服就會好看嗎？還是只因為他是劉駿光？

睡覺時，我不必戴耳塞或抗噪耳機了，奇怪的是我的睡眠品質，並沒有因此變得比較好。在一張過度寬敞的雙人床上翻來覆去的，我要花比過去幾個月夜裡更長的時間才能入睡。夜半醒來的頻率忽然增加，可能覺得冷。棉被不夠暖嗎？但已經是最厚的羽絨被。

冬令時間，台北和洛杉磯時差十六個小時，我和劉駿光開始過起日夜顛倒的生活。我們很隨性，可能有時一整天互傳一堆訊息，但有時一整天誰也沒聯絡誰。我們不打電話不開視訊，因為劉駿光知道我不喜歡，所以只丟文字。但有的時候我們也懶得打字，只是丟給對方幾張照片，比如今天吃到的美食、漂亮的彩虹或黃昏的魔術時刻。

回想起過去交往的對象，明明沒什麼事，還要刻意傳訊息問候早安晚安的，實在太矯情。我和劉駿光已經是大人了，每天各自都有很多要忙要煩的事，當然不會也不需要，成天在LINE上聯絡個不停。比起其他對象而言，我和他確實了解彼此，或者說也一直意識著別給對方壓力，所以才可以給出恰到好處的態度與距離，讓對方感到自在。

有趣的是，劉駿光在台北的時候，完全沒有對我解釋他接下來工作的安排，更沒有明說他何時會返回台灣的確切日期，反而是回洛杉磯以後，他在傳來的訊息上會就「自然而然」地向我更新各種進度。

例如，他突然就傳來，「房子的合約本來是年底到期，不續租就應該要搬出去。房東是一對老夫婦，很和善，說改算成日租公寓，讓我租到打包好離開的那一天。」或是，「其實真正整理以後，發現需要裝箱打包寄回台灣的東西少之又少，只有兩箱而已！其他的東西都賣掉或給人了。沒錯，我打包完成了！」還有：「台北的瑜伽會館工作，農曆年假以後開始，接軌得剛剛好。」

就像這樣，其實我沒主動多問，都是他自己丟訊息向我報告的。這樣很好，他準備好了就會說。不可否認，因為看見他這些訊息，我感到安心許多，於是終於願意相信，這一次他不會再次消失。

對於我沒有一直追問他進度，我想我是做出正確的決定。誰也別催誰。我們都有自己的節奏，現在就是要慢慢地調整到彼此感到和諧的節拍。

十二月三十一日這天，因為時差的關係，劉駿光傳來訊息預祝我新年快樂，然後終於正式告訴我，他要回台灣的日程。

「我會回去過農曆年喔！除夕那天早上到台灣。」

「你不用跟你媽媽過年？」

「我們早就很多年沒一起過年了。」

我停了一會兒沒回訊息。劉駿光又傳來新的訊息。

「你放心，我有跟我媽好好談過了。她想在已經不會處處反對我想做的事。她覺得我回台北也很好。」

「你又猜到我正想問你的事了。你媽不會覺得你是賭氣離開，那就好。」

「嗯。對了，我沒有住的地方喔！」

我丟了一個翻白眼的圖案，回他：「你的衣服們都在我家等你回來好嗎！」

「只有衣服在等我嗎？」

我故意丟了一個臉紅害臊，嘴巴縫上拉鍊表示沉默的圖案。他回我一個跳動著愛心的圖案。我忽然想到那天是大年除夕，晚上得回老家吃年夜飯。

「除夕晚上會回家跟我爸媽吃飯，你先來我家，晚上我們再一起過去老家吧。啊，可是你會不會有時差，需要休息？」

「不用，沒關係。我會在飛機上睡飽一點。」

我傳給他一個「明白了！」的貼圖。

「話說，明年開始需不需要改成年夜飯我們自己吃，初二再一起回去？」他問。

「為什麼？」

「回娘家啊。」

「……」

元旦那天晚上，蔡思明和阿勝找我去板橋逛「新北歡樂耶誕城」的燈飾。本來說耶誕節時要去看的，結果蔡思明感冒，只好取消。活動持續到跨年後，大家元旦晚上剛好沒事，就約了一起去走走。結果沒想到，隔天變成我感冒了，而且還挺嚴重。

「應該不是我傳給你的，因為阿勝都沒感冒。」

「那是他身體強壯。」

「你請假在家還好嗎？要不要我們去照顧你啊？」

「不用啦，沒關係。今天有去看過醫生了，已經好多了。就按時吃藥，多休息應該很快就會好。」

人真的不能太鐵齒，結果我一說，非但沒有很快痊癒，第二天忽然發現耳朵變得怪怪的。我的右耳裡面很癢，拿棉花棒掏，發現潮濕有水。接著發覺，聽力似乎受到影響，所以我趕緊去看耳鼻喉科。

醫生說，我患了中耳炎。可能是耳朵本來就進水，或者是重感冒，鼻子過敏引起的後遺症。總之，合併感冒藥之外，又拿了一些消炎藥，以及兩罐必須點進耳朵裡的藥水，每天要讓發炎的耳膜浸泡藥水十分鐘，早晚各一次。

拿藥水點眼睛很簡單，但我從未想過點耳朵，居然是一件如此困難的事。醫生吩咐，為了衛生著想，藥水瓶口不要直接觸碰、深入耳腔，只能跟耳朵隔一段距離點滴。結果，我試過好幾次都失敗。藥水總是不聽話，無法精準地滴入，或者是以為滴進去了，但其實卡在耳腔上緣而已，沒有真正滴進耳裡。那一刻，我想到如果劉駿光還住在這兒，我應該就不會遇上這個前所未有，想都沒想過的人生難關了吧？

一年才剛開始，我就連請兩天病假。週五傍晚，接到史黛西的LINE訊息。她知道我前幾天重感冒又患上耳疾，關心我是否已經康復。

「我正好在你家附近，帶晚餐過去給你吧？」她問。

「不是要來談公事吧？」我有不祥的預感。

「沒有公事。」

「不是又失戀了要我陪妳去唱歌吧？我感冒才剛好，不想去人多的場合。」

「你到底覺得平常我是怎麼對待你的？」

我丟給她一個吐出舌頭的貼圖，不置可否。

史黛西來了，但沒想到不只她一個人。當大門打開，我看見她身後還跟著吉米時，著實嚇一跳。雖然我不太想讓吉米來我家，但也不好請他走。

「你說巧不巧，我買晚餐時，剛好遇到吉米，就找他一起來了。」

史黛西可以獲得白目女王寶座了吧。蟬聯十年都可以。

「晉合哥，我帶了你喜歡吃的燒仙草。這次不是羅宋湯，你放心。」

「嗯……」看來他很介意那件事。

他們進到我家以後，我才突然想到，我沒有把劉駿光留在這裡的東西收起來。史黛西維持白目狀，完全沒注意我家的東西和擺設，只顧著不停吃東西和聊天，但我知道吉米是抱著一種深入直擊現場的心態來我家的。他很仔細看了一圈我家的客廳、飯廳和廚房，雖然完全沒多問，卻總是在關鍵物品前停下腳步。例如，貼在冰箱門上，劉駿光要我每天吃維他命蓋章的月曆前；劉駿光留在客廳的外文書籍（吉米知道我根本不可能讀英文書）；劉駿光放在廚房的洋酒（吉米知道那些不會是我喝的酒）等等。我以為吉米可能一會兒又會對我撂下狠話之類的，但到最後他什麼也沒說。

聊天到一半，劉駿光傳訊息過來。

「你打開視訊，然後去躺在床上。」他寫道。

「呃，你想要我幹嘛……」我回他。

「你不是跟我說你沒辦法好好點藥水嗎？居然今天才告訴我。應該早點說啊。你把視訊打開，側身躺在床上，然後手機架在一旁，我看著你點，告訴你正確位置。」

「沒關係啦，我明天會去買一面小鏡子，就可以照著鏡子點了。」

「那至少今天先開視訊點一次吧？你不是說之前好幾次都沒點好？快點。」

「好吧。」

走進臥房以前，我跟史黛西和吉米說我要點一下耳藥水，失陪十分鐘。

「不用幫忙嗎？」史黛西問。

我還沒開口，吉米就接話：「應該是已經有人要幫忙了。」

不知道該回什麼話的我，只好點點頭。

走進臥房，窩在床上，我撥視訊電話給劉駿光，把手機放在床邊，看著螢幕上的他，聽著他的指示來點耳藥水。

「藥水瓶往左邊一點，對，停住。稍微再靠近耳朵一點，可以了！」

果然一點就中。很快的，兩瓶耳藥水都點完。大功告成，躺了十分鐘，我和劉駿光也難得講了一段視訊電話。

「你還是不太習慣講視訊電話吧？」掛線前，劉駿光問我。

「對。總覺得有點彆扭。」

「那明天記得去買個小鏡子。」

我想了想，補充說：「偶爾這樣視訊一下也沒有不好啦！別誤會。謝謝你幫忙。」

「我懂啦，別想太多。我其實也沒那麼習慣視訊，畢竟，我們是出生在寫信年代的人類舊機種。」

「哈！而且，我花了很多錢投資了貼圖，不用太可惜。」

兩人相視而笑道別。

走出臥房時，看見吉米坐在客廳，雖然在跟史黛西聊天，但視線一直投向房間裡面。我感覺到他悶悶不樂，很失落，像那時候他驚訝我不喝羅宋湯的事，還有上一回我們半夜唱完歌，在路口招計程車時，他聽見劉駿光說出那一席話後的反應。

過了一個週末，身體總算完全康復。星期一進公司，立刻感覺到瀰漫著惶惶然的焦躁。一來是放假累積的工作得趕工，二來是今年農曆年過得早，一月二十三日就是小年夜開始放年假，等於許多工作擠在一起，都必須趁著不到三週內做完才行。

很快就過年，意謂著劉駿光很快就會回來。當這件事情確定下來以後，我又開始陷入了信念的掙扎中。

依然是不變的老問題，我沒把握繼續同居的生活是否能夠順遂。之前他來住，是以暫住的名義而來，我們都知道四個月後他就會離開；但這一次他回來，我接受他再住進我家，意義已和去年不同。既然讓他來，我等於就是接受和他正式交往了，那麼理所當然也就同意了他和我一起同居的生活模式。

我真的沒問題嗎？過去這幾個月，我知道我變了。從完全排斥跟另一個人同在屋簷下一起生活，到習慣了那個人可以是劉駿光。他離開以後，我甚至感到不適應。我告訴自己，接下來就會像過去那幾個月一樣，會很好、會愈來愈好的，然而心底總仍有一絲懷疑，懷疑這些年來，始終認為不適合同居和結婚的我，能否真的成功「轉型」？

上星期，隔壁的住戶搬走了。我現在租的這間房，和隔壁那間的房東是同一人。最初在找房子時，其實原先是看上隔壁那一間，可是那一間比我現在住的坪數大，租金也貴一點，幾經考量後決定放棄。上星期原住戶搬走以後，這星期那間房子開始重新裝潢施工，早上我根本不必設鬧鐘，就會被隔壁敲敲打打的聲音給吵醒。傍晚下班回到家，他們還在施工，一直弄到八點左右才結束，吵到我連看電視都聽不清楚。甚至連週末也在趕工，一大早就擾人清夢，真的很煩。

該不會劉駿光回來以後，他們還在施工吧？這麼一想，就覺得事情非同小可。週日中午出門買飯吃時，我恰好碰到房東，忍不住小小抱怨一番。

「哎呀，歹勢歹勢！趕著過年前弄完，房客要搬進來啦！下星期就過年了，一定會在小年夜前就完工。師傅也要過年啊，絕對不會吵到你的。稍微再忍耐一下下就好！」

我這才稍微感到放心。

週日晚上回老家陪爸媽吃飯時，他們問起劉駿光是否如期回來，還有除夕夜劉駿光會想吃些什麼菜色？兩個人愈講愈興奮。

「我每年回家吃年夜飯，都沒見你們這麼開心。」

「今年不同呀，駿光難得一起來過年，而且也是替他接風嘛！」我爸說。

「他能搬回台灣真是太好了。以後他就能常常過來吃飯，像高中你們準備聯考那時候一樣，我昨天晚上還想到以前的事呢！」我媽說。

我想起那一天在醫院裡偷聽到她和劉駿光的對話。我想，我媽是真的很開心知道劉駿光能夠回台的。她或許感到欣慰也替我放心，劉駿光最終不負期望辦到這件事。

「你有沒有想過，未來計畫在郊區買一間二手屋呢？」我媽忽然問。

「買房子？怎麼敢有這種幻想？台北房價這麼貴！」

「爸媽還有能力，可以幫你出頭期款。接下來，你就每個月自繳房貸，等於就像是現在繳房租一樣，但房子會是自己的，不好嗎？」

「不用啦，沒這個必要呀。繳房貸，整個人就被綁住了。而且，現在這樣住得好好的，沒什麼問題啊！」

「怎麼會沒什麼問題呢？你現在租的房子，空間太小了。」

「剛剛好啊。我都住了這麼多年，從沒埋怨過。」

「接下來不一樣啊！你一個人住是可以，兩個人長期住，漸漸的東西一多，就會顯得擁擠。而且說不定未來還可以合法領養小孩什麼的，只有一個房間，哪夠！」

天啊，我媽原來是想到這些事。

「媽！你想太多了啦！而且劉駿光又沒說會一直住我這裡。他只是搬回來時，沒地方住才暫時住我這。可能他找好租屋，就會搬走啦。」

「駿光怎麼可能還會搬走，你們不就是……在一起了？」

「……哎喲，先別說這麼遠的事，他根本人都還在洛杉磯。」

「那有很遠，再過幾天他就回來了。要不然，如果你們不嫌棄這老房子的話，我和你爸，跟你交換房子住。老家這裡至少有兩間房，坪數也大，房子也是自己的，過戶給你就行。對耶，這樣也不錯。你們自己花點錢重新裝潢一下，就煥然一新啦！」

「哪有這樣的啦！把自己爸媽趕出去，要你們租房子，像話嗎?!」

「雖然我們很喜歡駿光，也相信他喜歡我們兩老，但我是堅持絕對不要住一起。婆媳問題看太多了！」我媽語畢，又趕緊修正：「喔不對，不能說媳婦，應該怎麼說呀？」

「媽——」

我兩手抓著頭，頭髮已亂到不可收拾的地步。

年關將近，許多事物都面臨著轉折。有些新的事正在醞釀開展，但也有些事在不經意之間逐漸淡出。小年夜前一天，農曆年假前的最後一個工作日，這天下午，當我在茶水間聽到吉米告訴我，他就做到今天為止時，難掩意外。

「怎麼今天才說？」

「我只是沒告訴你而已。史黛西早就知道了，可是我請她不要跟別人說，因為我不喜歡整間公司的人都在幫你倒數計時，還要辦歡送會的感覺。」

「是因為對公司有不滿？還是有什麼其他工作上的打算嗎？」

「暫時先休息一下吧，也還沒找到新的工作。我對公司沒有什麼不滿的，」吉米笑了一下，說：「只有對你不滿。」

我點頭，沉默不語。

「開玩笑的啦。與其說對你不滿，不如說對我自己感到不滿。」吉米聳聳肩。

「為什麼這樣說？」

「我甚至連你不喝羅宋湯都不知道。」

「你很在意這件事。」

「那代表我根本走不進你的世界。那天聽到劉駿光說，他覺得的幸福是自己不能倒下才能照顧好你，讓我很汗顏。我只是不服輸，想要擁有你，但從來沒站在你的立場去想，你要什麼。我太自以為是了。」

「我們兩個只是不適合而已。你不用對自己感到不滿，將來會有另一個人，他一定會適合你能給的幸福。」

吉米苦笑一聲，然後遞給我一杯剛煮好的咖啡。

「至少我還知道下午這時候，你需要一杯熱咖啡。」

「謝謝你，可是，」我尷尬地說：「我今天已經喝過兩杯咖啡，不能再喝了。最近因為不好睡，準備開始調整一天盡量只喝一杯。」

「這些我也不知道。」

「不好意思！如果你不介意的話，這杯讓我給史黛西喝吧？可以嗎？」

吉米起先愣了一下，但隨即搖搖頭，無奈地一笑。

「嗯，沒關係，你開心最重要。」他說。

抱歉，吉米。這樣的你，我即使曾經在與你曖昧和短暫交往之際，心裡還是想著劉駿光。真的很對不起。希望有一天，你也會遇到一個讓你開心的人。開心最重要。

這一天大家提早下班，下午三點半就離開公司，回到家時聽見隔壁的施工還在敲敲打打。真的會如房東所說，今天就完工嗎？我真懷疑。出門去超市，隔壁似乎已經沒再發出噪音，看見幾個工人進進出出，正在收拾工具。

傍晚，門鈴忽然響起，是國際快遞來的包裹。想不到劉駿光人都還沒到，在洛杉磯打包裝箱的東西就已經寄抵台北。確實如他說的沒多少，只有兩大紙箱而已。兩個紙箱代表著劉駿光總結了過去在洛杉磯的生活，另一段未知的日子等待他開箱。

隔天，小年夜一個人在家，正愁晚上該吃什麼的時候，蔡思明打電話來。

「你晚餐怎麼解決？」他問。

「我正苦惱。不想開伙，懶得出門買飯，可是又餓了。」我說。

「人生有這麼難嗎？」

蔡思明外帶了阿勝餐廳的飯菜，不久以後出現在我家。

「好佳哉我還有你這個朋友。不想開伙，懶得出門買飯，可是又餓了，居然現在眼前就出現一桌美味。」

我抱著感恩的心，邊吃邊對蔡思明說，他聽了笑起來：

「我是搶在明天劉駿光回來前，趕緊再跟你吃一頓飯的。他回來以後，我怕你們小別勝新婚，有好一段時間我會約不到你。」

吃完飯，我們兩個人抱著一堆零食，坐在沙發上看電視。轉到新聞台，看見報導從中國武漢爆發的新冠肺炎疫情，狀況似乎愈來愈壞，小年夜這一天武漢已宣布封城。

前幾天，從武漢回台的台商被發現感染新冠肺炎，成為台灣首例的確診個案。許多人對當年SARS的狀況仍記憶猶新，紛紛開始在搭乘大眾運輸工具時戴上了口罩。

「剛剛去阿勝他們餐廳，門口已經開始幫客人量體溫了。」蔡思明說。

「你覺得台灣也會發生大傳染嗎？好像泰國、韓國跟日本也都有人感染了。」

「不知道呢，謹慎一點總是好。這病是新的傳染病，誰都還沒搞清楚狀況。」

「該不會嚴重到變成一場全球瘟疫吧？這世界已經夠亂了，還要多無常？人生有這麼難嗎？嗯，人生好像還真的是挺難的，畢竟不是解決吃的問題就行了。」

「所以我們才要好好享受啊！跟在乎的人，在能享受時好好地盡情享受。」

蔡思明語畢，就去冰箱拿出一大桶他剛帶來的冰淇淋。

「現在這時間還吃熱量這麼高的東西，不怕肥死？」我提醒他。

「剛剛不是才說，在能享受的時候就該享受嗎？吃吧、吃吧！世界亂象無法靠吃來解決，但如果吃能為艱難的人生帶來短暫的愉悅，就算是功德無量。」

「你跟大廚在一起久了，對吃，都充滿哲思了。」

我們分食一大桶冰淇淋，感覺這種偶爾的放肆，帶著罪惡感，讓甜食吃起來更美味。跟在乎的人，在能享受時好好地盡情享受。

一邊吃冰，一邊看電視，我回想蔡思明剛才說的這句話，愈想愈有道理。如果有一天，我們真得面臨一場攸關死生的世紀瘟疫，我和劉駿光是否會是彼此心中最在乎的那個人呢？世事的無常，彷彿暗示著應該好好珍惜一段失而復得的關係。

除夕一早，剛起床不久，手機就收到劉駿光傳來的訊息。

「我到機場囉！現在回去！」

「你在機場的商店買個口罩戴上吧。」我提醒。

「我在飛機上就戴著了。」

果然是不必讓人擔心的劉駿光。

劉駿光回來了。脫下口罩的他，帶著爽朗的笑容，一掃我不安的陰霾。再次見到他，竟有種奇妙的感覺，覺得是一個全新的他，出現在我面前。

「很累吧？休息一下，看要不要洗個澡或睡一下，我們四點半到我爸媽家就行。」

「其實還好，在飛機上睡得很飽。對了，謝謝你幫我收包裹。我想先把東西拿回家整理一下，裡面也有要給你的東西。」

我聽了愣了一會兒，升起難以解釋的悵然：「拿回家？」

「嗯。你一起幫我拿過去好嗎？」

「要拿去哪裡？」我納悶。

「走啦，跟我走就對了。來，我們先搬第一箱，先搬到門外走廊就好。」

我糊里糊塗地跟著他，一起把兩個大紙箱搬到我家門口的走廊上。我的情緒從悵然，漸漸轉為不解，甚至帶著氣憤。他原來不住我家。他又準備上演去哪兒的失蹤記嗎？

「你還好嗎？」他問我。

「嗯。」我都不想看他了，眼睛看著其他地方問：「接下來呢？」

「幫我把門打開。」

他從口袋裡掏出一把鑰匙給我，然後指著我家隔壁的那扇門。

「蛤？」

「Please open the door。我才離開幾個星期，中文就變爛了嗎？」

「不會吧？」我瞠目結舌。

「對啊，這是我的新家。然後，這把鑰匙就給你囉，歡迎想來就來，不必問過我。」

「你居然租我隔壁的房子！真的假的？」

「我知道你可能還是會對於一起長期同居感到擔心，畢竟這一次不是三、四個月而已。所以，我想到最好的方法，就是先租下你隔壁的房子。我們可以保有各自的生活空間，然後想一起住的時候就一起住，去你家也好，到我家也行，隨你開心。要是想要一個人的時候，或者有工作要帶回家必須安靜趕工時，說一聲回自己家就行。反正我們都是大人了，相信彼此都可以理解。能夠這麼巧租到這間房，還要感謝何爸何媽呢！他們剛好幫我打聽到你旁邊的房客要搬走了，趕快來聯絡我，然後蔡思明也幫忙我處理很多簽約跟裝潢的事。」

「真是太意外了。你們居然瞞著我，默默進行這麼一件大事。」

「就是要讓你意外啊。」

「但是你不覺得委屈嗎？要是換做別人，可能不認為這樣稱得上在一起。」

「不會啊，我覺得這樣滿好的。如果你不習慣，那才是委屈。等等，讓我先確定一下，我們現在，是『在一起』了，對吧？你剛剛有說出這三個字，我沒聽錯吧？你終於願意讓我成為你的男朋友了，對吧？」

走廊上從外篩落而進的日光，一明一暗地閃爍著，在空氣中逐漸轉成粉紅色調，與此同時，我彷彿見到長長的走廊，從壁磚縫隙中緩緩冒出晶瑩剔透的泡泡。

我的心跳加快。我沒料到有一天，我們確定彼此關係的這一幕，會是在這樣一個早晨。不是在什麼高級的餐廳裡，不是在浪漫的夕陽海灘，只是在紙箱搬到一半的一條走廊上。我們穿得好隨便，我甚至只是穿一件短舊T恤，滿身大汗，劉駿光的白襯衫因為搬紙箱也髒了、縐了。多少年前，我曾經幻想成為劉駿光的男朋友，可是沒想到這一天真的到來。雖然來得有點遲，我早已不是青春無敵的那個少年了，但是，幸福還沒有過期，現在的我更知道什麼叫做珍惜得來不易的緣分和感情。

我看著劉駿光，搖頭說：「我不要。」

他的臉僵住了，無語。我忍俊不住。

「我不要你對我告白。告白的人是我才行。我要把高中時代沒說出口的告白，現在對你說。劉駿光，跟我交往，做我的男朋友，跟我在一起！」

劉駿光注視著我，微笑起來，用力點頭。他摸摸我的頭，把我擁進他懷裡。

「喂，我們兩個全身都是汗臭味！」

「那我們去洗澡，一起洗。」他邪邪地笑著。

「你別又動色色的歪腦筋。先把紙箱搬進去再說！」

但是劉駿光依然緊緊抱著我，沒有鬆手。

「你真的不會覺得委屈？明明在一起了，卻住在隔壁？你的同志朋友們知道了，一定會為你叫屈吧？你不會沒面子？」

我忍不住又問了他一次。

「別管別人怎麼想，我真的不委屈。誰說『在一起』就一定得『在一起』呢？我們喜歡我們在一起的方式，就好。況且只是住在隔壁而已，隔一面牆，那麼近，想要見面聊天隨時就能見；想要我幫忙什麼事，隨傳隨到；想要一起吃東西、一起追劇，你敲敲牆壁我就會來。你怕我打鼾，我就回自己家裡睡。喔，前提是，先做完愛。還有，我買給你的床彈性比較好，做愛的時候可不可以指定在你房間的床上？」

我噗嗤一笑。

「你買床的計畫，真的鋪梗鋪很長，城府很深耶你。真是懷疑你高中時，木訥是裝出來的。其實骨子裡一直都很色吧？回想起來，我們第一次說話，從學校食堂衝回宿舍占浴室的路上，你那副帥氣卻傻呆的模樣，實在跟現在鬼靈精怪的樣子差太多啦！」

「其實那不是我們第一次說話。」

「不是嗎？那是什麼時候？」

劉駿光聳聳肩，笑而不語。

「我不能多說了。我許過願，除非我們沒有在一起，你才能知道那些事。」

「故弄什麼玄虛啊！快跟我說。」

「不能不能，難道你想要我們分手？許願過的，不能亂來。我只能偷偷透露，事實上我一直都很有計畫的喔，不然我們就不會相遇。」

「什麼啦？真是，有毛病耶你。吊人胃口！」

我和劉駿光就這樣開始正式交往了。

我們在一起，卻又不完全在一起。雖然我們住在隔壁，但其實常常都忘了這件事。因為根本很多時候，我們還是一同起床一起睡。兩個家，兩個人，有時一起住我這兒，有時住他那兒，只是變成轉換氣氛的場所而已。

蔡思明問我，既然這樣為何不乾脆住一起，換一間大房子合租就好，不是比較省錢嗎？老實說我和劉駿光也有想過。甚至也曾考慮過我爸媽的意見共同買房，但最後我們還是決定維持現狀。未來或許會那麼做，但目前的生活方式沒什麼不好，那就不急著改變。

至於該不該去登記結婚呢？劉駿光從未催促我，我想，他是尊重我的決定。其實我已經不再對結婚感到有壓力。只要那個人是劉駿光，我明白結婚不結婚，他都會讓我過得開心。有一天或許水到渠成，就會突然去實踐也說不定。

那會是什麼時候呢？我不知道。但我已經決定，到了那一天，一定也要是由我向他求婚，因為那是我高中時曾許下的心願。

有一天晚上，一起窩在沙發上看韓劇時，我突然心血來潮試探他。

「如果要去登記結婚，你覺得你會選擇哪一天？」

「嗯……哪一天都可以囉。但希望是五月或是六月。」

「我生日或你生日的月份？」

「對啊。」他聽見我提起結婚一事，本來很故作鎮靜的樣子，結果突然將雙腿盤坐在沙發上，轉過身看我，整個人回神似地繼續說：

「登記完那天，我們去買以前霞中慶生時發的那種戚風蛋糕來慶祝，好不好？」

「都那麼久了，怎麼可能還能買得到那種蛋糕啦？而且哪裡有賣？」

「我知道。我查過！在霞中鎮上的一間傳統麵包店。」

「真假？我超懷念那個蛋糕的。」

「對吧？你喜歡吃的話，我的那一份還是可以給你。」

「拜託，我們現在可以買很多個來吃吧！別忘了配炸雞腿。」

哪有人慶祝結婚的蛋糕是用這個的啦！還吃炸雞？

劉駿光甚至說，乾脆那天晚上去看電影，而且不能是院線片，得找二輪電影院看舊片才行。要是有周星馳的片，就堪稱世紀大完美。

我們笑得東倒西歪，直說千萬不能讓蔡思明知道，實在太白癡。

結果，我們兩個人都沒有耐性等到計劃中的那一天。

幾天後，我和劉駿光請假沒上班。這天清晨轉醒，鬧鐘作響，我房間的牆就從隔壁傳來兩陣敲擊聲，而我也回敲了兩下。刷好牙，手機跳出訊息，劉駿光問我：「再十分鐘

ＯＫ？」我回他一個笑臉，說沒問題。

梳洗打理好，我難得地穿上西裝，戴上新配的眼鏡，竟覺得自己還挺人模人樣。

踏出家門時，也穿著西裝的劉駿光正好從隔壁出來。

兩個在一起的人，從不同的家門踏出，站在一起道早安，不知道為什麼，看見這一幕的彼此，不約而同笑起來。

「領帶沒打好喔。」劉駿光說。

「我不太會。」

「沒關係，我來。」

他伸手替我調整好領帶，拍拍我的肩膀，將我的衣服拉平，最後用他的大手，輕撫幾下我的頭，然後輕輕地吻了我一下。

這一刻，我決定，我永遠都不要學會打好領帶。

「那我們出發吧！」

「嗯。」我點頭。

「重要的東西都帶了嗎？沒帶，今天就辦不成了。」

「昨晚就放進包包裡了。」我拍拍背包。

我們下樓，步出公寓。天氣真好，肯定是個好日子。劉駿光前一天租好的車，停在街角的停車場。我原本說其實搭捷運或公車去就好了，但他堅持開車，說在這麼重要的日子，我們要穿得帥帥的，自己開車去，別擠公車才不會弄得太狼狽。

在抵達目的地的一路上，車窗外的景致我都沒太留意，因為坐在副駕駛座上的我，不時轉頭偷瞄著劉駿光，想著我們正要去完成的事，真是好不可思議。

當我的情緒完全平復下來的時候，場景已經轉到下一幕。

此時此刻，我和劉駿光坐在司令台上，眼前面對的是熟悉又陌生的霞中操場。

劉駿光事先聯絡了霞中，預約好今天校友返校。跟校門口警衛報上姓名和當年的學號，我們順利重返久違的校園。

「到底為什麼來學校，要堅持穿西裝啦？」我問他。

「當然要啊，重要的日子耶！我們重返相遇的地方，還要完成夢寐以求的事情，當然要穿正裝，認真對待。快把重要的東西拿出來吧！」

接著，劉駿光從背包中拿出戚風蛋糕和炸雞，而我則帶了蘋果。

「讓我來代替教官發號司令，」劉駿光大喊一聲：「開動！」

「等等，我還有帶這個！」

「什麼？」他好奇地看我從背包拿出什麼東西，結果，他噗嗤一笑，拍著地板大叫：

「天啊！簡直太完美了。」

我插好吸管遞給劉駿光。一人一瓶，麥香紅茶。

接近中午時分，操場上有一個班級正在上體育課。看起來是高一生，好小好年輕。他們在操場的遠處訓練接力賽，其中幾個孩子注意到我們，竊竊私語。

劉駿光一時興起跟他們揮揮手，他們笑成一團也揮手回應。

兩個穿著西裝的中年男人，雙腳懸空地坐在司令台前緣，手上拿著飲料，吞完炸雞又吃完蛋糕，現在正在啃蘋果。我跟劉駿光互看彼此，都覺得好笑，更何況是那些學生們，一定更感到莫名，好奇是哪來的兩個怪叔叔吧？

我們沒耐性等到計畫中的「那一天」就決定實踐這件事。

這一天，我們所謂重要的日子，不是去結婚，而是帶著懷舊的戚風蛋糕，重返母校。

自從高中畢業以來，事隔二十多年，今天是我們第一次回到霞中。經過這麼多年，歷經風風雨雨，實在感慨良多。青春就像當年念過的教科書，都好遠好模糊了，所幸我還記得那時候愛上一個人的感覺，直到現在也未曾改變。

「真想不到校園基本上沒什麼太大改變，就是多了一棟新的教室大樓，可是其他的建築好像跟印象中差不多。」劉駿光說。

「變得最多的是我們兩個。」我說。

「說不定其實沒變啊，」劉駿光指著操場遠方那群孩子們，說：「你看到那兩個坐在跑道上休息，靠在彼此身上的男生嗎？我打包票他們深具潛力，說不定就是另一對我和你。所以，沒變啊！」

「這個學校的磁場，真是太神祕了。」我失笑。

操場上的風吹來，很舒服。時光荏苒，霞中的風，對我們仍一視同仁地吹拂。

「劉駿光，事到如今，為什麼我們叫彼此的名字，還是叫全名啊？」

我忽然想到這個問題。

「其實我也想過。大概高中就這樣叫，叫習慣了吧？」

「那我們要換其他的叫法嗎？互相叫全名，會不會讓人覺得太生疏？」

「好像沒關係吧。你介意嗎？」

我搖頭說不會。

「那就好啊，我也不介意。我們不必跟別人一樣，按照我們喜歡的方式就好。」

「嗯。」我點頭。

今天的陽光確實特別燦爛。我們雙手撐在司令台的地板上，一起仰著身子，舉目望向湛藍的天空。看著這一幕，我的腦海忽然盤旋起張清芳的〈串起每一刻〉。然後想到我們已經約好，如果阿芳復出再開演唱會的話，這次絕對要坐在一起。

「何晉合、何晉合、何晉合！」

劉駿光突然打破沉默，連喊三次我的名字。

「哈，怎麼了？」

「重要的事要說三遍。」

「劉駿光？」

「嗯？」

「劉駿光、劉駿光、劉駿光！」

「你說了四遍。」

我知道。因為你對我來說，比重要還更重要。

我的視線從晴空中轉向身旁的劉駿光。

他同時看向我，對我微笑著，我也跟著笑了起來。

（第二部　全文終）

【創作期間】

第一部：2018年4月－2020年1月（初稿）

第二部：2020年2月－2020年11月（初稿）

全文定稿：2021年6月

戀人的保存期限
張維中談《不在一起不行嗎？》

專訪◎孫梓評

二十歲以長篇《岸上的心》出道，持續創作散文、旅記、童書，卻始終沒有荒廢對小說的熱情，《不在一起不行嗎？》是張維中第九本長篇小說；也是他首次以男同志為主角，二十三萬字篇幅，橫跨二十五年時空，鋪排出兩個青春時節相遇而後分離的男孩，當重逢於人生中段，曾經爍爍耀眼的初戀，還能延長保鮮嗎？「過去沒寫長篇同志小說，因為我希望同志角色可以如異性戀角色般自然而然出現在故事中。」如今出手，他說，「我已經寫了好幾本長篇，沒試過以同志為主人翁，可以嘗試一下。其次，同婚合法了，這是非常新鮮的主題，值得一寫。最後，我發覺自己對青春期記憶愈來愈陌生，如果要寫，這可能是最後的機會。」

重建九十年代青春舞台

於是小說第一部「光芒」將時空搬回連網路都還沒普及的一九九四，「一個比較取巧的原因是它等同於我的成長。一九九四年我讀高三，那幾年台灣經歷解嚴後的甦醒，性別議題、同志議題，也漸漸沸騰起來。」而敘事軸縮至大約半年，從高三下開學前的寒假到聯考，「原本還希望可以控制在三個月內！可能讀英文系時，讀到不少三一律作品，使我一直很羡慕，能在一個極短時間內，一個固定的場景，卻把細節說得極好。」

原打算只以五萬字處理的第一部，人物表和章節大綱列完，就發現想說的東西太多，「既然要寫，是否可以用比較專注的方式，把細節表現出來？」於是身為同代人的我，在故事中重溫了早已煙散卻仍歷歷在目的中學住宿生活，面對聯考的苦境，熱門次文化讀物與廣播節目，以及，整本小說的重要線索：大量流行音樂。「音樂是最容易入手的懷舊工具。比如我生活在東京，從銀座走回家的路上，突然聽見耳機傳出蘇慧倫第一張專輯，就會想起當初聽到這首歌時發生的一切。」然而小說只有文字，沒有旋律，「我不想只是抄歌詞，試著利用人物性格和環境描述去結合歌名，或許能達到我要的效果。」

第一部裡，除了兩名少年的互動，還有一條頗有《YOUNG GUNS》神采的副線，是補習班老師性侵案，最終被學生合力揭發，「構思第一部大綱時，我反省過去所寫的小說缺少某些驚爆點——小說讀下來，可能人物、對話還滿有趣，但沒辦法構成更大的格局。我想要有一個戲劇的高潮點，又不希望流於刻意。」為了合情合理，且對故事發展有益，「應該跟性別議題相關，於是挑選了性侵。現在性侵似乎是常見的社會事件，難道過去沒有嗎？過去應該有，但資訊封閉，很多事情沒有浮上檯面。」張維中說，「我刻意安排女同志角色被男老師性侵。在『霞中』那看似和樂融融、沒有性別認同問題的『平行世界』裡，這也是一份提醒，讓主角意識到世界並非如此友善。」

形塑四十世代可能的天真

來到第二部「等待」，像午後在電影院待了兩個小時，離開時發現天色已暗。張維中拿手的青春小說之外，另一標誌性風格的都會小說隨之登場——昔日憧憬愛情的男孩變為職場小主管，感情看法也有了移動，卻得尷尬面對眾人催婚。

「寫第一部，難題是如何重建已消失的時代場景，第二部的困難則是我人根本不在台北，要怎樣寫出角色置身現場的臨場感？」這也是他近期作品中，罕得與東京無關的一次，「過去無論是寫台北或東京，都即時反應我在那城市生活所思所想；這次像站在瞭望台俯看台北變化，說不定因為這份距離，小說人物的互動，也變得有些不同。」

第二部同樣有巧妙的時空設定：台灣同婚合法後，闊別二十年的兩位主角重逢，劉駿光短暫返台半年，將於耶誕節前返美，「殘酷的是，時間開了他們一個玩笑，把兩人個性顛倒過來。很幸運可以重逢彼此，同婚也合法了，過去的夢中情人還主動追求，何晉合反而卻步。他經歷過失敗的戀情，當他四十歲，可以把自己生活打理得很好，如果要接受另一個人的感情，無論是生活空間或生活模式，勢必得妥協或讓步，那種心理掙扎是我非常感興趣的。」

大概也沒人料想到，要開始第二部前，「我遭遇一個困境：小說人物的年齡設定。如果要寫同婚，故事勢必得發生在二〇一九年五月，但他們就會是四十多歲的大叔。我有點遲疑自己能否處理好四十世代的愛情？」

所幸韓劇《機智醫生生活》及時出現，「剛好跟我當時在寫的小說，人物性格有一點點類似，劇中人物是四十世代，當然他們也必須面對大人世界殘酷的一面，看待愛情跟生活時，心中仍有非常孩子氣的成分，那也是他們的魅力所在。於是我才覺得，應該沒問題，可以繼續寫下去。」

「光芒」和「等待」亦是嵌在書中的密碼。知者很快能辨認，這兩個題目出自張清芳專輯。「《光芒》專輯主打歌叫〈men's talk〉，是這本書英文書名的由來，九四年前後還沒有太多同志 icon，張清芳曾因這首歌歌詞中的曖昧描寫，引發男同志的聯想。」同時，「光芒」也等同小說中少年們青春燦爛模樣。「我曾考慮第二部改用張惠妹專輯。最後還是選擇張清芳《等待》。「等待」很切題——到底誰在等誰？是否其實何晉合根本忘不了劉駿光？而劉駿光也在等待可能追回何晉合的那一天？」

一般說來，時移事往，就算不是從經驗汲取教訓，感情變為世故，人也往往在時間打磨中愈濁愈鈍，此書透過命運結構的安排，卻彷彿暗示：愛的天真不應該隨著年紀增長而褪去，相反，你可以因為年紀得到智慧，找到把握天真的方法。張維中說，「四十歲世代天真的純愛，它存在嗎？存在的。」

虛構的情節，真實的慰藉

二〇一八年四月，嗅聞到同婚可能發生，張維中動筆寫《不在一起不行嗎？》。「寫第一部時，時間比較緊繃，因為工作量大，必須掐出所有零碎時間使用。」小說家的熱情是不可小覷的，「常常在家裡寫完一段，接著得上班、採訪，或有飯局，我用 Pages 軟體，雲端可以同步，一搭上地鐵，我就打開 iPhone 接著寫，甚至連跟好朋友聚餐都很想快點結束，回家繼續寫。」他形容那是一種「被小說附身的感覺」，「有時我踩健身車，一邊用 iPad 看寫好的段落，一看就不得了了，我就要修稿！」甚至給自己安排假期，飛到曼谷、首爾，「仍然帶著電腦，挑間咖啡廳，寫我的小說。」

二〇二〇年一月終於完成第一部。「我原本沒打算那麼快開始第二部，但新冠肺炎疫情帶給我人生無常的緊迫感。如果故事沒寫完，我總是有點遺憾，剛好出差工作歸零，也沒辦法出國，這一年總要有些東西留下來，最迫在眉睫的事就是把第二部完成。」二〇二〇年二月寫至當年底順利竣工，於是有了書腰上那句：「說完這個故事，不再寫小說也無遺憾！」

其實我偷笑。大概我比誰都知道，長久以來，他有多麼「需要小說」。不只是「讀小說」，而是「寫小說」，不能單純視為書寫熱情，更像「出口」般的存在。「因為我生活非常平凡、不戲劇化，或許這是好事。但如果我可以創造一群人，他們活得比我精采，過著我沒機會擁有的人生，這種想像力的滿足，小說可以達到。」自稱從小就喜歡看變魔術，「所以我寫小說，著迷以假亂真的感覺。我喜歡的電影或偶像劇，大多建立在真實基礎上，人物明明是虛構的，故事卻可以如此觸動人心。」因此，他一次次搏捏那些有聲有色的人物，編織令自己也心折的情節，「說不定讀我小說的人，生活跟我一樣無聊；或是小說人物遭遇的挫折，是他們正在經歷的，可以從小說中得到一份慰藉。」

就像，他一直記得，很久很久以前，有天從台北信義區電影院看完一場連片名都忘了的電影，卻有一種感動充盈胸口、久久不散，「想要製造那種感動，就是我寫小說的動力。首先要能感動我，書出版之後，要是也能感動其他人，就皆大歡喜了。」

看著看著就想念，聽著聽著就永遠！

後來還好嗎？

何晉合與劉駿光的故事，

或許仍在另一個角落繼續發生……

掃描本頁QR 條碼連結特設網站或輸入以下網址

讀者可獲得「SP 特別篇」小說

並可連結收聽小說情境歌單、

Podcast 特輯及本書相關訊息

https://weizhongzhang.com/mtat/

國家圖書館出版品預行編目資料

不在一起不行嗎？/ 張維中著 . -- 二版 . -- 新北市：
原點出版：大雁出版基地發行，2024.05
528 面；14.8X21 公分
ISBN 978-626-7466-12-4(平裝)

863.57 113005873

不在一起不行嗎？

作　　者　張維中
封面繪製　田中海帆
封　　面　田修銓
內文排版　黃雅藍
校　　稿　孫梓評、張維中、詹雅蘭
責任編輯　詹雅蘭

總 編 輯　葛雅茜
副總編輯　詹雅蘭
主　　編　柯欣妤
業務發行　王綬晨、邱紹溢、劉文雅
行銷企劃　蔡佳妘

發 行 人　蘇拾平
出　　版　原點出版 Uni-Books
Email　uni-books@andbooks.com.tw
電話：（02）8913-1005
傳真：（02）8913-1056
發　　行　大雁出版基地
新北市新店區北新路三段 207-3 號 5 樓
www.andbooks.com.tw
24 小時傳真服務（02）8913-1056
讀者服務信箱 Email: andbooks@andbooks.com.tw
劃撥帳號：　19983379
戶　　名：　大雁文化事業股份有限公司
二版一刷　2024 年 05 月
ISBN　978-626-7466-12-4 (平裝)
ISBN　978-626-7466-17-9 (EPUB)
定　　價　499 元